Rütlischwur

Das Buch

Kommissar Eschenbach hat sich eine Auszeit genommen und verbringt ein paar Wochen in Kanada. Als er ins Polizeipräsidium zurückkehren will, hat sich dort einiges verändert. Zu viel nach seinem Geschmack. Da kommt das Angebot von Jakob Banz gerade recht, als Jurist in der Privatbank Duprey einzusteigen.
Eschenbach soll intern – und möglichst geräuschlos – ermitteln, warum sein Vorgänger Peter Dubach spurlos verschwunden ist. Banz verdächtigt Dubach, sensible Kundendaten veruntreut zu haben. In einem Klima des Misstrauens gegenüber der Bankenwelt will er unter allen Umständen verhindern, dass der Fall Wellen schlägt. Kaum nimmt Eschenbach die Untersuchung auf, wird Jakob Banz nachts in seinem Büro ermordet. Wer hat ein Interesse an dem Tod des bekannten Bankiers oder daran, der Bank zu schaden? Die Ermittlungen konzentrieren sich auf Banz' Assistentin Judith, doch Kommissar Eschenbach verfolgt eine ganz andere Spur.

Der Autor

Michael Theurillat, geboren 1961 in Basel, studierte Wirtschaftswissenschaften, Kunstgeschichte und Geschichte und arbeitete jahrelang erfolgreich im Bankgeschäft. Die Romane mit Kommissar Eschenbach sind die erfolgreichste Krimiserie der Schweiz. 2012 wurde *Rütlischwur* mit dem Friedrich-Glauser-Preis ausgezeichnet. Michael Theurillat lebt mit seiner Familie in der Nähe von Zürich.

Die »Kommissar-Eschenbach-Krimis« von Michael Theurillat:

Im Sommer sterben
Eistod
Sechseläuten

Michael Theurillat

Rütlischwur

Kriminalroman

List Taschenbuch

Besuchen Sie uns im Internet:
www.list-taschenbuch.de

Ungekürzte Ausgabe im List Taschenbuch
List ist ein Verlag der Ullstein Buchverlage GmbH, Berlin.
1. Auflage Dezember 2012
© Ullstein Buchverlage GmbH, Berlin 2011 / Ullstein Verlag
S. 158, Befehl von General Henri Guisan, aus:
Wikipedia-Eintrag zum Thema »Schweizer Réduit«.
Als Quelle für die Seiten 224–228 dieses Buches
wurde der Wikipedia-Eintrag zum Thema »Hawala« genutzt
und zum Teil auch wörtlich zitiert.
S. 274 f.: Bachmann, Albert und Grosjean, Georges, *Zivilverteidigungsbuch*,
herausgegeben vom Eidgenössischen Justiz- und Polizeidepartement
im Auftrage des Bundesrates, 1969.
S. 276: Schreiben von Albert Bachmann an das Eidg. Justiz-
und Polizeidepartement, 10. März 1961 (inkl. Beilage), in: E 4001 (D)
1976 / 136, Az. 09.47, Bd. 61. / Quelle: Schweizerisches Bundesarchiv.
Als Quelle für Seite 284 wurde der »www.namen-der-rosen.de«-Eintrag
zum Thema »Anaïs Ségalas« genutzt und zum Teil auch wörtlich zitiert.
S. 382: Werner Wollenberger (Text) und Paul Burkhard (Musik),
Mis Dach isch dr Himmel vo Züri, aus dem Musical *Eusi chliini Stadt*.
Umschlaggestaltung: bürosüd° GmbH, München,
unter Verwendung einer Vorlage von HildenDesign, München
Titelabbildung: © HildenDesign, München
Satz: LVD GmbH, Berlin
Gesetzt aus der Sabon
Papier: Munkenprint von Arctic Paper Munkedals AB, Schweden
Druck und Bindearbeiten: CPI – Clausen & Bosse, Leck
Printed in Germany
ISBN 978-3-548-61130-3

MEINEM VATER,
AUF SEINE LANGE REISE

Einleitende Bemerkung

Selbstverständlich gibt es das Kloster Einsiedeln, diesen wunderschönen Barockbau am Fuße des Friherrenbergs im Kanton Schwyz. Auch die Kantonspolizei Zürich existiert und natürlich ebenso Dr. Beat »Beatocello« Richner – zum Glück! Und wer unter dem Stichwort *Hawala* im Internet recherchiert, der wird einiges über dieses geheimnisvolle Bankensystem erfahren. Sogar das Büchlein *Zivilverteidigung* ist geschrieben worden, von einem gewissen Oberst Albert Bachmann et al.

Es gibt Dinge, deren Existenz ich nicht leugnen will, denn sie sind einfach zu schön, als dass man sie erst erfinden müsste.

Und doch dürfen diese Gegebenheiten nicht darüber hinwegtäuschen, dass es sich beim vorliegenden Roman um reine Fiktion handelt. Alle agierenden Personen und Institutionen sowie deren Verbindung zueinander sind frei erfunden. Mögliche Übereinstimmungen oder Ähnlichkeiten mit lebenden oder verstorbenen Personen sowie mit Handlungen (in der Gegenwart oder in der Vergangenheit) sind rein zufällig und vom Autor nicht beabsichtigt.

Wir wollen seyn ein einzig Volk von Brüdern,
In keiner Noth uns trennen und Gefahr.
(Alle sprechen es nach mit erhobenen drei Fingern)
Wir wollen frey seyn wie die Väter waren,
Eher den Tod, als in der Knechtschaft leben.
Wir wollen trauen auf den höchsten Gott
Und uns nicht fürchten vor der Macht der Menschen.

aus: Friedrich Schillers *Wilhelm Tell*
(2. Aufzug, 2. Szene, Schluss)

Kapitel 1

Das Mädchen Judith

Wenn ein Vater sein Kind nicht will, dann macht er sich aus dem Staub. Am besten vor der Geburt. Das Kind bleibt noch eine Weile im Bauch der Mutter, wird geboren und von ihr großgezogen. Allein oder zusammen mit einem neuen Partner. Das ist ein Unglück – aber keine Katastrophe.

Anders sieht es aus, wenn eine Mutter ihr Kind nicht will; dann ist die Sache komplizierter: Der Vater wird sich nicht selbstverständlich um es kümmern, sie kann es abtreiben oder nach der Geburt weggeben. Wenn sie verzweifelt ist, wird sie ihr Baby bekommen und verlassen.

Das ist Mord.

Babys werden in Mülltonnen und auf Parkbänken gefunden. Auch im Winter. Auf Parkplätzen von Autobahnraststätten und im Wald. Oft kommt jede Hilfe zu spät. Und dann gibt es noch die, von denen keiner Kenntnis hat, weil sie nie gefunden wurden …

Bruder John folgte in groben Zügen dieser Argumentation, als er während eines Kolloquiums im Benediktinerkloster Einsiedeln zu seinen Ordensbrüdern sprach.

Es war ein Augustnachmittag im Jahr 1995.

Die Quecksilbersäule in Zürich verzeichnete mit zweiunddreißig Grad Celsius einen Höchstwert, doch auf der Anhöhe in Einsiedeln, rund vierzig Kilometer südöstlich der Stadt, herrschten tiefere Temperaturen.

Der Geist von Sankt Benedikt wirkte schon über tausend Jahre an diesem Ort, seit der Heilige Meinrad, Einsiedler aus dem Finsteren Wald, im Jahr 835 die Gegend aufgesucht hatte. Gefördert von Bischöfen und Adelsfamilien, erreichte das neu-gegründete Kloster bis ins Jahr 1100 eine erste Hochblüte und strahlte als geistliches und kulturelles Zentrum über Aleman-nien hinaus bis nach Norditalien.

Im Strudel politischer und gesellschaftlicher Wirren verlor die Fürstabtei zunehmend an Einfluss. Bis auf einen einzigen Mann reduziert, trotzte die Bruderschaft schließlich der Reformation. Es waren dunkle Jahre, an deren Ende neues Leben erwachte. Denn in der Folge entwickelte sich Einsiedeln zu einem interna-tionalen Wallfahrtsort und zum Mittelpunkt der katholischen Schweiz. Wie eine Eiche, die alle Stürme überlebt hat und noch immer Früchte trägt, waren sich die Ordensbrüder ihrer kraft-vollen Ausstrahlung bewusst. Dennoch gab man sich demütig – ganz im Gegensatz zum nahe gelegenen Zürich –, man wollte mit nichts protzen. Und doch: Der prächtige Barockbau aus dem achtzehnten Jahrhundert, die kostbar ausgestattete Kirche und die kunstvoll verzierten Säle; die Stiftsbibliothek von Weltruhm und die über tausendjährige Pferdezucht – all dies vermochte das selbstauferlegte Gelübde der Bescheidenheit nicht ganz widerzu-spiegeln.

In der Arbeitsklause im Westflügel des Klosters war es angenehm kühl. Der Abt Sebastian Watter, ein bedächtiger, weißhaariger Mann, und die vier Mönche, die der Sitzung beiwohnten, folgten den Ausführungen des Vortragenden recht unbeteiligt. Keiner von ihnen war jemals verheiratet gewesen und demzufolge auch noch nie im Leben Vater geworden. Aber sie waren alle weltlich genug, um sich menschliche Katastrophen aller Art vorstellen zu können.

Bevor Bruder John zu seinem eigentlichen Anliegen vordrang, machte er eine kurze Pause. Er hatte viele Wochen lang über einen geeigneten Namen nachgedacht: *Ort des Lebens – Hoffnungs-box – Babykasten*. Sie schienen ihm alle noch recht unausgegoren, so dass er sie erst gar nicht erwähnte.

»Wir sollten verzweifelten Müttern eine Anlaufstelle bieten – ihnen eine Möglichkeit geben, ihr Baby abzugeben. Bei uns. Anonym. Natürlich in der Hoffnung, dass sie es später wieder abholen. Wenn Gott ihnen in diesen schweren Stunden beisteht, so werden sie sich bei uns melden ...«

An dieser Stelle hielt Bruder John inne und ließ das Gesagte nachwirken. Er beobachtete die nachdenklichen Gesichter seiner Ordensbrüder.

Keiner sagte ein Wort.

Stille erfasste den Raum. Eine Ruhe, die Bruder John nicht als unangenehm empfand, denn in den Kolloquien, die sie in Abständen von drei bis fünf Wochen abhielten, war es nicht üblich, dass man sich sofort zu dem vorgebrachten Thema äußerte.

Es galt, in andächtiger Stimmung über das Gehörte nachzudenken und wohlwollend darüber zu befinden. Darin unterschied sich die Gemeinschaft des Benediktinerordens von den meisten anderen Gemeinschaften der westlichen Welt.

Bruder John sah zu Sebastian Watter, der am Kopfende des langen Eichentisches saß und die Augen geschlossen hielt. Hinter dem Abt, auf halber Höhe, hing als einziger Schmuck an der weiß getünchten Wand das Kreuz Jesu Christi.

Unweigerlich dachte Bruder John an Golgatha. Und vielleicht fiel ihm gerade deshalb der springende Punkt erst in diesem Augenblick ein.

»Natürlich müssen wir diese Neuerung öffentlich machen. Schließlich sollen die Mütter wissen, dass sie bei uns diese Möglichkeit haben ...«

Der Abt hob langsam das Kinn: »Öffentlich«, sagte er in ruhigem, gefasstem Ton. »Ganz richtig. Und gerade darin liegt das Problem.«

Die *Babyklappe*, wie Bruder Johns Idee inzwischen klosterintern genannt wurde, war auch in den folgenden Sitzungen ein Thema, auch wenn man sich mit der konkreten Umsetzung Zeit lassen wollte. Bruder John war zuversichtlich, ja, sogar hoffnungsfroh. Wenn die Kirche das ungeborene Leben schützte, warum sollte sie es mit dem geborenen anders halten. Dass der Begriff *Babyklappe* nicht von ihm selbst stammte, störte ihn nicht. Denn im Kloster Einsiedeln war es kein Geheimnis, dass er der Vater dieses durchaus bemerkenswerten Gedankens war.

So war es kein Zufall, dass man sich an Bruder John wandte, als am Abend des 26. November desselben Jahres ein Mädchen den Weg ins Kloster fand.

»Sie ist in meinem Büro«, war der erste Satz, den Bruder Pachomius herausbrachte, nachdem er mit hastigem Klopfen in Johns Zimmer hereingeplatzt war. Er nahm seine Nickelbrille ab und fuhr sich mit dem Ärmel seiner Kutte über die schweißnasse Stirn.

»Wer?«, fragte John.

»Ein Mädchen. Nach der Vesper ging ich zurück ... Ich muss doch die Katalogisierung vorantreiben. Da stand sie ... Das Fenster eingeschlagen.«

Die beiden Mönche eilten durch die Gänge in Richtung Westflügel. John tat sich schwer, sein Tempo zu drosseln – auch wenn er kurze Beine hatte, untersetzt und pummelig war. Immer wieder musste er innehalten, weil der zweiundsiebzigjährige Pachomius stehen blieb und schweißgebadet nach Luft rang.

Als sie um die letzte Ecke bogen, sah John, dass die Tür des besagten Zimmers weit offen stand. »Sie ist bestimmt schon über alle Berge«, murmelte er.

»Dass ich so was noch erleben muss«, keuchte Pachomius.

Aber das Mädchen war noch da. Sie saß auf der Kante des Schreibtisches und hielt ein Buch in den Händen. Als sie die beiden Mönche erblickte, stand sie auf.

»Hier.« Pachomius zeigte auf das Mädchen. Es war ungefähr eins fünfzig groß, trug ausgeblichene Jeans und einen verfilzten, sandfarbenen Wollpullover, der ihr bis zu den Knien reichte.

»Sie ist noch da.«

Das Mädchen blickte Bruder John direkt an. »Ich bin Judith. Ich brauche etwas zum Essen und neue Kleider.«

Kein Baby, schoss es Bruder John durch den Kopf. Er nickte.

»Wie alt bist du?«

»Dreizehn.«

»Ein Teenager also.«

»Ja.« Das Mädchen verzog den Mund. »Ich war bei den Pferden gewesen, draußen ...« Sie deutete in die Richtung, in der die Stallungen lagen. »Dort habe ich mich eine Weile versteckt. Aber jetzt habe ich Hunger, und mir ist kalt.«

»Hast du die Scheibe eingeschlagen?«

»Ja. Ich dachte, ich finde hier einen Kühlschrank. Oder Vorräte ... In einem Kloster habt ihr doch so was, oder?«

Bruder John musterte das Mädchen. Ihre kurzen schwarzen Haare waren zerzaust. Sie hatte ein ebenmäßiges Gesicht mit hohen Wangenknochen und einem energischen Kinn. Obwohl sie abgemagert und bleich war, erschien sie dem Klosterbruder keineswegs hilflos. Das Auffälligste aber waren ihre Augen: Sie glänzten in hellem Grün, wie frischpolierte Jadesteine. Und zu seinem Erstaunen konnte Bruder John keinerlei Angst oder Argwohn in ihnen entdecken. »Das hier ist das Büro von Bruder Pachomius«, sagte der Mönch leise. »Pachomius betreut zusammen mit fünf Brüdern die Stiftsbibliothek.«

Der alte Mann nickte und ließ die Schultern hängen.

Einen Moment dachte Bruder John darüber nach, wie wenig seine bisherigen konzeptionellen Ideen zur Lösung des akuten Problems beitrugen.

»Und jetzt?«, fragte das Mädchen.

»Ich schlage vor, wir essen und trinken erst einmal etwas«, sagte John. »Dann schauen wir weiter.«

Abt Sebastian Watter, der in Zürich an einer Podiumsdiskussion teilgenommen hatte und kurz nach Mitternacht ins Kloster zurückgekehrt war, erfuhr erst am nächsten Morgen von dem neuen Gast. Gleich nachdem ihn Bruder John über den Fall unterrichtet hatte, bat er das Mädchen zu sich, für ein Gespräch unter vier Augen.

Watter war es gewohnt, in seinem Kloster Gäste aufzunehmen. Denn die Gastfreundschaft war Teil jener *Regula Benedicti*, die der heilige Namensgeber des Ordens vor fünfzehnhundert Jahren verfasst hatte.

Häufig waren es Manager, die sich in ihren Konzernen eine Auszeit erbaten, um über den Sinn des Lebens nachzudenken. Es waren Menschen mit einer wohldefinierten Vergangenheit, die sich über ihre Zukunft im Unklaren waren.

Mit diesem Mädchen, das ihm nun seit einer knappen halben Stunde gegenübersaß, verhielt es sich genau umgekehrt. Sie besaß sehr klare Vorstellungen, was ihre Zukunft anging. Über ihre Vergangenheit dagegen schwieg sie sich aus.

»Du möchtest also hierbleiben«, fasste der Abt zusammen. »Und du willst bei uns in die Stiftsschule gehen und etwas lernen.«

Judith nickte. »Genau das will ich.« Ein kurzes Lächeln huschte über ihr mageres Gesicht. »Und ich weiß auch, dass eine solche Ausbildung Geld kostet«, fuhr sie fort. »Dafür möchte ich arbeiten. In der Küche ... oder, was mir viel lieber wäre, bei Bruder Pachomius. Die Katalogisierung der Bibliothek ... Da gibt es noch sehr viel zu tun. Ich kann das.« Sie machte eine kurze Pause. Als der Abt weder nickte noch etwas dazu bemerkte, sagte sie: »Wenn mein Lohn dafür nicht reicht, würde ich die Differenz gerne später zurückzahlen. Ich unterschreibe auch einen Darlehensvertrag. Ich werde später Wirtschaft studieren. Und ich werde Geld verdienen. Sehr viel Geld.«

Der Abt dachte nach. In gewisser Weise gefiel ihm die Zielstrebigkeit dieses Teenagers. Sie war ungewöhnlich. Auf der anderen Seite missfiel ihm das Ziel. Abt Sebastian dachte an die Manager, die – sofern sie den Weg zu ihm ins Kloster gefunden hatten – mit ebendieser Zielsetzung haderten und sie oft genug als Irrweg bezeichneten.

Trotzdem äußerte er keine Einwände. Er würde John damit beauftragen, mehr über das Mädchen herauszufinden. Auch nach den internationalen Vermisstenanzeigen bei der Polizei mussten sie sich erkundigen. Bestimmt gab es Eltern, die bereits in großer Sorge waren. Nicht selten klärten sich solche Fälle innerhalb kürzester Zeit auf. Der Abt blickte eine Weile in das junge Gesicht, dann beschied er: »Du kannst bleiben. Und einen Vertrag brauchen wir nicht.«

Im März des darauffolgenden Jahres erreichte Bruder John ein Brief. Die Marke zeigte Lady Augusta Gregory (in nachdenklicher Pose) und trug den Schriftzug EIRE. Der Poststempel war nicht zu entziffern. John wusste dennoch sofort, dass es der Brief war, auf den er gewartet hatte. Eine Mischung aus Erleichterung und Neugier erfasste den Mönch. War sein Schreiben also doch angekommen?

Vier Wochen lang hatte John daran gezweifelt, denn Judiths Informationen waren dürftig gewesen. Ein Landgut im Süden von Irland. Merryborough oder so ähnlich, und ein Mann namens Ernest Bill. Von einer alten Frau war einmal die Rede gewesen, und von Eseln und Gänsen.

Der Mönch hatte sich wirklich Mühe gegeben. Hartnäckig hatte er Judith immer wieder auf ihre Vergangenheit angesprochen, hatte nach ihren Eltern, Geschwistern und Verwandten gefragt. Doch je mehr er insistierte, desto verschlossener gab sich das Mädchen. Einmal, als er ungeduldig geworden war und mit der Polizei gedroht hatte, war Judith plötzlich verschwunden. Für drei unendlich lange Tage. In dieser Zeit hatte John sich geschworen, künftig behutsamer vorzugehen. Inzwischen gab es Momente, in denen er einfach vergaß, dass er über Judiths bisheriges Leben so gut wie nichts wusste. Ironischerweise waren es gerade diese Augenblicke, in denen Judith von sich aus etwas preisgab. Eine kleine Geschichte oder – was leider viel häufiger der Fall war – nur eine kurze Bemerkung.

Es gab Nächte, in denen John sich in seiner Selbstbetrachtung mit einem Fastenden verglich, den man immer mal wieder mit kleinen Häppchen in Versuchung führen wollte. Und nicht selten drängte sich der Gedanke auf, dass Judith ein Spiel mit ihm trieb. Vielleicht hatte sie aber auch Angst, dass man sie an ihre alte Welt zurückverwies, und empfand ihre Anonymität als Schutz. Aber welche Welt war es, aus der Judith gekommen war? John machte sich nichts vor. Es war gut möglich, dass Judith etwas zu verbergen hatte und sich deshalb über ihre Vergangenheit ausschwieg.

Judith ahnte nicht, dass es John gelungen war, aus ihren spärlichen Angaben eine Adresse zusammenzusetzen; diese Adresse war zwar nicht vollständig, aber vielleicht würde der Brief, den der Bruder geschrieben hatte, sein Ziel doch erreichen:

Ernest Bill
Country Estate or Farm
Maryborough (Cork)
Ireland

Weil der Mönch selbst englischer Abstammung war (ein Schotte, wenn man es genau nahm), hatte es ihm keinerlei Mühe bereitet, seinen Brief auf Englisch zu verfassen. Er erzählte von Judiths Ankunft im Kloster im vergangenen November und legte den Schwerpunkt seines Schreibens auf die erfreuliche Tatsache, dass man im Internat der Stiftsschule für sie einen Platz gefunden habe. Bruder John erwähnte mit einem gewissen Stolz, dass er selbst sie auch unterrichtete (Latein, Englisch und Biologie) und dass er eine Art Mentor für Judith geworden sei.

Eine Broschüre des Internats hatte er seinem Schreiben beigelegt.

... und natürlich können Sie uns jederzeit hier besuchen. Bei dieser Gelegenheit würde es mich auch freuen, mehr über Judith zu erfahren. Hat sie Verwandte in Irland? Sie erwähnte einmal einen Unfall. Sind ihre Eltern tatsächlich tot?

Ich hoffe, mein Brief erreicht Sie – denn Ihre Anschrift hat mir doch einiges Kopfzerbrechen bereitet.

Es war ein Schreiben voller Hoffnung und voller Fragen gewesen. John hatte den Moment noch vor Augen, als er den Brief persönlich zum Postschalter gebracht hatte. Es war ihm wichtig gewesen, dass eine Angestellte der Schweizer Post das Gewicht sowie Adresse und Frankierung noch einmal überprüfte und dass diesbezüglich auch wirklich nichts zu beanstanden war.

Ebenso erinnerte sich Bruder John an das Unbehagen, das in ihm aufgekommen war, als er gesehen hatte, wie die Frau das Schreiben in hohem Bogen in eine große gelbe Box geworfen hatte, zu Dutzenden von anderen Briefen.

In Gottes Namen.

Als er mit leeren Händen den Weg zurück zum Kloster in Angriff genommen hatte, war ihm schmerzlich bewusst geworden, dass es keinen Schutzheiligen gab, der für die Post zuständig war. Also rief er den heiligen Christophorus an, dessen Bereich immerhin der Verkehr war, und bat ihn, sich dieser Sache gleichermaßen anzunehmen.

Bruder John stand noch immer vor den Postfächern im Hauptgebäude des Klosters Einsiedeln. Sosehr ihn seine Neugier trieb, er widerstand der Versuchung, den Brief auf der Stelle zu öffnen. Es blieben kaum noch zehn Minuten bis zum Mittagsmahl. Also legte er das ungeöffnete Kuvert zurück in das Fach. Er hatte zu lange auf diesen Moment gewartet – und deshalb wollte er die Nachmittagsstunden dazu verwenden, den Brief in aller Ruhe zu lesen.

Lieber John,

Sie hatten mich gebeten, etwas über Judith zu erzählen. Ich hoffe, sie macht keine Schwierigkeiten; allerdings würde mich dies verwundern. Aber sie ist nicht einfach, das ist sie nie gewesen. Schon als kleines Kind nicht, als ich sie bei mir aufgenommen habe.

Ihre Eltern sind tatsächlich bei einem Autounfall ums Leben gekommen; Judith war damals vier Jahre alt.

Ich werde mich bemühen, Ihnen einige Informationen zu geben, die es Ihnen und Ihren Brüdern ermöglichen, Judith besser zu verstehen. Vor allem müssen Sie sie weiter so gut unterrichten – Ihre Schule genießt ja einen exzellenten Ruf; sie ist ein äußerst begabtes Kind.

Judith ist kein gewöhnliches Mädchen.

Gewöhnlich kennen Menschen ihre Eltern. Wenigstens ihre Mutter. Kinder brauchen eine Idee, woher sie stammen, eine Blaupause ihrer Herkunft – nur so bekommen sie ein Gefühl für ihre Heimat. Denn die Heimat – sie ist etwas ganz Zentrales in unserem Leben.

An dieser Stelle würden Sie bestimmt sagen: Unsere Heimat ist Gott. Aber ganz so einfach ist es nicht.

Judith kann sich an den Unfall nicht erinnern. Das hat sie mir immer wieder gesagt. Und ich habe sie auch nie über die wahren Umstände aufgeklärt, die zu dieser Tragödie geführt haben. Genau genommen ist es ja ein Wunder, dass die Kleine damals überlebt hat.

Vielleicht hat Ihr Gott die Finger im Spiel gehabt. Aber lassen wir das.

Als Freund der Familie schien es mir damals das Gescheiteste zu sein, dass ich mich um die Kleine kümmern würde. Wenigstens bis zum Ende der Grundschule. Und meine Haushaltshilfe, die gute Chester, sie hat Judith aufgenommen wie ihr eigenes Kind.

Die ersten Jahre ging es gut. Für Judith schien es das Normalste auf der Welt zu sein, bei uns auf Annie's Landmark aufzuwachsen. Sie mochte den alten Esel Jack, die Gänse und den ganzen Kleintierzoo, den wir sonst noch führen.

Für ein Kind ist es ja wirklich ein Paradies hier.

Aber ein inzwischen über sechzigjähriger Mann (zudem mit meiner Vergangenheit) und eine irische Haushälterin, die genauso gut ihre Großmutter hätte sein können – das sind Verhältnisse, die früher oder später zu Fragen Anlass geben. Und wenn man so ist wie Judith, dann müssen Antworten her. Richtige Antworten.

An ihrem elften Geburtstag hab ich sie erstmalig zum Grab ihrer Eltern mitgenommen, in Upper Castle. Das war ein Fehler. Oder auch nicht – wie man's nimmt. Ich weiß nicht, was mich damals dazu verleitet hat, sie mit der ganzen Wahrheit zu überfallen. Ich habe mich nachträglich oft gefragt, ob es nicht besser gewesen wäre, ich hätte ihr ein x-beliebiges Grab auf dem Friedhof von Dublin gezeigt. Mit einem ordentlichen Grabstein, auf einem respektablen Friedhof – mit Grabspruch, Jahreszahlen und vollständigen Namen. Herrgott. Und mit einem blühenden Rosenbusch. Vielleicht wäre sie dann zufrieden gewesen. Und passend dazu eine plausible Geschichte (es ist mir nie schwergefallen, plausible Geschichten zu erfinden).

Aber bei Judith wollte ich seltsamerweise gar nicht erst damit anfangen. Kein doubleplay wie sonst immer, sondern Tatsachen. Wenigstens das richtige Grab; das ist das mindeste, dachte ich, auch wenn ich wusste, dass ich ihr nie die ganze Geschichte erzählen würde.

Leider wirft ein alter, mit Moos überwucherter Felsbrocken im Wald Fragen auf. Schon die Inschrift: Annie & Ch. Stiner – rasten hic inne, *ist geradezu eine Einladung. Ich hätte es besser wissen müssen.*

Aber ich konnte ihr nicht sagen, wer ihre Eltern waren.
Selbstverständlich weiß ich es.
Ich KONNTE es nicht.
So begann unser Zerwürfnis, und ein Jahr später, drei Tage nach ihrem zwölften Geburtstag, ist Judith ausgebüxt. Ich habe mich gewundert, wie ein zwölfjähriges Mädchen über ein Jahr lang allein in dieser Welt zurechtkommen kann. Da ich über sehr gute Beziehungen verfüge, wusste ich im Großen und Ganzen, wo sie sich gerade aufhielt. Als ich hörte, dass sie nun bei Ihnen gelandet ist, war ich froh. Über Ihre Schule in Einsiedeln habe ich mich erkundigt. Und dass Judith von mir spricht, rührt mich.
Ich habe Judith verloren, weil ich sie nicht anlügen konnte. Irgendwie zynisch, nicht wahr? Denn mein Geschäft basierte auf Täuschung. Mein halbes Leben war eine Lüge. Und die Ausnahme mit Judith macht es nicht besser.
Ein bisschen vielleicht.
Lasst sie in Freiheit heranwachsen! Das ist der einzige Rat, den ich Ihnen, lieber John, geben kann. Seid offen und ehrlich zu ihr.
Denn Judiths Geschäft ist die Wahrheit.

Herzlichst,
Ernest

Der Brief war auf Englisch verfasst und mit der Hand geschrieben. Eine kräftige männliche Handschrift in dunkelblauer Tinte.

Bruder John las ihn ein zweites und ein drittes Mal. Er versuchte sich den Menschen vorzustellen, der hinter diesen merkwürdigen Zeilen stand.

Ein Lügner, der nicht mehr lügen wollte – war er das wirklich?

Bruder John hatte einmal gelesen, dass Menschen, die ein ganzes Leben lang nur gelogen hatten, gar nicht mehr fähig waren, die Wahrheit zu erkennen. In welcher Welt lebte dieser Mann?

Der Mönch beschloss, mehr über den Mann herauszufinden. Und was Judith anging, so würde er abwarten. Die Zeit schien ihm nicht reif, sie mit dem Schreiben ihres Ziehvaters zu konfrontieren.

Kapitel 2

Fünfzehn Jahre später

Als Kommissar Eschenbach die Augen aufschlug, sah er einen Tisch. *Mensa = der Tisch*, dachte er. Das Möbel war einfach gezimmert, mit geraden hölzernen Beinen. Vier Beinen! »*Unus ... duo ... tres ... quattuor ...*«, murmelte er.

»*Quinque, sex, septem ...*«, zählte jemand anders weiter. Der Kommissar blinzelte. Aber er sah niemanden. Er versuchte seinen Kopf zu heben. Es gelang ihm nicht. Stattdessen Stiche im Hirn. Regelrechte Explosionen. Eschenbach stöhnte. Wie ein niedergestrecktes Tier lag er da. Unfähig, die Situation zu erfassen. Erschöpft schloss er die Augen. Der Tisch verschwand im Dunkel.

Mensa obscura.

»Zählen Sie weiter«, sagte jemand. Die Stimme war ganz nahe an seinem Ohr: ein leises, rauchiges Timbre, das sich anhörte nach Marlene Dietrich im *Blauen Engel*.

Eschenbach blinzelte erneut.

»Kommen Sie schon, Doktor ... Zählen Sie: *octo – novem – decem ...*«

»*Octo – novem – decem*«, wiederholte Eschenbach schwach. Er war also Doktor. Aber was für ein Doktor?

»Ja – ja – ja.«

Es war definitiv eine weibliche Stimme, die ihn begleitete.

»Gott sei Dank!«, sagte eine Männerstimme von weiter weg.

»*Deo gratias*«, flüsterte es wieder ganz nah.

Bevor er abermals das Bewusstsein verlor, war sich der Kommissar sicher, dass er sich im Himmel befand. An welchem anderen Ort auf der Welt sprach man sonst Latein? Er war nicht katholisch, also kam der Vatikan nicht in Frage.

Im Himmel also, dachte Eschenbach. Und womit, bitte, hatte er sich diesen Aufenthalt verdient? Zwanzig Jahre Polizeiarbeit, zwölf davon als Leiter der Kriminalpolizei des Kantons Zürich. Reichte das?

Gut, er hatte mehr gelöste als ungelöste Fälle vorzuweisen. Auch war er das Gegenteil von korrupt, ein Umstand, den man hier möglicherweise mit Bonuspunkten honorierte.

Andererseits war er ein notorischer Raucher und Vieltrinker; dazu stur, eigenbrötlerisch und obendrein als Vater und Ehemann nur halbwegs zu gebrauchen.

Ausgeglichene Rechnung, resümierte Eschenbach. Aber vielleicht haben die hier Rekrutierungsprobleme. Oder es gibt eine Quotenregelung für Polizisten oder Raucher oder beides.

Als Eschenbach wieder erwachte, stand der Tisch noch immer dort. An demselben Ort wie zuvor. Vor einer weiß getünchten Mauer, in die ein Erker mit einem Fenster eingelassen war. Diffuses Licht drang in den kleinen Raum.

Am Tisch, kaum drei Meter von ihm entfernt, saß ein Mädchen auf einem Holzhocker. Sie trug Jeans und ein dunkles T-Shirt. Der Kommissar betrachtete ihr Profil. Einen Moment lang glaubte er seine Tochter Kathrin zu erkennen: der helle Teint, ihre kleine Nase und die kurzen, dunklen Haare.

Das Mädchen hatte einen Stapel Spielkarten in der Hand, den sie mit flinken Fingern teilte, auffächerte und wieder zusammenschob.

Es war nicht Kathrin. Seine Tochter konnte mit Spielkarten nicht umgehen. Wenn er mit ihr und seiner Frau Corina einen Jass spielte, musste immer er die Karten mischen.

Wer war das Mädchen dann?

Der Kommissar starrte gebannt auf die sitzende Gestalt und sah ihr beim Spielen zu. Wie sie geschickt die Karten jonglierte, sie auf den Tisch blätterte und wieder hochhob. Wo war er?

Er lag in einem Bett auf der Seite. Den rechten Fuß spürte er in der Kniekehle des linken Beins. Oder war es umgekehrt?

Dumpfe Schmerzen überall. Wenn er die Nackenmuskeln anspannte, um den Kopf zu heben, schlugen Blitze in sein Hirn. Also ließ er es bleiben.

Unweigerlich dachte Eschenbach an ein Spital. Aber das war es nicht. Der typische Klinikgeruch fehlte. Es roch nach etwas ganz anderem. Nach etwas, an dessen Namen Eschenbach sich partout nicht erinnern konnte.

Plötzlich musste der Kommissar an Rindsbraten denken, an Barolosauce und mit Kartoffelpüree. Er hatte Hunger.

Aber der Geruch war ein anderer.

Das Mädchen am Tisch summte.

Der Kommissar erkannte die Melodie sofort. Es war *Raindrops Keep Falling On My Head* aus dem Film *Butch Cassidy and Sundance Kid*. Er sah Robert Redford und Paul Newman von der Klippe springen und krallte sich am Bett fest.

Das Summen hörte nicht auf.

Eschenbach spitzte mühsam die Lippen. Er wollte das Lied pfeifen. Es gibt Melodien, die müssen gepfiffen und nicht gesummt werden. Aber das Geräusch, das er zustande brachte, war jämmerlich.

»Hey«, sagte das Mädchen. Sie hatte sich Eschenbach zugewandt und sah ihn an. »Wieder wach?«

Der Kommissar nickte leicht und schluckte.

Es war definitiv nicht Kathrin.

Das Mädchen stand langsam auf und kam auf ihn zu. Vier Schritte waren es bis zu seinem Bett. *Unus – duo – tres – quattuor.* Schlank und zierlich. Das Mädchen war eine junge Frau. Er schätzte sie auf Mitte zwanzig. Eschenbach hatte gar nicht erst versucht sich aufzurichten. Für einen Moment hielt er sogar den Atem an.

Die junge Frau stand nun direkt vor ihm. Der Kommissar musterte sie von den Knien bis zum Bauch. Weiter kam er nicht, ohne den Kopf anzuheben.

»Kommen Sie«, hörte er die Frau sagen.

Kann nicht, dachte er.

»Ich dreh Sie jetzt auf den Rücken.«

Es war die rauchige Lateinstimme, die er im Himmel schon einmal gehört hatte. Der Kommissar spürte Hände an Schultern und Beinen und wie sie seinen Kopf behutsam anhob und auf ein Kissen bettete. Eschenbach lauschte ihrem Atem und wartete vergeblich auf das Stechen der Messer. Nur ein dumpfes Pochen meldete sich; keine Blitze mehr. Es war auszuhalten.

Auf dem Rücken liegend, konnte er endlich ihr hübsches Gesicht betrachten.

»*Et voilà!*« Sie lächelte kurz. Über ihrem linken Auge machte der Kommissar eine frisch genähte Wunde aus.

Behutsam setzte sie sich zu ihm aufs Bett. »Es tut mir leid«, sagte sie nach einer Weile.

»Was denn?«, murmelte er.

»Alles das ...« Sie machte eine Handbewegung, die seinen ganzen Körper einschloss.

»Sie?«

»Mmh ...«

»Wo bin ich?« Eschenbach bemerkte, dass ihm das Sprechen weniger Mühe machte, als er angenommen hatte. Keine Kieferverletzung. Auch die Zähne schienen unversehrt.

»Sie sind direkt vor den Wagen gerannt ...« Für einen kurzen Moment kniff sie die Augen zusammen. »Ich kann den Knall noch immer hören.«

»Ich höre nichts«, sagte Eschenbach.

»Sie erinnern sich nicht?«

»Ich versuche es«, murmelte der Kommissar. Er hatte nicht

den Funken einer Idee, was passiert sein könnte. Trotzdem zögerte er. Vielleicht war es geschickter, eine gewisse Ahnung vorzutäuschen. Denn schließlich kannte er diese Frau nicht. Er musste so tun als ob. Etwas Besseres fiel ihm nicht ein.

»Ich hab Sie mitgenommen ...«, sagte sie etwas stockend, und es schien, als wäge sie die Worte sorgfältig gegeneinander ab. »Also ich dachte, Sie brauchen dringend Hilfe.«

Eschenbach schwieg hartnäckig und beobachtete, wie sie verlegen auf ihrer Unterlippe kaute.

»Ich war wohl bewusstlos«, sagte er.

Sie nickte.

»Und einen Arzt ...« Eschenbach wollte sich aufrichten.

»Bleiben Sie.« Ihre Stimme klang nun kräftiger. »Sie dürfen sich nicht bewegen. Vermutlich haben Sie ein Schädel-Hirn-Trauma ... das sagt Doktor Kälin. Er war gestern hier und hat Sie untersucht ... einfach nur ruhig liegen.«

»Gestern?« Eschenbach schloss die Augen.

»Ja, gestern. Er hat Ihnen Schmerzmittel gespritzt ... und Seitenlage.«

»Seitenlage.«

»Ja, das hat er gesagt. Weil, das ist am besten ... wenn Sie sich übergeben müssen.«

Eschenbach dachte an den Barolobraten.

»Ist Ihnen schlecht?«

»Nein«, murmelte er.

»Das ist gut.« Es klang erleichtert.

Der Kommissar öffnete die Augen wieder und betrachtete das Gesicht, das er nicht kannte. Es war ein schönes Gesicht, ebenmäßig geschnitten, mit einer zierlichen, makellosen Nase.

Eschenbach strengte sich an. Aber sosehr er den Dachboden seiner Erinnerungen durchforstete – er fand nichts. Es gab keinen einzigen Anhaltspunkt, der ihm die junge Frau näherbrachte.

Stattdessen schoss ihm plötzlich Corina durch den Kopf. Seine Frau. Die zweite. Warum war sie nicht hier? Und wie in einem Puppenspiel, wenn sich am Ende alle Figuren nochmals zu einer gemeinsamen Verbeugung versammeln, zogen vor seinem geistigen Auge die vielen vertrauten Gesichter vorbei: Seine Tochter Kathrin grinste ihn schräg an, und Ewald Lenz zupfte sich den Schnurrbart. Claudio Jagmetti, sein früherer Assistent, hob die Sonnenbrille, und Rosa, seine Sekretärin, lächelte ihn an; sogar die Frau vom Tabak-Lädeli erschien ganz kurz und schob ihm zwei Packungen Brissagos über den Ladentisch. Sie säuselte: »Wie immer, Herr Eschenbach.«

Natürlich, Eschenbach, dachte er. Wie immer.

»Und wer sind Sie?«, fragte er die junge Frau.

Einen Moment stutzte sie, dann huschte ein kurzes Lächeln über ihre Lippen. »Judith«, sagte sie. »Ich bin Judith.«

»Ich heiße Eschenbach.«

»Ich weiß«, sagte sie. »Wir arbeiten in derselben Bank.«

»In einer Bank?« Eschenbachs Stimme war beinahe tonlos. Und mit einem Schlag verschwand die schläfrige Leere in seinem Kopf. Der Kommissar spürte, wie das Blut durch seine Adern pumpte. Er arbeitete nicht in einer Bank; dessen war er sich vollkommen sicher. Es war schlicht nicht möglich. Nicht möglich und nicht logisch. Und plötzlich schossen ihm Gedanken durch den Kopf, und aus den Gedanken wurden Bilder. Er erkannte seine Sekretärin Rosa, festlich in einem dunkelblauen Kaschmirkleid. Sie standen sich gegenüber im großen Sitzungsraum an der Kasernenstrasse: »Schöne Ferien, Kommissario!« Und um sie herum ein Dutzend Kollegen, Rosa hob das Glas –

Er war in den Ferien! Mit einem Ruck richtete sich Eschenbach auf. Er blinzelte gegen die Welle stechender Schmerzen an. Als es besser wurde und er wieder klar sehen konnte, sagte er leise zu der Frau auf seiner Bettkante: »Sie lügen mich an ...« Er starrte in grüne Augen. Seine Stimme wurde noch leiser. »Sie verscheißern mich auf der ganzen Linie.«

»Nein!« Die Frau, die sich Judith nannte, hielt seinen bohrenden Blicken stand. »Nein – nein – nein!«

Eschenbach spürte kalten Schweiß auf der Stirn.

»Legen Sie sich um Gottes willen hin«, sagte sie. Ihre Hand umfasste seinen Nacken.

Langsam sank der Kommissar zurück ins Kissen.

»Ich bin die persönliche Mitarbeiterin von Jakob Banz ...«, sagte Judith. »Oder besser gesagt, ich war es. Sie kennen Jakob Banz, nicht wahr?«

»Banz ... doch, ja«, wiederholte Eschenbach etwas verwirrt. Er atmete tief durch. »Banz kenne ich.«

Judith schwieg eine Weile. Aber ihr Blick wich Eschenbach nicht aus. Lange und ruhig sah sie ihn an.

Der Kommissar fand, dass etwas Seltsames in diesen hellen grünen Augen lag. Sie zeigten keinerlei Unsicherheit oder Nervosität. Kein Flackern. Sie waren ruhig und klar. Eschenbach war, als würde dieses Augenpaar nicht recht zum Rest dieses jungen, ebenmäßigen Gesichts passen.

In den vielen Verhören, die Eschenbach in seinem Leben geführt hatte, war ihm dieser Blick nur bei abgeklärten, hartgesottenen Burschen begegnet. Und bei alten Menschen, die in ihrem Leben alles schon gesehen hatten.

»Was ist mit Banz?«, fragte Eschenbach.

»Banz ist tot«, sagte sie.

Der Kommissar wollte den Kopf schütteln. Aber Judiths Hand legte sich auf seine Stirn, so als wollte sie verhindern, dass er sich bewegte.

»Bleiben Sie ruhig«, sagte sie.

»Tot ...«, murmelte Eschenbach. Er schloss die Augen.

»Ja, tot.«

Eschenbach fühlte, wie sich sein Brustkorb zusammenzog. Er wollte atmen, tief Luft holen, weil das alles gar nicht sein konnte. Banz lebte. Gerade eben noch hatte er ihn anrufen wollen. Anrufen, um ihm etwas Wichtiges zu sagen. Aber was?

»Sie dürfen sich nicht aufregen«, sagte Judith.

Der Kommissar spürte, wie sich seine Brust weiter verengte.

Er hatte das Gefühl, in ein Loch zu fallen; in ein Grab, das man nun langsam zuschaufeln würde.

Wie durch Watte hörte er Judith rufen: »Peter!« (Oder war es »Pater!«?) Eine Tür ging auf, und ein kühler Luftzug streifte sein Gesicht. Jemand setzte sich neben ihn.

Judiths Hand kehrte zurück auf seine Stirn. »Tun Sie etwas, um Gottes willen!« Ihre Stimme klang fest und klar, wie die eines Regimentskommandanten an einem kühlen Novembermorgen. Ihre Hand zitterte nicht.

Wie durch einen dunklen Tunnel hindurch sah Eschenbach ein zottiges Bärengesicht. Die kleinen bernsteinfarbenen Äuglein waren trüb und leblos. Dann spürte er den Einstich einer Nadel in der rechten Armbeuge, und ein weicher, warmer Strom floss ihm zur Schulter hinauf und etwas später direkt ins Herz.

Rote Sterne leuchteten ins dunkle Grabloch.

»Wenn er stirbt, bin ich verloren«, sagte Judith.

Aber Eschenbach hörte sie nicht mehr.

Kapitel 3

Weit weg

Neun Tage zuvor, in Vancouver, British Columbia.

Ein gellender Schrei drang bis hoch hinauf zum Bergkamm. Ein Schrei, wie ihn der Kommissar noch nie in seinem Leben vernommen hatte. Das Tier bäumte sich auf, streckte sich mit mächtiger Pose in den von Wolken geschwärzten Himmel. Der zottige Koloss ging die letzten Schritte auf zwei Beinen, aufrecht wie ein Mensch.

»Das ist dein Telefon«, sagte Corina etwas gereizt. »Hörst du es wirklich nicht, oder tust du nur so?«

Kommissar Eschenbach spürte mit Bedauern, wie er aus seinem Gedankenfluss gerissen wurde und sich plötzlich auf dem Stuhl wiederfand, auf dem er an diesem Nachmittag schon eine ganze Weile gesessen hatte. Sein rechtes Augenlid zuckte.

Es war Frank Steffl gewesen, ein ausgewanderter Deutscher und passionierter Jäger, bei dem sie in Kamloops zu Gast gewesen waren, der ihm die Geschichte mit dem Grizzly erzählt hatte. Wie er das Tier auf den letzten Metern gerade noch erwischt hatte.

Eschenbach hatte seitdem viel nachdenken müssen über diesen letzten Augenblick im Leben des Bären. War es der Schmerz, der das Tier dazu bewog, sich aufzurichten; oder war es der Instinkt des Mächtigen, sich im Anblick des Todes zu erheben und in voller Größe seinem Widersacher gegenüberzutreten?

Der Kommissar sah auf den Stuhl neben ihm. Sein dunkelblaues Leinenjackett lag dort und vermochte den Klingelton seines Handys nicht zu dämpfen. Vermutlich wieder dieselbe Nummer, dachte er. Ein weiteres Mal nachschauen wollte er nicht.

»Warum nimmst du nicht einfach ab?«, fragte Corina. »Das geht jetzt schon den ganzen Tag so.« Sie hatte die *Globe & Mail* zur Seite gelegt und ihn eine Weile angesehen. »Das ist doch kindisch, so was.«

Eschenbach zuckte die Schultern. »Was denn?«

»Dein Handy!« Seine Frau bedachte ihn mit einem Augenaufschlag. »Ich hör's doch brummen – da, bei dir im Jackett!« Sie deutete mit der Hand auf die Stelle neben Eschenbach. »Die ganze Zeit schon.« Sie schüttelte den Kopf. »Und später nimmst du's raus, siehst nach, wer's gewesen ist, und steckst es wieder zurück.«

»Es ist auf lautlos gestellt.«

»Aber ich hör's trotzdem.« Corina raschelte mit der Zeitung: »Es vibriert … und weil es auf dem Stuhl da liegt, scheppert es.«

»Ich habe gedacht, du liest die Zeitung?«

»Ich kann lesen und hören – Frauen können das.«

Seit zwei Stunden saßen sie nun schon auf der Terrasse bei BLENZ an der Robson Street im West End von Vancouver und streckten die Beine. Eschenbach liebte diese kleine Terrasse vor dem Coffee-Shop mitten im Herzen der Pazifik-Metropole. Er blickte an Corina vorbei auf die Straße. Es war kurz vor fünf. Der Abendverkehr hatte eingesetzt; Autos, Motorräder und Busse hupten und stanken in Zweierkolonnen in Richtung Stanley Park. Das ganze Programm, direkt vor ihrer Nase.

Wenn man nichts vorhat, ist es beruhigend, wenn um einen herum etwas passiert. Eschenbach zündete sich eine Brissago an. Wenigstens unter freiem Himmel durfte man noch rauchen.

Aus der Armada ihrer Shopping-Tüten hatte Corina die Jeans, Tops und Tanks hervorgezogen und sie dann wieder eingepackt. Sie hatte nicht lockergelassen, bis sie mit Eschenbach sämtliche möglichen Kombinationen durchgegangen war.

Der Kommissar hatte genickt und zustimmende Geräusche von sich gegeben. Er hatte eine Reihe Adjektive durchgebetet (schön, toll, großartig) und Sätze gefunden wie: »*You are my Pacific blue morningstar*« (zur blauen Variante) oder »*My strawberry fields forever*« (zu Altrosa mit Schlammgrün). Zwischen den Kurzvorstellungen seiner Frau hatte er die Zeit genutzt, sich vom Hongkong-Chinesen hinter der Theke einen *Double-shot Espresso Macchiato* brauen zu lassen. Und dann hatte sie von ihm abgelassen und angefangen zu lesen.

Corina hatte recht. Eigentlich war er mit seinen Gedanken ganz woanders.

»Es braucht gar nicht viel, um glücklich zu sein.« Corina gab nicht auf. Sie hob das Kinn, wie ein Pianist vor einer schwierigen Passage.

Eschenbach nickte. Einen Moment überlegte er, ob er auf diesen Satz antworten müsse. Der wirkliche Wert langjähriger Beziehungen bestand darin, dass man schweigen konnte, dachte der Kommissar. Auch ohne schlechtes Gewissen. Vermutlich hätten die wenigen Dinge, die sie an diesem Tag unternommen hatten, auch gereicht, um harmonisch in einen weiteren vergnüglichen Abend zu starten. Aber so wie es aussah, hatte Rosa seine Telefonnummer weitergegeben – was klar gegen ihre Abmachung verstieß. Jedenfalls hatte er jetzt den Salat!

»Wenn du zurückrufst, ist's erledigt.«

Er hatte gerade eine Gruppe Motorradfahrer im Visier. Wilde Kerle, ohne Helm, nur mit Kopftüchern, die in den letzten fünf Minuten – trotz ihrer aufgemotzten Maschinen – nicht mehr als dreißig Meter weitergekommen waren.

Der Kommissar blies Rauch in die Abendluft. »Erledigt ist dann gar nichts«, brummelte er. Es war noch nie irgendetwas einfach erledigt gewesen, nur weil er sich gemeldet hatte. Nie! Im Gegenteil, es hatte dann immer erst angefangen. Die ewig gleiche Geschichte war es: die Sache mit dem kleinen Finger, der die ganze Hand mit sich zog. Hörbar sog er Luft durch die Nase und wandte sich seiner Frau zu. Er sah sie einen Moment schweigend an, dann sagte er: »Ich muss zurück, Corina.«

»Zurück?« Seine Frau sah ihn scharf an. In ihrem Blick spiegelten sich Besorgnis, Wut und Unverständnis. »Wir sind sechs Wochen hier, und acht waren vereinbart. Eine Auszeit, hast du doch selbst gesagt. Und du hast einen Stellvertreter, Claudio Jagmetti – soll sich der doch darum kümmern.«

Eschenbach schwieg.

»Wann?«, fragte sie.

»Morgen Abend. Rosa hat den Flug bereits gebucht.«

»Und das sagst du mir erst jetzt!«

»Eine Order von ganz oben.« Eschenbach seufzte. »Ich weiß es auch erst seit zwei Stunden. Rosa hat mich angerufen, als du …« Er deutete auf Corinas Einkaufstaschen. »Regierungsrätin Sacher will mich sprechen, gleich am Montag.«

»Heute ist Freitag.«

»Eben.«

»Und morgen kommt Kathrin, sie hat bis Montag frei. Wir wollten für ein langes Wochenende in die Berge.«

»Ich weiß.«

Eine Weile sagten sie beide nichts. Eschenbach verstand Corinas Ärger; er fühlte sich hilflos und in gewisser Weise schuldig.

Als ihm seine Frau ein halbes Jahr zuvor eröffnet hatte, dass Kathrin für ein Austauschjahr nach Kanada gehen und sie ihre Tochter begleiten würde, hatten sie an einem Scheideweg gestanden: getrennte Betten, zwei Wohnungen und gelegentliche Telefongespräche, um in Erinnerung zu rufen, dass man noch lebte.

Seinen spontanen Entschluss mitzufahren hatte Eschenbach nie bereut. Es war der Selbstmord seiner Chefin Elisabeth Kobler gewesen, der ihm damals die Augen geöffnet hatte: Es war Zeit für eine Pause. Mindestens acht Wochen, hatte er Corina gesagt. Es war ein Versprechen gewesen. Mindestens.

»Bricht die Welt auseinander?«

Eschenbach schüttelte den Kopf. »Rosa wusste nichts Genaueres. Aber sie hat ein gutes Gespür ... Jedenfalls sieht es so aus, als laufe etwas gewaltig schief bei uns im Laden.«

»Und dieser Bank, der dich nächste Woche treffen wollte?« Corina zuckte vorwurfsvoll mit den Schultern. »Daraus wird jetzt wohl auch nichts.«

»Banz«, korrigierte Eschenbach. »Jakob Banz – ich habe heute Morgen eine SMS von ihm bekommen. Er ist bereits hier und will uns einladen, heute Abend ins Pan Pacific.«

Den kurzen Weg zurück ins Hotel gingen sie zu Fuß. Eschenbach telefonierte im Gehen, konnte Banz aber nicht erreichen. »Vielleicht sollten wir diesen Termin einfach abblasen«, murmelte er. »Es ist unser letzter Abend, bevor ich zurückfliege.«

»Wart ihr denn nicht befreundet, ich meine, damals auf dem Gymnasium?«

»Das war vor über dreißig Jahren!« Eschenbach verlangsamte seinen Schritt und nahm Corina die Einkaufstüten ab. »Ich habe keine Ahnung, weshalb er mich sprechen will.«

»Also keine Freunde?«

Eschenbach beschleunigte seinen Gang: »Jakob trug schon mit dreizehn rahmengenähte Schuhe. Englische, aus schwerem schwarzem Leder.«

»Und du?«

»Turnschuhe.«

Corina hatte Mühe, mit Eschenbach Schritt zu halten.

Sie bogen in die Bidwell Street ein, eine Seitenstraße der Robson, und steuerten auf das kleine Hotel zu, in dem sie die letzten drei Tage verbracht hatten.

»Obwohl er nicht die besten Noten hatte, ist Jakob Klassensprecher geworden. *He's got balls* würde man auf Englisch sagen. Und ich kann mich nicht erinnern, dass einer der Lehrer ihn jemals geduzt hätte.«

Corina, die sich für die letzten Meter bei Eschenbach eingehakt hatte, schmunzelte. »Freund oder Rivale – ich kenne dich doch. So wie du von diesem Banz sprichst, bleiben nur diese beiden Möglichkeiten.«

»Ich sag nichts.« Eschenbach, der bemerkt hatte, dass ihm ein Schweißtropfen den Rücken hinunterlief, verlangsamte seinen Schritt. Er konnte Corina nichts vormachen, nicht nach all den Jahren (waren es fünfzehn oder sechzehn?). Sie kannte ihn in- und auswendig. Aber das war kein schlechtes Gefühl, fand Eschenbach. Selbst dann nicht, wenn sie ihn ertappte, wie gerade eben.

»Jakob Banz hat die perfekte Karriere hingelegt«, sagte er schließlich, als sie in der Lobby auf den Fahrstuhl warteten. »Er spielte Tennis, verkehrte mit den richtigen Leuten. Jakob hatte von Anfang an einen Plan. Und zu diesem Plan gehörte Anne-Christine Duprey ... eine Bankierstochter. Zusammen mit ihr ging's ganz nach oben.«

»Und die hat er geheiratet?«

Der Kommissar nickte. Er drückte ein zweites Mal auf den Liftknopf.

»Hochzeit im Grossmünster ... und danach eine Riesenparty im Dolder. Wir waren alle eingeladen damals, die ganze ehemalige Klasse, auch die Lehrer. Hemmungslos haben die sich den Ranzen vollgeschlagen ... Und um Mitternacht hat es ein Feuerwerk gegeben, wie am Seenachtsfest. Eine halbe Stunde hat's gekracht ... Das hab sogar ich gehört, unten an der Limmat.«

»Du bist nicht hingegangen?«

Eschenbach schüttelte den Kopf, dann lachte er: »Ich hab mich vollaufen lassen ... auf einer Parkbank beim Landesmuseum.«

»Wegen dieser Anne-Christine Dings?«

»Bum!«, machte Eschenbach. »Bum, bum, bum ... Bei mir im Kopf und oben am Himmel. Herrgott, war ich ein Arschloch!«

Die Klimaanlage röchelte eiskalt an der Decke, und Corina stand da, als wisse sie nicht recht, ob sie mitlachen sollte. Als der

Aufzug kam, stiegen beide wortlos zu – und in Gesellschaft dreier älterer Damen aus Alliance, Nebraska, fuhren sie in die achte Etage.

Nachdem sie geduscht und sich für den Abend frisch angezogen hatten, bestand Corina darauf, dass Eschenbach für den kurzen Weg ins Pan Pacific ein Taxi rief. Wegen ihrer neuen Schuhe, argumentierte sie; und weil sie das frisch erstandene Kleid (es war die Strawberryfields-Variante) mit einem Fußmarsch nicht »verschindludern« wollte.

Eschenbach wäre lieber zu Fuß gegangen. Er mochte den lauen Abendwind, der vom Pazifischen Ozean her wehte, und gerne hätte er noch ein wenig darüber nachgedacht, was Banz wohl dazu getrieben haben mochte, sich nach über dreißig Jahren bei ihm zu melden. Vancouver lag nicht gerade auf dem Weg, und Banz gehörte nicht zu der Sorte Leute, die eine halbe Weltreise auf sich nahmen, nur um mal eben »hallo« zu sagen.

»Wie sieht er denn aus?«, wollte seine Frau wissen, nachdem sie neben Eschenbach im Fond des Wagens Platz genommen hatte.

Das war typisch Corina. Sie las keine Wirtschaftsmagazine, und was die Politik des Landes anging, so waren es hauptsächlich die kulturellen Themen, die sie interessierten. Vermutlich stellte Corina sich einen schlanken, an den Schläfen leicht graumelierten Banker vor.

Aber das war nicht Jakob Banz. Nicht mehr.

Die Bilder, die Eschenbach in den letzten Jahren von seinem einstigen Mitschüler gesehen hatte, belegten, dass aus dem feingliedrigen und zweifellos gutaussehenden jungen Mann ein Schwergewicht geworden war. Noch immer charismatisch und charmant, jedenfalls attestierte man das Banz seitens der Wirtschaftspresse. Von seinem vollen blonden Haarschopf waren nur noch ein paar Strähnen übrig, und das energische Kinn war zu einem formlosen, schwammigen Etwas aufgedunsen. Rein äußerlich war es eine traurige Transformation, ohne deren Kenntnis der Kommissar seinen früheren Schulkameraden wohl nicht wiedererkannt hätte.

Das Taxi hielt vor einem mächtigen Bau aus Glas und Beton.

Nachdem Eschenbach den Fahrer bezahlt hatte, folgte er mit Corina am Arm dem roten Teppichstreifen, der zum Hoteleingang führte.

Eine unterkühlte Halle empfing sie.

Corinas Absätze hallten aufdringlich laut, während sie über den hellen, glattpolierten Steinboden in Richtung *concierge desk* gingen.

Ein junger Schlaks kam auf sie zu und bat sie, ihm zu folgen. Der Mann trug einen enggeschnittenen italienischen Anzug. Eschenbach schätzte ihn auf Mitte dreißig. Sie gingen wortlos hinter ihm her, traten durch eine offene Verandatür und blickten auf einen kleinen Garten, der mit halbhohen Sträuchern und einigen Palmen umsäumt war.

Eschenbach sah Banz schon von weitem. Der Bankier war nicht zu übersehen. In einem sandfarbenen Leinenanzug, der ihm auf den Leib geschneidert war, saß er auf einer ausladenden Couch unter einem großen Sonnenschirm. Sein Kopf steckte unter einem Panamahut.

»Freude herrscht«, rief er aus, als er Eschenbach und Corina erblickte. Und mit einer für sein Körpergewicht erstaunlichen Leichtigkeit erhob er sich aus den Kissen.

Das Mäntelchen an Herzlichkeit, in das Banz seine Begrüßungsfloskeln packte, fand Eschenbach lächerlich. Es vermochte nicht darüber hinwegzutäuschen, dass Banz und er sich fremd geworden waren und sich noch nie wirklich gemocht hatten.

Shame on you, du Heuchler, dachte der Kommissar. *Shame on you!*

* * *

Schweißgebadet wachte Eschenbach auf. Es war dunkel im Zimmer; allerdings nicht so finster, dass er nichts hätte erkennen können. Als er sich etwas aufrichtete, erschien ihm das halbhohe Fußteil seines Bettes als schattenhaftes Gespenst mit zwei Hörnern links und rechts. Weiter vorne machte er Stuhl und Schreibtisch aus; rechts davon an der Wand hing ein großes Kreuz.

Der Kommissar sank zurück ins Kissen und starrte zur Decke. Nach einer Weile folgte sein Blick den Fluchten der Wände, die sich über ihm als dunkelgraue Linien abzeichneten. Es war kein großer Raum, in dem er sich befand. Möglicherweise eine Zelle, folgerte er und atmete ein paarmal tief durch. Mühsam hebelte er die Beine seitwärts aus dem Bett und setzte sich auf die Kante seiner Matratze.

Durch das Fenster, ein kleines Quadrat in der Mauer, schimmerte das bleiche Licht einer Mondnacht.

»Wo zum Teufel bin ich?«, murmelte er.

Ein knarzendes Geräusch drang aus der Stille des Raums: Eschenbach zuckte zusammen und schaute zum Fenster.

»Sie sprechen im Schlaf«, sagte jemand.

Eschenbach erkannte die Stimme sofort wieder. Sie kam aus der dunklen Nische, links neben dem Fenster. Judith. Der Kommissar entdeckte die sitzende, schattenhafte Gestalt. »Was zum Teufel machen Sie hier?«

»Ich wache über Sie.«

»Und belauschen mich.«

»*Shame on you!*«

»Wie bitte?«

»Das haben Sie gesagt ... im Schlaf. Ich nehme an, Sie meinten nicht mich.«

Eschenbach räusperte sich. »Nein, natürlich nicht.« Er fuhr sich mit beiden Händen übers Gesicht. »Ich weiß nicht, was los war ...«

»Haben Sie noch Schmerzen?«

»Besser.« Der Kommissar setzte sich vorsichtig auf. Tatsächlich blieben die Blitze in seinem Kopf aus.

Er stand langsam auf und machte ein paar Schritte.

Auch die Messer stachen nicht mehr. Nur noch ein dumpfes Pochen und in der linken Schulter ein Reißen, als wollte ihn jemand unsanft zurückhalten. »Wo bin ich hier ...?«, fragte er. »Wo zum Teufel bin ich hier?«

Judith schwieg.

Eschenbach ging langsam auf die sitzende Gestalt zu. Er spürte, wie er ungehalten wurde, wie langsam die Wut in ihm hochkochte. »Sie haben kein Recht, mich hier festzuhalten. Verdammte Scheiße!«

»Nicht so laut«, flüsterte Judith und richtete sich auf. Beide standen sich nun gegenüber, kaum eine Handbreit voneinander entfernt.

»Also gut.« Der Kommissar, der die junge Frau um mehr als einen Kopf überragte, drosselte seine Stimme. Er fasste Judith mit beiden Händen an den Schultern und sagte: »Sie setzen sich jetzt wieder hin, und dann reden wir, verstanden? Ich will wissen, was geschehen ist. Und ich will verdammt noch mal wissen, warum ich hier festgehalten werde. Auch verstanden?«

Judith hob den Kopf und sah ihn an. »Sie können sich nicht erinnern, nicht wahr?«

»Doch, kann ich.« Eschenbach sah, wie ihn Judiths Augen im einfallenden Dämmerlicht anstarrten. »Mein Gedächtnis funktioniert wunderbar ... Aber langsam verliere ich die Geduld. Die Geduld mit Ihnen. Und wenn es nicht anders geht, dann rufe ich jetzt meine Kollegen, und wir führen dieses Gespräch bei mir im Präsidium weiter.«

Für einen kurzen Moment senkte Judith ihren Blick. »Sie sind ein Narr, Doktor.« Sie kramte eine kleine Karte aus der Gesäßtasche ihrer Jeans, hielt sie Eschenbach vors Gesicht: »Vielleicht waren Sie ja einmal Polizist ... in einem früheren Leben. Es gibt Menschen, die glauben an so was. Sie waren lange bewusstlos, möglicherweise liegt es daran … Keine Ahnung. Ich weiß aber, dass Sie kein Bulle sind. Diese Karte haben Sie mir letzte Woche gegeben.« Judith drückte ihm das kleine Stück Karton in die Hand. »Lesen Sie … und denken Sie darüber nach.«

Eschenbach hielt die Karte hoch. Weil er sie im Halbdunkel nicht lesen konnte, tastete er sich zu dem Schreibtisch mit der Leselampe. Diesen kurzen Augenblick nutzte Judith. Sie lief an ihm vorbei und verschwand durch die Tür.

Der Kommissar hörte das klackende Geräusch, mit dem sich der Schlüssel im Schloss drehte. Er war gefangen – ein alter Trottel, der mit sich selbst und der Welt nicht mehr zurechtkam. Ein Jammerlappen.

Unter dem Schein der Lampe betrachtete er das Stück Karton: Es war eine Visitenkarte der *Banque Duprey*, das Logo zeigte eine rote Taube mit ausgebreiteten Flügeln. Und in der Mitte stand in dunkelblauem Prägedruck sein Name. In Großbuchstaben und mit Doktortitel: Er war *Chief Compliance Officer* und *Member of the Board*.

Was um alles in der Welt war mit ihm geschehen?

Kapitel 4

Der lange Weg zurück

Ich bin am Arsch, jetzt weißt du's«, sagte Banz.

Dieser Satz war dem Bankier schwergefallen. Banz schien geradezu körperliche Schmerzen zu empfinden, als er ihn aussprach. Eschenbach musterte das gerötete Gesicht seines Gegenübers, das einen Moment den Blick gesenkt hielt.

Nachdem sie an einem großen Tisch im Garten des Pan Pacific kulinarisch verwöhnt worden waren, hatte Banz sie in eine lauschige Ecke im hinteren Teil der Anlage geführt. »Ich habe diesen Platz für uns reservieren lassen«, hatte er gemeint. »Damit wir ungestört sprechen können.«

Außer Hörweite der anderen Gäste des Hotels saßen Corina und er dem Bankier gegenüber, in ausladenden Lounge-Chairs von Dedon.

Der Kellner brachte die dritte Flasche Dom Perignon und öffnete sie.

Banz ließ sich eine Serviette geben, hob seinen Panamahut etwas an und trocknete die glänzende Stirn.

Eschenbach schwieg eine Weile. Sie hatten eine Menge getrunken. Aber im Gegensatz zu Corina und ihm, die der Alkohol sichtlich ermüdet hatte, schien der Bankier erst richtig in Fahrt zu kommen. Vermutlich war es die Erleichterung, die Banz verspürte, nachdem er ungewöhnlich kleinlaut, mit leiser und etwas rauer Stimme seine missliche Lage offenbart hatte.

Und aus dieser Lage, eingesunken im Morast, versuchte Banz sich offenbar hochzurappeln.

In diesem Moment wurde dem Kommissar klar, weshalb sein ehemaliger Mitschüler um den halben Globus geflogen war, um ihn zu treffen. Banz brauchte Hilfe. Und geduldig wartete Eschenbach darauf, dass einer der einflussreichsten Privatbankiers von Zürich seine Hand ausstrecken und ihn darum bitten würde.

»Liest du eigentlich keine Zeitung hier in der Pampa?«

»Keine Schweizer Presse jedenfalls«, sagte der Kommissar.

»Es steht in allen Zeitungen ... *Financial Times*, *Wall Street Journal*, *Herald Tribune* ...« Banz machte eine umfassende Handbewegung. »Die ganze Welt weiß jetzt, dass man von Schweizer Banken Kundendaten kaufen kann. Es findet sich immer einer, der bereit ist, für eine Stange Geld das eigene Haus zu verraten ... Loyalität ist tot, Diskretion nur noch eine Floskel. Das wird den Schweizer Finanzplatz mittelfristig ruinieren, glaub mir. Es ist pures Glück, dass der Name meiner Bank noch nirgends aufgetaucht ist. Aber das kann sich morgen ändern. Wir sind mit diesem Geschäftsmodell gegen die Wand gefahren. Und es ist nicht einmal alles falsch, was darüber geschrieben wird.«

»Über das Schweizer Bankgeheimnis?«

»Ja, zum Teufel!« Banz nickte resigniert. »Nur, recht haben ist das eine – schweigen sollten sie trotzdem!«

Eschenbach gab sich einen Ruck, rutschte auf seinem Sessel etwas nach vorne und überlegte. Er hatte nicht vor, mit Banz die hausgemachten Probleme der Finanzindustrie zu erörtern. »Die politische Diskussion rund um das Schweizer Bankgeheimnis ...«, fing er an und faltete dabei die Hände. »Diese Debatte ist doch nicht dein wirkliches Problem, Jakob. Wenn ich dich richtig verstanden habe, ist dein *Compliance Officer* getürmt. Da liegt doch der Hund begraben. Ob er Kundendaten hat mitgehen lassen, weißt du nicht – das ist also noch offen.«

Banz nickte ungeduldig.

»Und damit solltest du besser zur Polizei. Die wird, entsprechend der Lage der Fakten, eine Untersuchung einleiten. Und was mich betrifft«, an dieser Stelle machte Eschenbach eine kurze Pause, »ich werde dann sehen, was ich tun kann.«

Der Bankier rieb seine Finger gegeneinander, bevor er seine Hände zu Fäusten ballte. »So geht es nicht«, sagte er stockend. »Meine Situation ist absolut vertraulich. Ich bitte dich!«

Der Kommissar zuckte mit den Schultern. Er sah zu Corina, die etwas gelangweilt am Champagnerglas nippte und Oleanderbüsche betrachtete.

»Herrgott, bist du schwer von Begriff«, fuhr Banz fort. »Weshalb meinst du, dass ich hierhergeflogen bin, keine Mühe gescheut habe, dich ausfindig zu machen? Ich möchte, dass du die Sache übernimmst.«

»Wie gesagt, ich werde sehen, was ich tun kann.«

Banz schüttelte den Kopf. »Nicht als Polizist natürlich. Ich bin zu dir gekommen, weil ich dir hundertprozentig vertraue. Als Freund. Ums kurz zu machen: Die Banque Duprey möchte dir ein Angebot unterbreiten.«

Eschenbach war überrascht. Und der Blickwechsel mit Corina bestätigte, dass auch sie aufgehorcht hatte. Wieder Banz zugewandt, fragte er: »Und als was willst du mich engagieren?«

»Als Nachfolger von Dubach.«

»Ist das der getürmte *Compliance*-Mensch?«

»Ich weiß nicht, ob er getürmt ist. Verschwunden, das ist vielleicht der bessere Ausdruck dafür. Und es wäre deine Aufgabe herauszufinden, weshalb, wohin und warum. Du bist studierter Jurist – zudem hast du eine erfolgreiche Beamtenlaufbahn vorzuweisen. Es wäre für mich ein Leichtes, dich als Nachfolger von Peter Dubach zu installieren. Du kommst, er geht.« Der Bankier ruderte mit den Armen wie ein Verkehrspolizist. »Ein simpler Wechsel, wie er in unserer Branche beinahe täglich vorkommt. Wir haben Leute, die so was perfekt kommunizieren können.«

»Du willst es also vertuschen.«

»Nein!« Banz schüttelte den Kopf. »Aber wenn ich sage, mein *Chief Compliance Officer* ist verschwunden, dann ist das so, wie wenn die katholische Kirche mitteilen lässt, der Papst sei ihr abhandengekommen.«

Der Bankier gluckste und sah Eschenbach flehend an.

»Und wenn du einen Nachfolger präsentierst, dann glaubst du, es kommen keine Fragen?«

»Doch, bestimmt. Aber Fragen, die wir beantworten können. Köbi Kuhn geht, Hitzfeld kommt! Das ist doch eine ganz andere Sache. Da sind wir proaktiv, verstehst du? Im *driver seat* sozusagen. Gerade im jetzigen Umfeld, in dem gelogen, gestohlen und betrogen wird. Dass ich da jemanden von deinem Format hole … und mit deinem Ruf. Glaub mir, das ist ein perfekter Schachzug.«

Eine kurze Pause entstand.

Weil Eschenbach weder zustimmend noch ablehnend reagierte, setzte Banz zu einem neuen Monolog an.

»*Compliance* ist in den letzten fünfzehn Jahren zu einer heiligen Kuh hochstilisiert worden. Früher gehörte es zum guten Ton, wenn man ein oder zwei solcher Leute hatte. Jemand, der die Geschäfte eines Unternehmens aus übergeordneter Warte auf ihre Rechtmäßigkeit hin überprüft. Heute braucht es dazu Heerscharen. Bei uns ist es mittlerweile eine richtige Abteilung. Und das wird verlangt, verstehst du? Es ist unabdingbar. Ein *sine qua non*. Es gibt kaum einen Berufszweig, der weltweit ein solches Wachstum hingelegt hat. Schau dir Amerika an. Einst eine freie, starke Nation, bis man merkte, dass der einzige natürliche Feind, den dieses Land hat, die eigenen Anwälte sind. Es waren die *Law Firms*, die hinter der vorgehaltenen Maske der alten Werte wie Korrekt- oder Rechtschaffenheit den Boden bereiteten für eine ganze Feigenblatt-Industrie: *Compliance! Bullshit!*«

Eschenbach schüttelte sich innerlich. Gestohlene Bankdaten waren in einem Geschäft, das von Verschwiegenheit lebte, wirklich eine Katastrophe. Aber Banz verfügte über diesen Instinkt, der Eschenbach bei vielen Mächtigen aufgefallen war. Es ging darum, die eigenen Missstände herunterzuspielen, sie wegzureden, so wie man Brotkrümel vom Tisch fegte, bevor man neu aufdeckte. Und dies geschah immer auf die gleiche Weise, indem man die Schuld anderer zuschob und damit vom eigentlichen Problem ablenkte. Ein modernes Prozedere der Reinwaschung, das sich in der westlichen Welt verbreitet hatte wie einst die Pest.

Die Schuld, lieber Brutus, liegt nicht in den Sternen, dachte der Kommissar. Sie liegt in uns selbst. Aber in einem Punkt stimmte er Banz zu. Die *Compliance*-Industrie hatte das Vertrauen ins Finanzsystem nicht nachhaltig verbessert. Im Gegenteil. Die beständig wachsenden internen wie externen Kontrollen der Wirtschafts- und Gesellschaftssysteme hatten dazu geführt, dass die Menschen einander immer weniger trauten und am Ende nicht einmal mehr sich selbst.

Er würde Banz einen Korb geben, egal, wie viel Geld ihm der Bankier bot.

Es war ein langer Abend geworden im Garten des Pan Pacific.

Zu Eschenbachs Erstaunen war Banz nicht sonderlich enttäuscht gewesen, als er ihm eine Absage erteilt hatte. »Ich verstehe das sehr gut«, hatte er gemeint. Schließlich hätte er ihn in seinen Ferien geradezu überrumpelt.

»Vielleicht solltest du dir überlegen hierzubleiben. Es gibt kaum ein Land, das mehr Platz bietet. Kanada ist das zweitgrößte Land auf diesem Planeten – und es hat nur halb so viel Einwohner wie Deutschland. Du brauchst diese Weite, mein Lieber. Das habe ich schon damals gewusst. Deshalb habe ich auch nie verstanden, weshalb du dich den Zwängen des Staatsapparats untergeordnet hast. Und jetzt bekommst du ausgerechnet Max Hösli zum Chef. Prost, Maxe!«

»Die Stelle ist ausgeschrieben.« Eschenbach räusperte sich.

»Ich kann mir nicht vorstellen, dass der Kantonsrat bereits entschieden hat.«

»Vermutlich schon«, sagte Banz und machte ein Gesicht wie ein Totengräber. »Regierungsrätin Sacher ist bei uns im Rotary Club. Letzte Woche habe ich sie darauf angesprochen. Tut mir leid, wenn du es auf dem Latrinenweg erfahren musst.«

Als der Wind auffrischte, ließ der Bankier zwei Wärmestrahler bringen, die wie mannshohe Aluminiumpilze aussahen und mit hochroten Köpfen in die Nacht hinaus glotzten.

Eschenbach verfolgte unkonzentriert, wie Banz einen Monolog an den anderen reihte, während seine Gedanken um Max Hösli kreisten. Bestimmt war er der Grund, weshalb Regierungsrätin Sacher ihn sprechen wollte. Er konnte sich beim besten Willen nicht vorstellen, dass man ihn nicht mindestens anhörte, bevor man den Posten besetzte. Den Posten, den Sacher zuerst ihm angeboten hatte.

Aber weiter darüber zu brüten hatte keinen Sinn. Er würde es spätestens am Montag erfahren. Sein Blick streifte Corina, die ihm mit Handzeichen und Blicken zu verstehen gab, dass sie hundemüde sei und nun endlich gehen wolle.

Nur: Banz war kaum zu bremsen. Und was er erzählte, war auch nicht uninteressant. Die Welt stand in Flammen. Wirtschaftlich wie politisch lagen schwierige Jahre vor ihnen: Länder wie Griechenland, Spanien, Italien standen kurz vor dem Staatsbankrott. Japan war bereits pleite, und die Vereinigten Staaten von Amerika befanden sich auf dem direkten Weg ins Armenhaus.

»Wusstest du, dass jeder fünfte Amerikaner Essensgutscheine vom Staat bekommt?« Der Bankier pfiff leise durch die Zähne. »Über vierzig Millionen Menschen, die sich nicht mehr selbst ernähren können!«

Banz war ein kultivierter und vielgereister Mann. Und so wie die Aluminiumstrahler eine behagliche Wärme ausströmten, so schien mit dem fortschreitenden Abend auch Banz' Energie allmählich auf den Kommissar überzugehen.

Zweifellos hatte Eschenbach die innere Harmonie geschätzt, die sich in der Wildnis Britisch-Kolumbiens in ihm breitgemacht hatte. Und er hatte sich tatsächlich erholt. Die sechs Wochen, die Corina und er hier verbracht hatten, erdeten ihn. Er war stiller geworden und langsamer. Nicht einmal einen richtigen Streit zwischen Corina und ihm hatte es gegeben. Manchmal hatte Eschenbach nicht gewusst, ob das gut oder schlecht war – und versucht, sich diesen Umstand mit der Entschleunigung seines Umfelds zu erklären: jener unaufgeregten Idylle, die sich hier bis weit hinter den Horizont erstreckte. Aber jetzt, so wie Banz und er einander gegenübersaßen, spürte er erneut das Kribbeln, ähnlich einem Spieler, der sich nach langer Abstinenz wieder an einen Spieltisch setzte. Es konnte nicht sein, dass das ganze Weltgeschehen einfach spurlos an ihm vorbeizog.

Banz, dem Corinas wachsende Ungeduld nicht entgangen war, lächelte plötzlich. Sein sorgenvoller Blick hellte sich auf, und er war wieder der charmante und aufmerksame Bankier, der er am Anfang ihres Gesprächs gewesen war. »Männergespräche«, sagte er und zwinkerte Corina zu. Es gelang ihm, sie in die Unterhaltung mit einzubeziehen, so dass es am Ende Eschenbach war, der endlich gehen wollte.

Über ein Thema hatte Banz während der ganzen vier Stunden kaum ein Wort verloren: seine Ehe mit Anne-Christine. Natürlich hatte Eschenbach nach ihr gefragt; allerdings hatte er darauf geachtet, dass sein Interesse an ihr nicht allzu offenkundig war. Ein paarmal war ihm Banz geschickt ausgewichen. Erst als der Kommissar ein gemeinsames Dinner vorgeschlagen hatte, war der Bankier deutlich geworden: »Vielleicht freut es dich ja, wenn ich dir das erzähle … Aber Anne-Christine lebt nicht mehr bei mir.«

Mit einem weiteren, brüsken Satz hatte Banz klargemacht, dass es in dieser Sache nichts mehr zu sagen gab. Es war der einzige Moment an diesem Abend gewesen, in dem die Unterhaltung zwischen ihnen etwas ins Stocken geraten war.

Kurz vor Mitternacht machten sich Corina und Eschenbach auf den Heimweg. Der Kommissar spürte den kühlen Abendwind im Nacken, und gleich auf den ersten Metern hatte er wieder das Gefühl, den Pazifik riechen zu können. Er fragte sich, was aus Anne-Christine geworden war. Seine abschweifenden Gedanken wurden von Corina auf den harten Boden der Realität zurückgeholt.

Abermals hatte seine Frau darauf bestanden, ein Taxi zu nehmen. Und wieder hatte sie es auf die Schuhe geschoben.

Eschenbach hatte das Manöver erst nach einer Weile durchschaut. »Bist du etwa betrunken?«

Corina gluckste.

»Mehr als eins Komma fünf Promille hast du nicht.«

»Das reicht aber.«

»Das reicht, um nicht mehr selbst Auto fahren zu können, ja! – aber gehen kannst du.« Und so ließ sich Corina doch noch überreden, wobei sich Eschenbach anerbot, wenn auch nicht sie, so doch wenigstens ihre Schuhe zu tragen.

»Und du ziehst deine auch aus!«

Barfuß schlenderten sie eng umschlungen in Richtung Robson Street. Eschenbach nutzte dabei die ganze Breite des Gehsteigs.

Er hatte Banz eine Absage erteilt.

Zugegeben, es war eine Überraschung, dass Max Hösli zum Kommandanten der Kantonspolizei Zürich ernannt wurde. Vielleicht war es aber auch nur ein Gerücht, das Banz ins Feld führte, um ihn für sich zu gewinnen.

Noch bevor er nach Kanada geflogen war, hatte Regierungsrätin Sacher ihm zugesichert, dass sie nach dem Tod der bisherigen Kommandantin, Elisabeth Kobler, mit der definitiven Besetzung der Stelle zuwarten und Hösli das Kommando nur *ad interim* führen würde. Auf Zeit, wie es hieß, und provisorisch. Aber mit Zeit ist nicht zu spaßen. Und was hieß schon provisorisch? Eschenbach dachte daran, dass bei ihm seit drei Jahren ein Zahnarzttermin anstand, weil die Sache nur provisorisch geflickt worden war. Aber das Provisorium hielt und hielt.

»Du grübelst doch wieder an etwas herum«, säuselte Corina an seinem Ohr.

»Mmh ...«

Sie küssten sich.

»Hösli hat seine Chance knallhart genutzt«, murmelte er.

»Denk nicht an ihn.«

»So war das nicht abgemacht.«

»Es wurmt dich«, sagte Corina. Sie löste sich aus der Umarmung. »Du machst dir Vorwürfe, dass du dich nicht selbst auf die Stelle beworben hast.«

Eschenbach schüttelte den Kopf und zog Corina wieder an sich. »Ich bin Polizist. Und mit der Leitung der Kriminalpolizei bin ich bestens bedient. Da brauch ich nicht noch die Verkehrspolizei, die Flughafen-, Regional-, Sicherheits- und die Seepolizei. Das ist ein Riesenmoloch, den sich der Hösli ans Bein bindet.«

»Aber er ist dann jetzt dein Chef.«

»Das Leben ist kein Wunschkonzert«, grummelte Eschenbach. Als Leiter der Sicherheitspolizei war »der stramme Max«, wie Hösli intern genannt wurde, bisher auf derselben Stufe wie Eschenbach. Er war dafür bekannt, dass er seinen Laden im Griff hatte und seinen Mitarbeitern keine allzu großen Freiheiten zubilligte.

Hösli war nicht der Chef, den sich der Kommissar für die letzten Jahre bis zu seiner Pension gewünscht hätte.

»Du hast eine Alternative.« Corina blieb stehen und sah Eschenbach an. Ihre Augen hatten noch immer ein Champagnerleuchten – aber hinter ihrem Blick verbarg sich eine Ernsthaftigkeit, die Eschenbach verunsicherte.

»Du meinst doch nicht, ich sollte Banz' Angebot annehmen?«

»Es ist doch schön, wenn man so ein tolles Angebot bekommt ... zudem wären wir saniert.«

»*Pecunia non olet …*«

Corina seufzte. »Du bist ein sturer Hund.«

»Wir brauchen sein Geld nicht.«

»Stolzer, sturer Hund.«

»Na also«, knurrte Eschenbach. Schweigend setzten sie ihren Weg fort. An der Ecke zur Fullam Street blinkte die Leuchtreklame von Franco's Ice Cream in schrillen Farben. »Erdbeer oder Schokolade?«

Ein paar Minuten später setzten sie sich mit einem großen Becher Stracciatella an einen der kleinen Tische auf dem Gehsteig.

Vielleicht hatte Corina ja recht, dachte Eschenbach. Es war kein schlechtes Gefühl, wenn man gefragt wurde. Gerade in seinem Alter. Warum sollte er nicht offen sein und über eine neue Herausforderung wenigstens nachdenken? Auch wenn er sich beim besten Willen nicht vorstellen konnte, in einer Bank zu arbeiten, er hatte die Wahl. Und das bedeutete ein gewisses Maß an Freiheit. Er würde sich das alles nochmals durch den Kopf gehen lassen. Nüchtern, und an einem anderen Tag.

Kapitel 5

Gelandet

Eschenbach suchte den Weg zum Terminal für Auslandsflüge, gab seinen Koffer am Check-in einer müden Frau und schlenderte noch eine Weile durch die Läden, ohne sich wirklich für etwas zu interessieren.

Er überlegte, ob er Rosa anrufen sollte. Aber dann fiel ihm der Zeitunterschied ein. In der Schweiz war es bereits nach Mitternacht. Der Kommissar wählte stattdessen die Nummer von Claudio Jagmetti. Claudio war immer auf Achse. Obwohl er mittlerweile auch schon Mitte dreißig war, konnte man ihn zu jeder Tages- und Nachtzeit anrufen. Der Kommissar erinnerte sich gern an die Zeit, als er mit Jagmetti einen der begabtesten Assistenten an seiner Seite gehabt hatte. Auch später, als der Bündner Karriere machte und unter Elisabeth Kobler zu einem der Shooting Stars des kantonalen Polizeidienstes wurde, blieben Eschenbach und er einander freundschaftlich verbunden.

Als sich niemand meldete, hinterließ Eschenbach eine Nachricht auf dem Band. »Ich komme zurück«, sagte er und zögerte kurz, weil er glaubte, ihm fiele noch ein zweiter Satz ein. Dann piepte es in der Leitung.

Eschenbach kam reibungslos durch Passkontrolle und Sicherheits-Check. Dann kaufte er sich zwei Flaschen Mineralwasser und eine *Globe & Mail*. Alles war wie immer, aber für ihn hatte sich etwas verändert. Vielleicht bewirkte eine Auszeit mehr als nur ein kurzes Durchschnaufen. Es waren ja nicht nur Kapitalverbrechen wie Mord und Totschlag, die ihn in den letzten zwanzig Jahren begleitet hatten. Als Leiter der Kriminalpolizei war ihm auch die Spezialabteilung unterstellt, die sich mit Wirtschaftsdelikten befasste: Betrug, Geldwäscherei ... ebenso der wachsende Bereich der Internetkriminalität. So gesehen hatte Banz schon recht, wenn er ihm, Eschenbach, eine gewisse Erfahrung auf diesem Gebiet attestierte. Und die Finanzindustrie stand tatsächlich vor einer großen Herausforderung.

Der Flug der British Airways startete pünktlich um 20:35 Uhr. Der Kommissar hasste Nachtflüge. Er wollte ankommen, wenn der Tag zur Neige ging, nicht umgekehrt. Und weil er von Westen nach Osten, also gegen den Lauf der Sonne flog, würde die Nacht wie in einem Zeitraffer zusammenschnurren. Schon wenige Stunden später würde der glühende Ball, der soeben hinter dem Horizont versank, wieder vor seinen Augen auftauchen.

Er fühlte sich um eine halbe Nacht betrogen, und das gefiel ihm nicht, denn er mochte die Langsamkeit. Für ihn lag in der Ruhe die Kraft.

In einem großen Bogen flog die Maschine über den Norden der Stadt, gewann langsam an Höhe, und Eschenbach war, als verlöre er gegen seinen Willen den Boden unter den Füßen. Matt und von einer leichten Melancholie erfasst, blickte er zum Fenster hinaus. Wie schnell war die Zeit in Kanada vergangen. Die herbstliche Abendsonne beschien die mit Nadelhölzern bewaldeten Hänge, die nahtlos in das dunkle Blau des Pazifiks übergingen. Etwas außerhalb der Stadt hatte die Holzindustrie Lagunen angelegt. Hunderttausende von geschälten Baumstämmen schwammen dicht an dicht; eine fette Beute, die Kolonien von Holzarbeitern aus den saftigen Wäldern des Umlands geschlagen hatten. Aus der Höhe betrachtet, sah es aus wie ein enggewobener Teppich aus Streichhölzern, die in der Abendsonne blassrosa schimmerten.

Eschenbach fröstelte. Einen kurzen Moment überlegte er, ob er das Abendessen noch abwarten sollte; dann entschied er sich dagegen. Er bat einen der Flight Attendants, ihm eine Decke zu bringen, und nahm eine Schlaftablette.

Seine Gedanken kreisten um das Gespräch mit Banz. Es war ein großzügiges Angebot, das ihm der Bankier gemacht hatte. Ein Jahressalär von fünfhunderttausend Schweizer Franken; mehr als doppelt so viel, wie er in seiner Funktion als Leiter der Kripo verdiente. Außerdem gab es die Aussicht auf einen Bonus. Eine »erfolgsabhängige Zusatzentschädigung« hatte es Banz genannt. Die politische Diskussion über die exorbitanten Boni in der Finanzbranche hatte die Banker bewogen, ihren Wortschatz zu ändern; aber das System war noch immer dasselbe.

Das Schlafmittel begann langsam zu wirken. Dösend dachte Eschenbach an Corina. Was hatte sie gemeint, als sie zum Abschied sagte, sie würde hinter ihm stehen, egal, wie er sich entscheiden würde? Sie war ja dabei gewesen, als er Banz eine Abfuhr erteilt hatte. Warum akzeptierte sie seinen Entscheid nicht? Auf einmal hatte der Kommissar das ungute Gefühl, dass es doch die hohe Geldsumme war, die Corina imponierte. Corina, die sich sonst nie etwas aus Geld gemacht hatte. Was war geschehen?

Auf nichts war mehr Verlass, außer auf die Pharmaindustrie am Basler Rheinknie.

Die 7,5 Milligramm Dormicum taten ihre Wirkung.

Gerädert und mit einem Anflug von Klaustrophobie erwachte Eschenbach eine halbe Stunde bevor die Boeing 747 in London landete.

In Heathrow wechselte der Kommissar das Terminal und hörte seine Combox ab. Zweimal Claudio und einmal Rosa. Was sie ihm berichteten, wusste der Kommissar zum Teil schon von Banz: Max Hösli hatte seine Stelle als neuer Kommandant der Kantonspolizei tatsächlich auf sicher.

Aber es kam noch dicker. Mit aufgebrachter Stimme erzählte Rosa, was in den letzten Tagen vorgefallen war:

»... und dann kommt gestern plötzlich dieses interne Kommuniqué mit einem neuen Organigramm. Stellen Sie sich vor: Im Kästchen *Leitung Kriminalpolizei*, also dort, wo Ihr Name hingehört ... Ich meine, dort steht jetzt *N.N.* Die haben Sie völlig vergessen, Kommissario!«

Nomen nominandum hieß nicht, dass man ihn vergessen hatte, das wusste Eschenbach. Es bedeutete, dass Hösli ihn als Kripochef in Frage stellte, womöglich auch nicht mehr haben wollte. Sprachlos stand er da und konnte das Gehörte kaum fassen. Ein übles Spiel war im Gang, und er verfluchte sich für das blinde Vertrauen, das er dem kantonalen Polizeiapparat entgegengebracht hatte – aus Nachlässigkeit oder, was noch viel schlimmer zu ertragen war, aus purem Egoismus.

Trotz des tragischen Todes seiner Chefin hatte er beschlossen, an seinen Kanada-Plänen festzuhalten. Rosa und Claudio – sie waren über all die Jahre im Polizeidienst nicht nur treue Mitarbeiter gewesen – nein, sie waren Freunde geworden. Der Kommissar wurde das Gefühl nicht los, dass er sie hatte hängenlassen.

Eschenbach starrte auf die Anzeigetafel. Alle paar Sekunden wurden Dutzende von Zeilen gelöscht und neu angezeigt. Menschen, die nur flüchtig einen Blick darauf geworfen hatten, rannten gleich wieder weiter, wuselten durch das Gedränge. Jeder wusste, wohin er wollte. Es gab keine Fluchtwege in diesem gigantischen Spiel, das sich zwischen Terminals und Flugsteigen zutrug. Es war ein Rennen von Gate zu Gate.

Die Menschheit ist eine große, sich selbst organisierende Viehherde, dachte Eschenbach und wählte eine Nummer aus dem Adressbuch seines Handys an.

Rosa meldete sich sofort. Ihre Stimme klang freudlos. Und nach einem belanglosen »Sie sind jetzt also wieder zurück« ergänzte sie: »Herr Hösli hat für Montag eine Sitzung anberaumt. Für alle.«

»Montag ist morgen«, sagte Eschenbach und bemerkte, dass seine Armbanduhr noch immer die kanadische Zeit anzeigte.

»Ja, morgen.«

»Dann spricht Cäsar zur Truppe.«

»Das ist nicht lustig, Chef!«

»Nein, ist es nicht. Aber ich werde trotzdem da sein.«

»Ich bin mir gar nicht sicher, ob er Sie auch erwartet.«

»Egal. Ich komme.«

Auf dem Weiterflug nach Zürich war der Kommissar hin und her gerissen zwischen aufflackernder Kampfeslust und einer nagenden Schwermut. Er würde mit Regierungsrätin Sacher darüber sprechen. Sachlich und ruhig. Eschenbach konnte sich nicht vorstellen, dass die Vorsteherin des Polizeidepartements Höslis Intrige deckte.

Er nahm das Käsesandwich, das ihm die dunkelhaarige Stewardess der SWISS entgegenstreckte, biss lustlos hinein und bestellte danach noch zwei kleine Fläschchen Whiskey, die er bezahlen musste, bevor er sie mit ein paar kurzen Schlucken leerte.

Nachdem das Flugzeug in Zürich-Kloten gelandet und zum Stillstand gekommen war, blieb Eschenbach noch einen Moment sitzen. Er sah den Fluggästen zu, wie sie ihr Gepäck aus den Ablagen rissen. Sein Blick flüchtete durchs Fenster nach draußen. Ein trüber Nieselregen empfing ihn am Tag seiner Rückkehr. Dieser Sonntag im August gab sich wie ein Montag im November.

Auf dem Weg zur Gepäckausgabe betrachtete er die Werbetafeln an den Wänden. Banken – alles Banken; und zwischendrin die Werbung für einen erotischen Escort-Service. Mehr hatte Zürich anscheinend nicht zu bieten.

Der Kommissar erwartete nicht, dass man ihn abholte. Trotzdem las er die Schilder, die den Ankömmlingen am Ausgang entgegengestreckt wurden: Mr. KOURANYII ... Dr. SCHULZ ... Willkommen, OMA! Kein Gesicht, das er kannte. Auch Jagmettis nicht. Man wird nicht enttäuscht, wenn man nichts erwartet, dachte er, als er mit seinem Koffer zu den Rolltreppen stapfte.

»Darf ich Ihnen mit dem Gepäck helfen?«

Der Kommissar zuckte zusammen.

Der Mann, der von der Seite an ihn herangetreten war, streckte die Hand aus: »Sie sind doch Herr Eschenbach, nicht wahr?«

Der Kommissar nickte.

»Es regnet. Dr. Banz hat mich angewiesen, Sie nach Hause zu fahren. Natürlich nur, wenn Sie es wünschen, Monsieur. Ich bin sein Chauffeur.«

Eine halbe Stunde später bog der schwarze Bentley Continental in die schmale Gasse in der Zürcher Innenstadt und hielt vor dem hübschen alten Haus, in dem der Kommissar in der obersten Etage eine Wohnung hatte.

»Wenn Sie es wünschen, helfe ich Ihnen mit dem Gepäck.«

»Es geht«, sagte Eschenbach.

Der Chauffeur, er hieß Marcel Hediger, wie Eschenbach nun wusste, hielt einen großen Regenschirm über den Kommissar, als dieser die fünf Schritte vom Auto zur Haustür zurücklegte. »Und wie ich schon sagte: Dr. Banz würde sich sehr freuen, wenn Sie von sich hören ließen. Er kommt am Donnerstag zurück.«

Ein – drei und fünf Uhr: In diesem Rhythmus wachte Eschenbach auf, drehte und streckte sich. Er lag im Bett in seiner Wohnung; aber das Detail, das die Feinabstimmung zwischen Wachen und Schlafen regelte, fehlte ebenso wie der Mechanismus, der für Geborgenheit und Wärme zuständig war.

Vermutlich werden die nachgeliefert, dachte der Kommissar. Am nächsten oder übernächsten Tag. Fleisch, Blut und Knochen ließen sich problemlos um den Globus jagen. Nur der verdammte Rest nicht. Die Nachzügler unserer Seele, die immer zu spät kommen; hinterdrein latschen, trippeln und mäandern im Reisetempo napoleonischer Truppen.

Corina fehlte auch.

Und Kathrin.

Eschenbach dachte daran, wie gut es mit Corina wieder lief, seitdem jeder seine eigene Bleibe hatte. Aber funktionierte das auch, wenn jeder auf einem anderen Kontinent war?

Im Bauernschrank im Wohnzimmer fand der Kommissar eine halbvolle Whiskeyflasche. Achtzehnjähriger Laphroaig, ein Geschenk von seinen Freunden, mit denen er jeden zweiten Donnerstag Karten spielte.

Nach den ersten beiden Schlucken fühlte er sich einsamer als vorher. Er legte sich zurück ins Bett, schloss die Augen und versuchte, sich an den Geruch des Pazifiks zu erinnern.

Kapitel 6

Zwei rote Sechser und eine Pik-Neun

Der Mann, der Judith am Hauptbahnhof in Zürich mit dem Namen *Jude the Math* ansprach, war Mitte fünfzig, groß und kräftig. Er sprach Englisch mit slawischem Akzent, hatte kurze, dunkle Haare und eine Boxernase.

Judith ließ sich nicht anmerken, dass sie jemand anderen erwartet hatte. Normalerweise hatte sie ein gutes Gefühl dafür, wer sich hinter den Spielernamen im Internet verbarg. Früher, als sie diese Veranstaltungen noch häufiger durchführte, traf sie sich vor den Sessions mit den Leuten. An einem neutralen Ort, einem Café oder auf der Straße. Ein Sicherheits-Check, der sich mit der Zeit erübrigte.

Denn die Leute, die sich für einen Pokerabend mit ihr verabredeten, waren in der Regel harmlos. Oftmals Studenten, die von ihr gehört oder gelesen hatten, sich von ihr Ratschläge erhofften und – was nicht unwichtig war – auch bereit waren, dafür tausend Franken aufzubringen. Denn das war ihr Preis für einen *Poker Coaching Evening*, wie sie ihre Veranstaltungen nannte.

Auch wenn ihr Ausstieg aus der Pokerszene schon eine Weile zurücklag, war sie in Spielerkreisen noch immer Kult. Das verdankte sie einer Übertragung des Fernsehsenders ESPN. Noch während ihres Studiums hatte sie als erste Frau überhaupt bei der *World Series of Poker* am Finaltisch des *Main Event* in Las Vegas gesessen. *Jude the Math* hatte man sie genannt, weil sie ihr Spiel an den mathematischen Gesetzen der Wahrscheinlichkeitsrechnung ausrichtete.

Jude-the-math hieß auch der Blog, in dem sie Tipps gab und solche Pokerabende wie den heutigen anbot.

»Wir fahren ins Haus«, sagte der Mann. Er öffnete die Hintertür zu einer schwarzen Limousine, die am Ausgang zum Limmatquai halb auf dem Gehsteig stand.

Sie fuhren los.

Judith blickte durch getönte Fensterscheiben nach draußen. Der Wagen glitt über die Bahnhofsbrücke, fädelte beim Central in die Weinbergstrasse ein und fuhr diese hoch bis zur Sonneggstrasse. Dort bogen sie links ab und gelangten auf ein Privatgrundstück. Vor einer alten Villa hielt der Fahrer an.

»Wir sind da«, sagte er.

Judith folgte dem Mann ins Haus. Eine Holztreppe führte in den ersten Stock, wo sie am Ende eines schmalen Ganges, im schummrigen Licht eines Spielzimmers, von zwei weiteren Männern erwartet wurden. Als Judith in den Raum trat, nickten sie ihr zu.

»Meine Freunde sprechen kein Englisch«, sagte der Mann, der sie am Bahnhof abgeholt hatte. »Ich werde übersetzen, wenn nötig ... Wollen spielen, nicht sprechen.«

Judith nickte. Ohne weitere Begrüßung und ohne dass sich jemand mit Namen vorgestellt hatte, setzten sie sich an den Tisch in der Mitte des Raumes.

»Texas Hold'em – *no limits*«, sagte der Fahrer. Dann begann er mit dem Mischen der Karten.

Als Judith zum allerersten Mal ein 52er Set französischer Spielkarten in die Hände bekommen hatte, war sie halb so alt wie jetzt gewesen. In ihrem kleinen Zimmer in der Stiftsschule in Einsiedeln hatte sie – absteigend vom Ass der jeweiligen Spielfarbe – Karte um Karte sorgsam auf ihren Schreibtisch gelegt. Eine neue Welt hatte sich ihr eröffnet. Eine Welt, die verborgen und still mit der realen Welt draußen zu korrespondieren schien. Vom ersten Augenblick an hatte sie eine seltsame Vertrautheit empfunden.

So wie es Menschen gab, die beim Erklingen von Tönen entsprechende Farben wahrnahmen, offenbarte sich in Judiths Empfindungswelt ein direkter Zusammenhang zwischen Spielkarten und Menschen. Wenn ihr jemand begegnete, stellte sich für sie ein direkter Bezug zu einer Karte her. Es war eine Art Aura, die Judith wahrnahm – ein Vorgang, den sie durch ihren Willen nicht steuern konnte.

Interessanterweise gab es Menschen, deren Spielkarten im Laufe der Zeit wechselten. Aus einer Herz-Neun konnte ein Herz-Bube werden. Selten aber gab es Menschen, die im Laufe ihrer Entwicklung auch eine andere Farbe annahmen.

Über die Jahre glaubte Judith, dass die Farben etwas mit dem Temperament der Personen zu tun hatten. Cholerische Charaktere zeigten sich in Herzbildern, unbeschwert fröhliche Menschen in Karo. Demgegenüber offenbarten sich melancholisch und phlegmatisch veranlagte Personen in den Farben Kreuz oder Pik. Was Judith anhand der Karte nicht eruieren konnte, war, ob die dazugehörige Person ein guter oder schlechter Mensch war. Auch wenn sie diesbezüglich immer wieder nach einem Anhaltspunkt suchte, es gab ihn nicht. Die Karten schienen beides in sich zu vereinen. Und wie es schien, stand es nicht in ihrer Macht, darüber ein Urteil zu fällen.

Die Männer, die an diesem Abend mit ihr am Tisch saßen, hatten in Judiths Wahrnehmung tiefe Zahlen. Nachdem sie eine Weile gespielt hatten, sah sie im Fahrer eine Pik-Neun; die beiden anderen waren jeweils eine Herz-Sechs. Keine gute Kombination. Es würde ein schwieriger Abend werden, dessen war sie sich nun sicher.

Schon nach den ersten vier Runden zeigte sich, dass die Leute vom Pokerspiel nicht allzu viel verstanden. Es waren Zocker, denen es vor allem um den kurzfristigen Kick ging. Sie spielten aggressiv, und, was noch schlimmer war, sie hatten Glück. So schien es wenigstens. Zudem tranken sie in großen Mengen

Wodka, blieben einsilbig – und wenn es einmal einen Wortwechsel gab, dann in einer Sprache, die Judith nicht verstand.

Dabei hatte das Pokerspiel eine ganz andere Dimension. Man durfte dem Geld keine zentrale Bedeutung beimessen. Es ging um die Art, wie sich die Karten in immer wechselnden Formationen zeigten. Wie ein Blatt sich nach seinem eigenen Gesetz entwickeln konnte – während ein anderes nie zur Blüte heranreifte.

Die Fachpresse hatte ihr immer wieder unterstellt, dass sie ihr Spiel einzig und allein der Mathematik unterwarf, den Gesetzen der Wahrscheinlichkeit also. Aber das stimmte nicht. Denn wenn sie in ein Spiel hineinfand, gelang es ihr meist, die Situationen ihrer Bestimmung nach zu erfassen. Dann wusste sie schon von vornherein, wohin die Karten gingen. Sie erkannte den Rosenbusch, längst bevor die erste Knospe spross; und sie verwarf den Buchenstrauch, in dem nichts Blühendes angelegt war. Das einzige Problem war, dass sich Judiths Sicht auf die Wesenheit des Spiels eintrübte, wenn sie sich durch einen großen Pot und einen möglichen Gewinn ablenken ließ.

Nach eineinhalb Stunden wusste Judith, dass mit dem Kartenspiel der Männer etwas nicht stimmte. Man betrog sie, dessen war sie sich zu hundert Prozent sicher. Sie hatte schon von Anfang an kein gutes Gefühl gehabt. Jetzt musste sie sehen, wie sie aus der Situation herauskam. So wie sie die Männer einschätzte, hatte es wenig Sinn, sich auf einen Streit einzulassen.

»*I quit*«, sagte sie mit einem Lächeln. Judith sah den Fahrer an, der ihr am Tisch gegenübersaß. »Sie alle spielen sehr gut. Ich bin beeindruckt.«

Einer der Herz-Sechser grinste und sagte ein paar Sätze.

»Mein Freund meint, Sie weiterspielen«, übersetzte ihr Gegenüber. »Weil Glück kommt jetzt auch für Sie.«

Judith sah auf die Uhr und seufzte. »Leider geht mein Zug in einer halben Stunde.« Sie zählte ihre restlichen Jetons. Über zehntausend Franken würde sie liegen lassen. Auch wenn sie schon viel höhere Summen verloren hatte, es war ein Verlust, der sie nervte. Deshalb nervte, weil sie nachlässig geworden war und ihre Abende nicht mehr seriös vorbereitete. Trotzdem blieb Judith ruhig. Sie griff zur Handtasche.

»Ich werde Ihnen einen Scheck ausstellen.«

»Bei uns immer *cash*«, sagte der Fahrer und stand auf.

Judith zuckte die Schultern. »Also gut«, sagte sie. »Wenn Sie mich zum Bahnhof bringen ... Dort ist ein Geldautomat.«

»Okay«, meinte der Mann.

Judith nahm ihre Tasche und stand auf. Sie hatte schon ein paar Schritte in Richtung Tür gemacht, als sich einer der Herz-Sechser ihr plötzlich in den Weg stellte. Breitbeinig, mit einer Wodkaflasche in der Hand. Sein Blick war ohne Scham auf ihre Bluse gerichtet.

»Wir können machen anderes Geschäft«, sagte der Fahrer hinter ihr.

»Ficken«, sagte der Sechser, diesmal auf Deutsch. Er nahm einen Schluck aus der Flasche und grinste.

»Ich werde bezahlen«, sagte Judith. Sie sah dem Mann vor ihr in die Augen. »Mit Geld, *that's it.*«

Der Mann ließ die Flasche langsam sinken. Dann spie er ihr den Wodka, den er im Mund gesammelt hatte, mitten ins Gesicht.

Judith stand da wie versteinert. Ihr Gesicht war nass, und ihre Augen brannten. Einen kurzen Augenblick verlor sie die Kontrolle. Sie verpasste dem Mann eine schallende Ohrfeige.

Der rote Sechser lachte, bevor er mit der Faust zurückschlug.

Judith taumelte und fiel zu Boden.

Sie hätte auf diese Provokation nicht eingehen dürfen, dachte sie. Langsam rappelte sich Judith wieder auf. Der Sechser war noch immer da, stand wie eine Wand zwischen ihr und der Tür.

Judith überlegte.

»Okay, dann halt ficken.« Gemächlich ging sie die paar Schritte zurück, legte ihre Handtasche auf einen Stuhl und setzte sich auf die Tischkante. Sie öffnete ihre Bluse etwas, zog ihre Schuhe aus und beobachtete, was geschah.

Zwischen den Männern entspann sich ein heftiger Wortwechsel. Judith verstand kein Wort. Sie hatte das Gefühl, dass sie sich über das weitere Vorgehen nicht einig waren.

Die nächsten Minuten waren entscheidend. Das Geheimnis beim Pokerspiel lag darin, eine Situation richtig einzuschätzen. Vielleicht war sie deshalb mehr als eine recht passable Pokerspielerin geworden, dachte Judith. Weil sie den Augenblick richtig las. Es war kein bewusster Akt der Analyse, sondern Instinkt. Und sie verfügte über eine zusätzliche Gabe: Ihr Körper verriet diese Anspannung nicht. Kein Erröten im Bereich des Halsansatzes und der Wangen. Keine Veränderung der Pupillen. Keine Überproduktion der Talg- und Schweißdrüsen. Kaum eine Veränderung ihres Pulsschlags.

Sie würde acht Schritte brauchen bis zur Tür. Sieben weitere Schritte in hohem Tempo durch den Flur bis zur Treppe. Insgesamt fünfundzwanzig Meter Wegstrecke, schätzte sie; machbar in vier Sekunden. Usain Bolt schaffte in derselben Zeit fast das Dreifache.

Die drei Männer kamen auf sie zu. Der zweite Sechser, der sich bisher zurückgehalten hatte, nestelte bereits an seinem Hosenbund. Rechts von ihm der Fahrer. Noch im Gehen knöpfte er sich sein Hemd auf.

Dazwischen eine kleine Lücke. Ein knapper Meter vielleicht. Wenn sich die im falschen Moment schließt, dann kracht's, dachte Judith.

Sie musste noch zuwarten.

Die Wahrscheinlichkeit, dass die Männer schnell genug reagierten, schätzte Judith auf unter fünfzig Prozent ein.

Der Moment war gekommen.

Jetzt!

Kapitel 7

Mit Rosa über alle Berge

Wenn sich Kommissar Eschenbach am Montagmorgen um Viertel nach sieben zu Fuß auf den Weg begab, von seiner Wohnung quer durch die Innenstadt bis zu seinem Büro an der Zeughausstrasse, machte er immer bei Sprüngli halt und kaufte elf Buttergipfel.

Sie waren für die Leiter seiner vier Spezialabteilungen bestimmt, außerdem für Franz Haldimann vom Ermittlungsdienst und für Röbi Ketterer von der Technischen Analyse. Hinzu kamen die Chefs der Innen- und Außendienste und ein Stabsoffizier, die ebenfalls an der wöchentlichen Führungssitzung teilnahmen. Das Meeting begann stets um Punkt acht und dauerte nur in Ausnahmefällen länger als fünfzig Minuten.

Rosa Mazzoleni fertigte jeweils ein kurzes Protokoll an. Eschenbach konnte sich nicht erinnern, dass seine Sekretärin über all die Jahre nur ein einziges Mal krankheitshalber gefehlt hätte.

Für sie war der elfte Gipfel.

Auch wenn die Preise bei Sprüngli über die Dauer seiner Amtszeit ins Unermessliche gestiegen waren, so war Eschenbach dieser Geste stets treu geblieben.

In der obersten Etage im Präsidium war es merkwürdig still, als der Kommissar aus dem Lift trat. Die Hälfte der Deckenleuchten war gar nicht eingeschaltet, und an den meisten Schreibtischen war der Computerbildschirm schwarz. Kein Mensch war zu sehen.

»Verdammt, was ist hier los?«, grummelte Eschenbach und sah auf die Uhr. Es war zehn Minuten vor acht. Er ging an Rosas Schreibtisch vorbei. Auch ihr Computer war aus und der Schreibtisch leer wie ein frischgemähtes Kornfeld. War Rosa gar nicht zur Arbeit gekommen, Rosa, die immer schon um sieben hier war?

Eschenbach wurde unsicher. Hatte er sich in der Zeit vertan? Seine Uhr hatte er umgestellt, sich mehrfach vergewissert, dass sie auch richtig ging. Auch die Geschichte mit der Winterzeit konnte nicht der Grund sein. Es war der 29. August – Montag früh, kurz vor acht. Und im obersten Stock, in der Führungs-etage der Kriminalpolizei, sah es aus, als würden als Nächstes die Möbel geholt.

Warum hatte niemand etwas gesagt?

Eschenbach legte die Tüte von Sprüngli auf Rosas leerge-fegten Tisch. Dann ging er weiter, öffnete die Tür zu seinem Büro und schaltete das Licht ein.

Das Bild von Tinguely fiel ihm als Erstes auf. Es hing nicht mehr an der Wand, sondern stand auf dem Teppichboden neben zwei Kartons. Sein Arbeitsplatz sah genauso verlassen aus wie der von Rosa.

Eschenbach schritt durch sein Büro, öffnete die Schränke und Sideboards und realisierte mit wachsendem Erstaunen, dass sie alle ausgeräumt waren. Leer, vom ersten bis zum letzten Regal.

Sein Büro war nicht mehr sein Büro.

Er setzte sich auf den schwarzen Ledersessel, drehte sich ein-mal um die eigene Achse und schüttelte den Kopf. Im ersten Kar-ton fand er seine persönlichen Sachen wieder: einen Aschenbe-cher, den er im Hotel Quellenhof in Bad Ragaz hatte mitgehen lassen, zwei halbvolle Schachteln Brissago und einen übergroßen Taschenrechner, einen Haufen Zündhölzer, Plastikfeuerzeuge und zwei komplette Jass-Karten-Sets mit der Werbeaufschrift *Swiss Life*.

Eschenbach hörte auf, darin zu wühlen, zog sein Handy aus

der Jackentasche und wählte die Nummer von Rosa. »Mein Büro ist nicht mehr mein Büro«, sprach er ihr auf die Combox. »Und wo zum Teufel sind Sie?«

Im zweiten Karton fand er, eingeschweißt in Plastik, zwei Stapel Imagebroschüren mit dem Vermerk *Zur Information und Distribution*. Alle paar Jahre wieder, dachte er, riss die Folie auf und nahm das oberste Exemplar zur Hand:

Kantonspolizei Zürich –
Damit
Sie
sich
sicher
fühlen.

»Sie – sich – sicher.« Der Kommissar las den schwierigen Teil des Leitsatzes ein paarmal laut vor. Zu viele Zischlaute, fand er und war froh, dass er keinen Sprachfehler hatte.

Die Lifttür ging. Eschenbach hörte, wie jemand schon von weitem »Kommissario!« rief und mit trippelnden Schritten näher kam.

»Kommissario – um Gottes willen, wo sind Sie?«

Eschenbach stand auf und sah Rosa in einem langen hellblauen Leinenkleid ins Zimmer stürmen. Auf halbem Weg zu ihm ließ Rosa ihre übergroße Handtasche aus braunem Segeltuch fallen, dann umarmte sie den Kommissar. Eine ganze Weile standen sie schweigend da, drückten sich, bis Eschenbach bemerkte, wie Rosa die Tränen in die Augen schossen.

Wortlos entzog sich Rosa der Umarmung, tupfte sich mit dem Ärmel die Augenwinkel. Ihr pechschwarzes, halblanges Haar hatte sie streng nach hinten gekämmt. Sie sah bleich aus und müde. Ihre sonst so strahlenden Augen blickten traurig an Eschenbach vorbei.

»Die Sitzung, die Hösli für heute anberaumt hat, war beim

Stadthausquai ... drüben, bei den Kollegen. Hab ich das nicht geschrieben? Weil hier, schauen Sie nur ...« Rosa machte eine alles umfassende Handbewegung. »Ist es nicht grässlich?« Ohne dass Eschenbach nur eine einzige Frage gestellt hatte, begann sie zu schildern, wie sich die Dinge in den letzten Wochen entwickelt hatten. Unter der Leitung von Max Hösli hatte ein Stab von internen und externen Beratern die ganze Organisation auf ihre Effizienz hin geprüft. »Die haben mich Dinge gefragt ...« Rosa schniefte und gestikulierte. »Ich bin doch jetzt schon über zwölf Jahre hier ... und Sie noch länger, Kommissario. Da weiß man doch, wie der Karren läuft. Warum man dies und das macht. Da haben wir uns doch auch etwas überlegt dabei, oder?«

Der Kommissar nickte.

»Aber jetzt wird alles anders. SAP – Systema Automatica Porcamiseria. Hundertelf verschiedene Eingabemasken – alles muss man archivieren –, doppelte Sicherheit und Vieraugenprinzip. Dafür muss man es zwei- und dreimal eingeben.«

»Und wo muss man das?«, fragte Eschenbach. Er sah Rosa an, die sich heftig ins Zeug legte, deutete auf seinen Schreibtisch, auf dem weder ein Computer noch ein Telefon stand. »Wo zum Teufel ist mein Arbeitsplatz hingezogen?«

»Ins Werd«, sagte Rosa und schniefte. »Weil sich das Gelände hier aufgrund seiner Nähe zum Bahnhof rentabler nutzen lässt, ziehen wir ins Werd-Gebäude, in dieses schreckliche Hochhaus.«

»Hat aber einen tollen Ausblick.«

»Nicht im zweiten Stock – dort sieht man gar nichts.« Rosa zog abermals die Nase hoch. »Dafür ist alles auf einer Etage, sagen die. Und das ist besser für die Kommunikation.«

Eschenbach zuckte die Schultern. Auch in dieser Sache hatte man ihn übergangen. Selbst wenn er ausdrücklich darum gebeten hatte, dass man ihn während seines Aufenthalts in Kanada mit nichts behelligte – es waren grundsätzliche Veränderungen, die man ins Auge fasste; und bei diesen hatte er das Recht, mitentscheiden zu können. Oder wenigstens gebührend gefragt und orientiert zu werden.

»Sie finden es doch auch nicht gut, oder?«, fragte Rosa und sah ihn an.

»Nein.«

»Eben. Und dazu kommt ...« Rosa machte eine kurze Pause. »Jedenfalls haben die gemeint, dass ich zu teuer bin ... Ja, das haben die gesagt. *E una catastrofe* – alles kostet viel zu viel.«

Eschenbach hätte sich mit Rosa nun gerne hingesetzt. Aber so wie es schien, hatte er außer seinem eigenen Sessel keine weiteren Stühle zu bieten. Seinen runden Gesprächstisch hatte man ebenso abtransportiert wie die zwei Zimmerpflanzen und den Papierkorb.

»Gehen wir ins Clipper«, schlug er vor. »Dort erzählen Sie mir alles der Reihe nach.«

»Da ist noch etwas mit Ihrem Volvo, Kommissario ...« Rosa strich sich verlegen durchs Haar. »Sie haben mir das Auto doch gegeben, bevor Sie nach Kanada gegangen sind.«

Eschenbach nickte: »Lassen Sie mich raten. Die alte Karre ist zusammengebrochen ... Jetzt muss sie verschrottet werden.«

»Nein!« Rosa schüttelte den Kopf. »Ganz im Gegenteil. Sie läuft und läuft ... Aber weil ich viel lieber mit der Tram fahre, habe ich sie ausgeliehen. Meinem Halbbruder Antonio.«

»Aber das macht doch nichts, Frau Mazzoleni.«

»Und der Antonio ... Also der ist damit nach Italien gefahren. Mit der ganzen Familie. Er kommt erst in zwei Wochen zurück.«

»Nun ja«, Eschenbach zog die Schultern hoch. »Gestohlen wird sie dort bestimmt nicht. Bleibt nur zu hoffen, dass sie nicht stehen bleibt.«

»Soll ich Ihnen Ersatz beschaffen?«

»Ach was! Es sind ja keine Distanzen hier.«

»Ich konnte ja nicht wissen, dass Sie früher aus Ihren Ferien zurückkommen.«

Der Kommissar legte seinen Arm um Rosas Schulter und versicherte ihr noch einmal, dass die Sache mit dem Auto überhaupt kein Problem sei. Gemeinsam verließen sie das Präsidium.

Auf dem kurzen Weg entlang der Kasernenstrasse erzählte Eschenbach von seinem Termin am Nachmittag mit Regierungsrätin Sacher. »Da werden wir sehen, wie es weitergeht.«

»Es geht nicht weiter«, sagte Rosa und blieb mitten auf dem Trottoir stehen. »Ich habe gekündigt, Kommissario.« Sie schob das Kinn vor und ließ keinen Zweifel daran, dass ihr Entschluss feststand. »Ich muss mich doch nicht auf eine Stelle bewerben, die ich seit einer Ewigkeit habe, oder?«

»Sie müssen sich doch nicht bewerben.«

»Doch! Alle müssen das, sagen die. Auch Sie, Kommissario!«

»Das ist doch nur pro forma. Eine alte Schnapsidee der Beraterindustrie – wird heiß gekocht und lauwarm gegessen.«

Sie gingen weiter und fanden im Clipper einen freien Ecktisch. Der Kommissar bestellte zwei doppelte Espressi und eine Karaffe Leitungswasser. »Wo ist diese Sitzung, die Hösli einberufen hat?«

»Am Bahnhofquai, bei den Kollegen …« Rosa schnäuzte in eine Papierserviette, die sie sich zuvor an der Theke geholt hatte. »Ich habe schon gedacht, dass sie meine SMS nicht gelesen haben. Drum bin ich ja gekommen …« Als die Bedienung die Espressi brachte, trank Rosa ihren in einem Schluck. Dann sagte sie: »Haben Sie Herrn Banz noch getroffen, bevor Sie zurückgeflogen sind?«

Die Frage kam aus heiterem Himmel.

»Jakob Banz? Ähm … ja, natürlich. Am Abend vor meinem Rückflug. Weshalb fragen Sie?«

Rosa zögerte. »Hat er Ihnen nichts gesagt?«

Nun wusste Eschenbach nicht recht, worauf Rosa hinauswollte. Angesichts ihrer Verfassung hielt er es für keine gute Idee, von seinem Angebot bei der Banque Duprey zu erzählen.

»Wir haben über dieses und jenes gesprochen, doch ... Warum fragen Sie?«

Rosa hielt inne, fuhr über ihr mit viel Gel gezähmtes Haar. »Hat er Ihnen denn nicht gesagt, dass ich bei ihm arbeiten werde?«

* * *

Eschenbach wachte auf, weil jemand an die Tür klopfte. Ein kleiner, äußerst wohlgenährter Mann kam herein. Er trug eine schwarze Kutte und lächelte höflich.

»Ihr Frühstück, Doktor.«

Der Kommissar folgte dem Mann mit den Augen, wie er mit dem Tablett am Bett vorbei zum Schreibtisch ging.

»Da haben wir also einen Teller Suppe, zwei Scheiben Brot und ein Schoggibranchli mit Gianduja-Füllung. Sie müssen wieder zu Kräften kommen.«

»Wer sind Sie?«

»Ich bin Bruder John.« Der Mönch wandte sich ihm zu und lächelte abermals. Passend zum fülligen Körper, erstrahlte ein freundliches Mondgesicht. Alles in allem eine runde Erscheinung, dachte der Kommissar, auch die Gläser von Johns Nickelbrille waren kreisrund.

»Und bevor Sie sich wieder aufregen, möchte ich Ihnen sagen, dass Sie in einem Kloster sind. Wir sorgen uns um Sie. Ich meine nur, damit Sie sich sicher fühlen.«

»Sie – sich – sicher – fühlen.« Mechanisch und beinahe tonlos wiederholte Eschenbach diese idiotische Abfolge von Wörtern, und plötzlich wusste er, wo ihm dieser Satz das letzte Mal begegnet war. Auf dem Umschlag dieser verdammten Imagebroschüre. Ihm wurde heiß, das Meeting mit Regierungsrätin Sacher fiel ihm wieder ein: wie er seine Beherrschung verloren und außer sich vor Wut herumgepoltert hatte.

»Brauchen Sie noch etwas?«, fragte der Mönch. »Ich wäre sonst fertig.«

Eschenbach schüttelte den Kopf. *Fertig!* – Sacher hatte »fertig« gesagt und zurückgeschrien, wie er es der zierlichen Mittfünfzigerin niemals zugetraut hätte. Wie eine fauchende Berglöwin hatte sie hinter ihrem schweren Eichenpult gesessen, mit ihrer bleichen Hand auf die Schreibunterlage geschlagen und zur Tür gezeigt. »Dort ist der Ausgang, Sie Idiot – ich bin fertig mit Ihnen.«

Nachdem John das kleine Zimmer verlassen hatte, erhob sich der Kommissar langsam und ging zum Tisch. Vielleicht hätte er den Mönch irgendetwas fragen sollen, aber er war zu sehr mit sich selbst beschäftigt gewesen. Er war in höchstem Maße verwirrt und sah an sich herunter. Ein Paar ausgetretene Turnschuhe, eine Trainingshose aus grauer Baumwolle und ein weißer Sweater. Zumindest was die Hose und die Schuhe betraf, war er sich absolut sicher, dass er diese Kleidungsstücke zuvor noch nie gesehen hatte. Er setzte sich.

Durch das kleine Fenster sah er ein Stück blauen Himmel. Es war irgendein Morgen, dessen Bestimmung er nicht kannte. Auch den Wochentag wusste er nicht. Bedächtig und mit dem Gefühl, nicht ganz bei sich zu sein, begann Eschenbach die Suppe zu löffeln, die er sich vermutlich selbst eingebrockt hatte. Nur wie? Eine Mischung aus Kartoffeln, Karotten und Sellerie. Eine gute Gemüsesuppe aus einer Klosterküche. Denn dort war er gelandet, sofern er Bruder John glauben wollte. In einem Benediktinerkloster. Wenn man wenig wusste, war glauben eine hilfreiche Alternative, fand er. Zudem schien es logisch. Wo sonst gab es Brüder, die in Kutte herumliefen. Und das nächste Mal würde er fragen, in welchem Kloster. Wenn er die Kraft dazu hatte.

Mit einem Stück Brot nahm er den Rest der Suppe auf, dann biss er in den Schokoladenstängel. Was wusste er über Klöster? Er selbst war reformiert, und Zürich, die Stadt, in der er lebte, war es seit fünfhundert Jahren ebenso.

Früher hatte er einmal ein Kloster besucht, auf Zypern. Aber das war eine Ewigkeit her, und das Einzige, woran er sich erinnern konnte, waren zwei teure Flaschen Wein, die er mitgenommen hatte, weil ihm das Etikett gefiel. Und die er später bei sich zu Hause in den Spülstein leerte, weil sie nicht einmal zum Kochen taugten.

Ulrich Zwingli hatte ganze Arbeit geleistet. Eschenbach wusste so gut wie nichts über katholische Ordensgemeinschaften und deren Stätten.

Kapitel 8

Treffen in der Nacht

Judiths Plan war aufgegangen.

Als die Männer nur noch einen Meter von ihr entfernt gewesen waren, war sie nach vorn geschnellt, zwischen ihnen hindurch in Richtung Tür. Nun befand sie sich im Flur. Judith spurtete zur Treppe, nahm drei, vier, fünf Stufen auf einmal bis hinunter ins Parterre des Hauses. Es war ein Wunder, dass sie keine Stufe verfehlte.

»*Fuck you!*«, rief jemand hinter ihr. Die Stimme überschlug sich. Judith konnte nicht ausmachen, wer von den dreien es war. Ein Wirrwarr aus Schritten hallte wie gedämpftes Mündungsfeuer durchs Treppenhaus.

Sie folgten ihr.

Als sie draußen im Freien war, griff sie sich kurz an die Stirn. Vermutlich eine Platzwunde, die sie sich zugezogen hatte, als der Sechser sie geschlagen hatte.

Das Haus, in dem sie gespielt hatten, lag in einer Sackgasse. Sie durfte auf keinen Fall in die falsche Richtung laufen. Judith versuchte sich zu erinnern. Kostbare Sekunden vergingen, dann rannte sie weiter.

Der Weg stieg leicht an und mündete in der vielbefahrenen Weinbergstrasse. Sie lag goldrichtig. Was nun kam, war eine bolzengerade, leicht abschüssige Strecke, die bis zum Central hinunterführte.

Judith machte Tempo.

»Du musst die 440 Yards unter 90 Sekunden schaffen, dann hängst du jeden ab.« Es war einer der Lieblingssätze von Ernest, wenn sie auf der kleinen Anhöhe hinter der Mühle miteinander um die Wette liefen.

»Der 400-Meter-Lauf ist die längste und gleichzeitig qualvollste Sprintstrecke. Einfach losrennen kann jeder, und selbst wenn er untrainiert ist, wird er die hundert Meter schaffen. Vielleicht sogar in einer passablen Zeit. Aber dann kommt der schwierigere Teil: Die Distanz verdoppelt sich auf zweihundert – und verdoppelt sich nochmals auf vierhundert Meter. Dieses exponentielle Wachstum will der Körper nicht bewältigen. Bei den meisten ist deshalb nach zweihundert Metern Schluss. Die Sauerstoffversorgung im Blut funktioniert nicht mehr richtig, und du denkst, die Beine brechen weg.

Diesen Punkt knackst du nur mit dem Kopf. Du rennst einfach weiter. Und wenn du das ein paarmal gemacht hast, dann weißt du, dass es geht. Du hast einen Vorteil, weil kaum einer über diese Erfahrung verfügt. Zwinge deine Muskeln dazu weiterzumachen.

Den 400-Meter-Lauf gewinnt man mit dem Willen.

Die besten Resultate, die von Frauen über diese Distanz je erreicht wurden, stammen aus der Zeit des Kalten Krieges. Christina Brehmer, Irena Szewinska, Jarmila Kratochvilová und Marita Koch. Frauen aus dem Ostblock, aus Polen, Tschechien und der DDR. Die schnellste Zeit (und der noch immer gültige Weltrekord bei den Frauen) wurde am 6. Oktober 1985 von Marita Koch gelaufen. Vor fünfundzwanzig Jahren.

Seit dem Fall der Mauer ist keine Frau nur annähernd an die 47,60 Sekunden herangekommen. Die 400 Meter läuft man nur wirklich schnell, wenn man entkommen will.«

Ernest hatte ihr diesen Willen eingeimpft. Den Willen zu entkommen. Manchmal hasste sie ihn dafür. Er hatte auch eine liebenswürdige Seite, verbarg sie aber geschickt, so wie er vieles verbarg. Judith konnte die seltenen Momente an einer Hand ab-

zählen, in denen es ihr gelungen war, die Güte und die Verletz-
lichkeit von Ernest zutage zu fördern. Er war ein kalter Krieger
geblieben, vielleicht der Letzte seiner Art.

Auf sich allein gestellt zu sein bedeutete für ihn Freiheit.

Weil Judith regelmäßig trainierte, konnte sie das Tempo problemlos halten. Nur ihre Stirn schmerzte. Sie hatte das Gefühl,
dass mit jedem Pulsschlag Blut aus der Wunde spritzte. Ein weiteres Mal hatte sie mit der Hand hingefasst und sich, während
sie rannte, die roten Finger angesehen. Nur kurz, sie durfte sich
nicht ablenken lassen. Es blieben noch 150 Meter. Danach
würde sie den Kopf wenden, um nachzusehen, ob die Männer in
Sichtweite waren.

Aber es war keiner zu sehen. Schnaufend hielt sie an, stellte
sich in den Schutz eines Hauseingangs und wartete, bis sich Atem
und Puls beruhigten.

Der Eingang gehörte zu einem Mehrfamilienhaus. Ein halbes
Dutzend Briefkästen war seitlich in die Mauer eingelassen, und
eine gläserne Tür mit Aluminiumrahmen führte in die Dunkelheit eines Hausflurs. Sie knipste das Außenlicht an. Das Glas
wirkte nun wie ein Spiegel. Judith betrachtete sich: Die rechte
Gesichtshälfte war blutverschmiert. Sie rieb das verklebte Auge
mit dem Ärmel ihrer Bluse, dann suchte sie in ihren Jeans nach
einem Taschentuch, fand aber nur den Schlüsselbund, das
Handy und vier Hunderternoten. In ihrer Gesäßtasche steckte
ihr Portemonnaie mit den Ausweisen, den Kredit- und Bankkar-
ten. »Leichtes Gepäck«, murmelte sie. Auch das war ein Ausspruch von Ernest. Den Umständen entsprechend, konnte sie
zufrieden sein. In der Wohnung zurückgeblieben waren nur das
schwarze Jackett und ihr Birkin-Bag. Sie hatte die Tasche (eine
Kopie) auf einem Flohmarkt in Bern erstanden; *Made in China* –
für hundertfünfzig Franken. Darin hatte sie ihr Schminkzeug
und ein Päckchen Tempotaschentücher – Dinge, die sie nun
hätte gebrauchen können.

Die Eingangsbeleuchtung erlosch, und ihr Gesicht verschwand aus dem Glasspiegel. Im Schutz der Dunkelheit beobachtete Judith die Straße. Als sie weder die schwarze Limousine noch einen der Männer entdecken konnte, ging sie weiter in Richtung Central. Ihre Beine fühlten sich steif und zittrig an. Ihre nackten Füße schmerzten. Nach zehn Schritten wurde es besser. Judith schaltete ihr Handy ein: zwanzig nach zehn. Wenn sie sich beeilte, würde sie den Intercity nach Bern noch erwischen, dachte sie.

Sie war damals von Zürich weggezogen, um ein neues Leben anzufangen. Ein Jahr vor Abschluss ihres Studiums, als sie beschlossen hatte, mit dem Pokern aufzuhören. Ihre Reisen zu internationalen Turnieren, viele davon in den USA, und die durchzockten Nächte am Computer hatten ihre Spuren hinterlassen. Sie hatte an chronischer Schlaflosigkeit gelitten und war durch eine mittelschwere Neurodermitis an den Händen und im Gesicht gezeichnet gewesen. Zu diesem Zeitpunkt hatte sie mit dem Pokern über eine halbe Million Schweizer Franken verdient.

Seither lebte sie in Bern. Die ruhige Atmosphäre der Stadt tat ihr gut. Sie führte ein geregeltes Leben, ohne Aufputsch- und Schlafmittel und vor allem ohne die Spielkarten, die sie zunehmend in ihren Bann gezogen und auf eine schleichende Weise krank gemacht hatten.

Mitten auf der Bahnhofsbrücke erreichte sie der Anruf von Kurt Imholz. Imholz war ihr direkter Vorgesetzter, Leiter der Abteilung Bankenrecherche bei der FINMA in Bern.

Wie angewurzelt blieb Judith stehen. Es war nicht ungewöhnlich, dass ihr Chef sie auf dem Handy anrief. In ihrer Funktion als Teamleiterin bei der Aufsicht Vermögensverwaltungsbanken und Effektenhändler verbrachte Judith mehr als fünfzig Prozent ihrer Zeit außerhalb des Zentralbüros in Bern, so gesehen, waren Anrufe übers Mobilnetz eher die Regel als die Ausnahme. Es war die Uhrzeit, die Judith stutzig machte. Es konnte unmöglich etwas Geschäftliches sein, nicht um halb elf Uhr abends. Und was das Private anging, so hatte Judith nicht die geringste Lust, mit Imholz zu verkehren.

»Bist du immer noch in Zürich?«, fragte er nach einer kurzen Begrüßung.

»Ich, ja … Doch.« Judith war verwirrt. Sie hatte mit keiner Silbe erwähnt, dass sie an diesem Tag in Zürich sein würde. Auch im Teamkalender hatte sie nichts eingetragen. Und spontan kam ihr niemand in den Sinn, dem sie von der Pokerrunde erzählt hatte. Hatte Kurt ihr nachspioniert? War er an ihrem PC gewesen?

Von Kurt Imholz wusste Judith lediglich, dass er in Scheidung lebte, Marathon lief und ein kleines Ferienhäuschen am Thuner See hatte. In Faulensee – was für ein Name für einen Ort! Dass er sich um dieses Häuschen mit seiner Christina (oder Christine) stritt. Und dass es in diesem Streit für ihn nicht gut aussah.

Sie wusste wenig, und dazu kam, dass das wenige sie nicht interessierte.

»Entschuldige, dass ich so spät noch störe. Aber ich hab's vorher schon ein paarmal versucht.«

»Ich war im Kino, sorry.«

»Kein Problem. Es gibt eine Sache, die ich gern persönlich mit dir besprechen würde. Wegen deinem Job … ist rein beruflich.«

»Jetzt?«

Imholz lachte kurz auf. »Wie gesagt, ich habe es schon früher versucht. Und mehr Vorlauf hatte ich nicht. Es ist eine klassifizierte Operation, und ich musste zuerst ein paar Leute davon überzeugen, dass du die Richtige bist. Aber jetzt sind wir so weit. Es ist so eine Art Bewerbungsgespräch, ein kurzes. Etwas speziell, ich weiß. Komm bitte vorbei, dann können wir es dir in aller Ruhe erklären.«

»Jetzt verpasse ich wohl gerade den Zug«, sagte Judith. Sie hatte sich ans Brückengeländer gelehnt und blickte hinüber zum beleuchteten alten Gemäuer des Landesmuseums. »Das dauert jetzt sicher über eine Stunde, bis ich in Bern bin.«

»Wir sind im Hotel Gotthard, an der Bahnhofstrasse«, sagte Kurt. »Das große Sitzungszimmer im ersten Stock, links. In Zürich natürlich. Luftlinie keine fünfhundert Meter von dir entfernt.«

Judith wusste nicht, was sie sagen sollte. Woher wusste ihr Chef, wo sie gerade war?

»Bist du noch da?«

»Ja.«

»Also gut. Wir erwarten dich. Der Concierge unten weiß Bescheid.«

Judith war verwirrt. Sie steckte ihr Handy ein und zählte langsam zurück von zehn auf zwei. Dabei stellte sie sich die Spielkarten vor, in abwechselnder Reihenfolge der Farben: Pik-Zehn, Kreuz-Neun, Herz-Acht, Karo-Sieben und so weiter. Die Karten, die kein Gesicht hatten. Nur Symbole und Zahlen.

Es war ihre Konzentrationsübung für schwierige Pokerpartien, für Situationen, in denen sich ihr Unterbewusstsein aufführte wie ein Fuchs im Hühnerstall.

»Ich muss mich frisch machen«, sagte Judith zehn Minuten später im hellen Licht der Bahnhofsapotheke. Ihr Gegenüber, eine junge Pharmaassistentin, sah sie mit aufgerissenen Augen an: »Sie brauchen einen Arzt.«

»Wenn Sie kein Blut sehen können, dann holen Sie mir den Apotheker«, sagte Judith und steuerte auf ein Gestell mit Kosmetika zu. »Ich brauche Desinfektionsspray und irgendwelche Tücher ... Verdammt. Es muss schnell gehen. Ich muss gleich wieder weg.«

»Ich hole Herrn Rorschacher.«

»Ja, tun Sie das.« Judith zog einen Schminkspiegel aus dem Regal, nahm sich Make-up, Haargel und ein Parfum von Issey Miyake, dann folgte sie der Angestellten.

Was wollte Imholz von ihr? Als sie die Stelle bei der FINMA, der Finanzmarktaufsicht in Bern, angenommen hatte, war es mehr aus Trotz als aus Überzeugung gewesen. Mit ihrem hervorragenden Studienabschluss, hatte sie gedacht, wäre es ein Leichtes, bei einer großen Investmentbank unterzukommen. Aber was man ihr angeboten hatte, waren bessere Sekretärinnenjobs und Trainee-Programme gewesen. Jobs, die sie nicht wollte. Und zweimal hatte man ihr nach vielversprechenden Vorstellungsgesprächen abgesagt. Die FINMA bedeutete wenigstens ein Minimum an intellektueller Herausforderung. Wenn sie schon nicht am Spiel der großen Finanzhäuser teilhaben konnte, wollte sie diese Institute wenigstens überwachen.

Als staatliche Aufsichtsbehörde war die FINMA mit hoheitlichen Befugnissen über Banken, Versicherungen, Börsen und Effektenhändler ausgestattet. Sie war zuständig für die Geldwäschereibekämpfung, wickelte Sanierungs- und Konkursverfahren ab und wachte mit Argusaugen über Übernahmen und Kaufangebote bei börsennotierten Unternehmungen.

Die FINMA war ein Habicht unter Geiern.

Nach einem dreimonatigen Einführungsprogramm war Judith einer kleinen Spezialeinheit zugeteilt worden. Gemeinsam mit Mathematikern, Juristen und Finanzmarktspezialisten sollte sie Unregelmäßigkeiten bei Kapitalmarkttransaktionen aufspüren und analysieren.

Der Apotheker kam. Er war ein großer, behäbiger Mann mit fleischigen Händen. Er bat Judith in ein Nebenzimmer. »Können Sie stehen?«, fragte er.

Als Judith nickte, setzte er sich auf einen hohen Schemel; ihre Augen waren nun auf gleicher Höhe, und Judith sah, wie sich seine schweren Lider hoben und senkten. »Ich sehe nur die eine Platzwunde an der Stirn, der Rest ist verschmiertes Blut.« Er stand auf und fragte: »Haben Sie den Wodka getrunken oder nur zum Desinfizieren gebraucht?«

»Ist mir ins Gesicht geschüttet worden.«

»Ach so.« Er deutete mit der Hand zum Waschbecken. »Wenn Sie wollen, dass es schnell geht, dann halten Sie den

Kopf dadrunter. Danach kleben wir die Sache mit Steri-Strip zusammen.«

Judith war überrascht, wie ruhig und präzise die großen Hände arbeiteten. Das Resultat war passabel, fand sie, als sie eine Viertelstunde später in den Spiegel schaute. Ihr dunkles Haar hatte sie mit viel Gel nach hinten gekämmt und ihren Teint mit Abdeckstift und Puder aufgefrischt.

»Wechseln Sie Ihren Freund, wenn's geht«, sagte Rohrschacher, als er den Betrag in die Kasse tippte.

Das Hotel St. Gotthard lag auf der anderen Straßenseite, direkt gegenüber. Ein etwas düsterer Bau aus der Gründerzeit, jener Epoche, in der die letzten Postillione sich mit Kutschen über den großen Berg in den Süden quälten und in der roter Plüsch noch wirklichen Luxus bedeutete.

Mit den neuen Schuhen, die sie nach ihrem Besuch in der Apotheke im Shop Ville gekauft hatte, betrat Judith die Eingangshalle.

Kurt Imholz erwartete sie bereits. »Mein Gott, ich dachte schon ...« Er betrachtete ihr Gesicht und verzog den Mund: »Bist du unter den Zug gekommen?«

»Soll ich wieder gehen?«

Imholz schüttelte den Kopf, führte sie zur Treppe, und gemeinsam gingen sie in den ersten Stock. »Ich stell dir die Leute vor ... Dann wäre ich froh, wenn du erst mal zuhören würdest. Der Rest ergibt sich.«

Judith hörte zu.

Abgesehen von ihrem Chef, saßen drei weitere Männer am Tisch. Ein Pik-König, ein Herz-Bube und eine Karo-Fünf.

Der schwarze König stellte sich vor. Er hieß Paul Zimmer. In seiner Funktion war er stellvertretender Direktor des Strategischen Nachrichtendienstes, SND. Ein unscheinbarer, dunkelblonder Typ von mittlerer Statur. Grauer Anzug, weißes Hemd und Goldbrille.

Judith dachte, dass eine Menge Leute Mühe hätten, sich nach einer Begegnung an Zimmers Gesicht zu erinnern.

»Es gibt drei Gründe, weshalb wir Sie heute hierher gebeten haben«, sagte Zimmer und faltete das Blatt, auf das er sich zuvor etwas notiert hatte. »Erstens haben Sie keinerlei familiäre Bindungen. Ihre Eltern sind tot; Geschwister sind uns keine bekannt, und was Männer betrifft – entweder sind Sie zu wählerisch oder lesbisch.«

Arschloch, dachte Judith.

»Sind Sie lesbisch?«

»Nein.«

»Und Kinder?«

Judith verneinte auch diese Frage mit einem kurzen Lächeln.

»Dann stimmen unsere Angaben«, fuhr Zimmer fort und wechselte einen kurzen Blick mit Imholz. »Es ist uns wichtig, dass Sie nicht erpressbar sind. Ihre charakterliche Disposition ist ungewöhnlich stark; unter normalen Bedingungen sind Sie nicht käuflich.«

»Man müsste dein Kind entführen, damit du dir untreu wirst«, ergänzte Imholz.

»Wenn ich denn eins hätte«, sagte Judith. »Aber ich hab's auch so begriffen.«

»Genau«, sagte Zimmer und faltete den Zettel ein weiteres Mal. »Das ist der zweite Grund, der für Sie spricht. Sie verfügen über eine hohe multiple Intelligenz. Bei Frauen kommt das häufiger vor als bei Männern – ist aber sehr selten. Abgesehen von Ihrer eigenwilligen Sensibilität für Spielkarten, haben Sie ein außerordentliches Talent für Zahlen und, was noch beeindruckender ist, eine rasant schnelle Auffassungsgabe, auch bei kompliziertesten Zusammenhängen.« Zimmer nahm ein Blatt Papier zur Hand. »Herr Imholz war so freundlich und hat uns etwas über Sie zusammengestellt:

Mit sechsundzwanzig, als Jüngste Ihres Jahrgangs, schlossen Sie in Zürich Ihr Ökonomiestudium ab; mit *summa cum laude* und einer vielbeachteten Lizentiatsarbeit über *The Nash-Equilibrium And Its Influence to Modern Game Theory*. Eine bemerkenswerte Leistung. Ich gratuliere.«

Judith zeigte keine Regung. Sie mochte Zimmer nicht, egal, was er sagte.

»Das ist kein Kompliment, sondern eine reine Feststellung. In Ihrem Fall wohl eine genetische Prädisposition. Sie können nichts dafür.«

Eine kurze Pause entstand. Judith vermutete, dass auch diese sorgfältig geplant war und die Männer auf jede ihrer Regungen achteten. So wie sie die Situation einschätzte, wusste Zimmer vom Autounfall ihrer Eltern. Sie war damals vier Jahre alt gewesen, zu jung, als dass sie sich hätte erinnern können. Ihre genetische Disposition lag unter der irischen Erde – Staub zu Staub.

In ihrem kleinen Zählspiel war Judith bei der Pik-Drei angelangt, als Zimmer sich räusperte und das Gespräch wiederaufnahm.

»Sie sind eine gute Pokerspielerin.«

»Früher war ich es«, sagte Judith. »Das ist richtig.«

Zimmer nickte, dann sah er zur Seite. »Ihre Fragen, Max.«

Der Mann rechts neben Zimmer war klein und rundlich, mit geröteten Wangen und Stirnglatze. Er hatte eine breite, kräftige Nase, darunter einen kurz getrimmten Schnurrbart; ein Gesicht, das Judith unter Tausenden wiedererkennen würde. Er hatte sich zu Beginn der Sitzung nicht vorgestellt. Jetzt tat er es: Max Hösli, neu berufener Leiter der Zürcher Kantonspolizei.

Hösli schien ein tüchtiger, intelligenter Mann zu sein, der unter seinem Namen und der geringen Körpergröße litt und deshalb auf die Macht seiner Position angewiesen war. Ein typischer Herz-Bube, dachte Judith. Einer, der gerne ein König wäre – und der vermutlich mit Frauen Probleme hatte.

»Ihr Chef bescheinigt Ihnen, dass Sie ehrgeizig sind«, begann Hösli etwas umständlich und stützte dabei die Ellbogen auf die Tischplatte.

»Ich will Geld verdienen, das ist alles«, sagte Judith.

»Und deshalb sind Sie zur *FINMA*?« Hösli zog die Augenbrauen hoch.

»Nein.«

»Was meinen Sie damit?«

»Dort wo ich hinwollte, hat man mich abgelehnt.«

»Und wo wollten Sie hin?«

Judith nannte die Namen von zwei Investmentbanken.

»Und die nehmen dort keine Frauen?«

»Mich wollten sie nicht.« Judith lachte. »Keine Ahnung, ob sie Frauen nehmen.«

»Schmerzt Sie das?«

»Ja.«

»Komm endlich zur Sache, Max«, sagte der schwarze König.

»Also gut.« Hösli nahm seine Ellbogen vom Tisch und lehnte sich zurück. »Sie wollten aber auch zur Banque Duprey.«

»Nein.«

»Waren aber mit denen im Gespräch, oder?«

»Ja.«

»Warum haben Sie das vorhin nicht erwähnt?«

»Sie haben mich gefragt, wo ich hinwollte. Duprey war für mich nie ein Thema.«

»Die Bank will Sie aber.«

Judith schwieg.

»Ich möchte die Sache nicht unnötig in die Länge ziehen«, meldete sich der schwarze König. »Sie haben abgelehnt, weil's vermutlich ein Scheißjob ist. Wenn ich in Ihre Unterlagen schaue, kann ich das verstehen. Duprey ist nicht Goldman Sachs.«

»Genau«, sagte Hösli.

»Wir wären froh, wenn Sie sich das nochmals überlegten.« Paul Zimmer faltete seinen Notizzettel ein weiteres Mal. »Die Banque Duprey will Sie – das ist der dritte Grund, weshalb wir Sie heute vorgeladen haben: Wir möchten, dass Sie diese Stelle annehmen.«

Judith vermied es, sofort zu reagieren. Sie dachte nach. Das Blatt, das sich vor ihrem geistigen Auge auftat, hatte kein Gesicht. Nur niedrige Zahlen in einem mutlosen Mix aus allen vier Farben. Es war eine offene Ausgangssituation:

Judith war schleierhaft, weshalb man sie für Duprey gewinnen wollte. Sie hatte ihre Gründe, weshalb die Bank für sie nicht zur Debatte stand. Gründe, die sie den Männern nicht auf die Nase binden wollte. Hinzu kam, dass ihr Job bei der FINMA attraktiv war. Nicht unbedingt, was die Entlöhnung betraf. Da gab es Besseres. Es war vielmehr die Gelegenheit, von Staats wegen hinter die Kulissen einer mächtigen Industrie zu blicken. Man musste für sie Bücher öffnen, in die sonst kaum einer hineinsehen konnte. Das war das Reizvolle daran.

»Ich bin mit meinem Job sehr zufrieden«, sagte sie in sanftem Ton. »Gibt es einen bestimmten Grund, weshalb ich dieses Angebot annehmen soll?«

Paul Zimmer schien auf diesen Moment gewartet zu haben. Er beugte sich über den Tisch und gab Judith den zusammengefalteten Zettel. »Das könnte ein Grund sein.«

Judith entfaltete das Papier und las Zimmers Notiz. Es war eine Zahl, sonst nichts: eine Fünf mit fünf Nullen.

»Ihr Jahressalär«, bemerkte Zimmer emotionslos.

Judith schüttelte langsam den Kopf, hielt einen Moment inne, und plötzlich – wie jemand, der die Pointe eines Witzes zu spät begriffen hat, begann sie zu lachen. Hell und klar. Eine Reaktion, die offensichtlich keiner der Männer erwartet hatte. Denn weder Hösli, Zimmer noch ihr Chef lachten mit. Auch der vierte Mann, der bisher schweigend hinter einem Laptop gesessen hatte, machte keinen Wank.

»Okay …«, sagte Judith. Sie fuhr sich mit beiden Händen übers Gesicht und sagte nochmals: »Okay.«

»Das ist ernst, Judith.« Imholz hatte sich als Erster gefasst. »Sehr ernst.«

Eine kurze Stille erfasste den Raum.

Judith faltete den Zettel wieder entlang des Falzes. »Sie nähern sich dem Pferd von der falschen Seite«, sagte sie leise. »Man kann mich nicht kaufen. Aber das wissen Sie längst. Sie haben genug über mich herausgefunden. Ich schlage vor, wir hören auf mit dem Theater.«

»Von mir aus«, sagte Zimmer.

Judith war sich nicht sicher, ob der schwarze König lächelte. Er presste kurz die Lippen zusammen, nickte und meinte: »Sagen Sie mir, was Sie wissen wollen.«

»Alles«, sagte Judith. »Die genannte Summe ist kein Assistentengehalt. Ich will wissen, was meine Aufgabe bei Duprey ist ... und was dahintersteckt, den kompletten Plan, mit allen Details. Wenn ich es nicht begreife, ist es für mich gestorben. Eine halbe Million hin oder her.«

»Okay«, sagte Imholz. Er griff nach der schwarzen Ledermappe, die neben seinem Stuhl auf dem Boden stand, und zog ein Dokument heraus. Nach einem prüfenden Blick in die Runde meinte er: »Wir sind an einem Punkt angelangt, an dem die Sache vertraulich wird.« Er überreichte Judith zwei zusammengeheftete A4-Blätter. »Das ist eine Vertraulichkeitserklärung. Sie verpflichtet dich, über das, was wir dir im Folgenden erzählen werden, zu schweigen. Du wirst mit niemandem darüber sprechen, außer mit den hier anwesenden Personen. Und zwar ungeachtet dessen, ob du den Job annehmen wirst oder nicht.«

Judith ging das Papier durch. Es war der übliche Text, wie er auch für vertrauliche Projekte der FINMA verwendet wurde. Sie unterschrieb und gab ihn zurück.

»Also gut, starten wir«, sagte der Mann hinter dem Laptop.

Ein dunkelhäutiger Hotelpage trat ein und fragte, ob Tee oder Kaffee gewünscht werde. Hösli fluchte in breitestem Zürcher Dialekt. »Wir melden uns schon selbst, wenn was gebraucht wird.«

Der Page verließ wortlos das Zimmer.

Hösli seufzte, stand auf und ging langsam zu der mit Knöpfen übersäten Schalttafel an der Wand. »Ich mach's etwas dunkler.«

Das Licht reduzierte sich auf ein schummriges Halbdunkel, während sich eine große Leinwand summend von der Decke herabsenkte.

»Adrian Horlacher ist mein Assistent«, erklärte Zimmer und nickte dem Mann hinter dem Laptop zu. »Er hat eine kurze Präsentation vorbereitet. Eine kleine Ouvertüre sozusagen ... bevor wir uns über das weitere Vorgehen unterhalten werden. Adrian, bitte.«

Kapitel 9

Eine andere Welt

Gleich nach der Auseinandersetzung mit Regierungsrätin Sacher am Montagnachmittag rief Eschenbach seinen Freund Christian Pollack an. Er erzählte ihm von seinem Jobangebot bei Duprey und davon, wie eigenartig und verworren sich die Situation bei der Kantonspolizei zeigte.

»Ich bin einfach froh, wenn ich mich mit jemanden wie dir beraten kann«, meinte er.

Sie verabredeten sich für den Abend ins Sterne foifi.

Christian, der eine erfolgreiche Anwaltskanzlei besaß, war in Zürich auf dem Gebiet *Merger & Acquisition* eine große Nummer. Er zeigte wenig Verständnis für Eschenbachs Zögern. »Das ist doch die Gelegenheit«, sagte er, noch bevor er sich der Speisekarte widmete. Das Lokal war fast leer an diesem warmen Sommerabend Anfang der Woche. Nur am Nachbartisch saßen unüberhörbar russische Geschäftsleute. Im Hintergrund öffnete der Weinkellner an einem separaten Tisch die erste Flasche des Abends.

Eschenbach atmete tief durch. Er hatte noch gar nicht realisiert, dass er zurück war. Zu viel war in der kurzen Zeit passiert. Erst gestern war er in Zürich gelandet. Aufmerksam schaute er sich in dem ihm vertrauten Lokal um, musterte seinen Freund. Christian sah besser aus, seit er nicht mehr Kette rauchte. Die weißen Strähnen, die das Alter gebracht hatte, hellten sein gewelltes blondes Haar auf. Seine Augen waren klar und blau. Wäre da nicht die Härte in seinen Gesichtszügen gewesen, der Anwalt hätte als Schutzengel eine gute Figur gemacht.

Eschenbach riss sich zusammen und konzentrierte sich auf die Speisekarte. Christian hatte keine Mühe, ihn zu einem flambierten Rehrücken für zwei Personen zu überreden.

»Die Privatbanken brauchen jetzt Leute wie dich«, sagte der Anwalt. »Bei denen brennt's nämlich.«

»Ich bin mir nicht sicher, ob man mit dreiundfünfzig noch sein Leben auf den Kopf stellen sollte.«

»Ehrlich gesagt, ich hab dich schon kämpferischer erlebt.« Christian hob das Kinn. »Ich meine, dass dieser Hösli dich im neuen Organigramm nicht mehr aufführt … Das ist doch eine Riesenprovokation!« Der Anwalt schaute Eschenbach direkt in die Augen. »Du hast es doch nicht nötig, bei dem zu Kreuze zu kriechen. Schon gar nicht mit einem solchen Angebot von Duprey in der Tasche. Das macht dich doch völlig unabhängig von diesem Hösli … Also ich würd den das spüren lassen.«

Eschenbach nickte. Unwillkürlich musste er lachen.

»Ist doch wahr«, sagte Christian. Er winkte dem Kellner und gab rasch die Bestellung für den Tisch auf, inklusive einer Magnumflasche Amarone. »Wir haben in der Schweiz bis heute sechsundzwanzig Fälle von gestohlenen Bankdaten. Es ist wie im Weihnachtsschlussverkauf, verstehst du? Und die Polizei hat überhaupt keine Handhabe, weil die Banken schweigen wie die Sünder.« An dieser Stelle hielt Christian inne und ließ seine Augen abermals auf Eschenbach ruhen.

Aber der Kommissar reagierte nicht auf Christians kleine Stichelei; er saß einfach da, die Arme vor der Brust verschränkt, und tat es den Banken gleich: Er sagte nichts.

»Eben!« Der Anwalt nickte zweimal. »Und du fragst dich noch, ob du dieses Angebot ablehnen sollst. Ich finde den Plan von deinem Freund sogar raffiniert.«

Eschenbach hörte Christian aufmerksam zu. Christian Pollack war ein ebenso scharfer Analytiker wie ein brillanter Rhetoriker. In jedem noch so kurzen Gespräch unter Freunden schien das auf. Und wie bei allen Menschen, die über diese segensreiche Kombination zweier ohnehin seltener Eigenschaften verfügten, war es auch für ihn selbstverständlich, dass er die Entscheidung skizzierte, die andere – in diesem Fall Eschenbach – treffen sollten. Und zwar in der Erwartung, dass sich das Gegenüber ihm selbstverständlich anschließen und entsprechend handeln würde.

Der Wein wurde gebracht und etwas später, mit Flambierwagen und einem Aufgebot von drei Kellnern, das Reh, ein 600 Gramm schweres Rückenstück, das mit Cognac und Whiskey übergossen und angezündet wurde.

»Ich muss das selbst entscheiden«, sagte Eschenbach mit Blick in die Flammen, die bis knapp unter die Decke stachen. Er dachte an Kanada; an die Feuer, die sie nachts im Wald angezündet hatten. Denn im Gegensatz zur Schweiz lebten dort noch Tiere, die auch einem Menschen gefährlich werden konnten. Freiheit bedeutete auch die Bereitschaft, Risiken einzugehen.

Am Nachbartisch wurde ein Fotohandy gezückt.

Einen kurzen Moment sah es im ersten Stock des Vorderen Sternen aus wie beim Sechseläuten. Dann zogen sich die Kellner diskret zurück.

Zwischen Hauptspeise und Dessert brachte der Kommissar noch einmal die Sprache auf sein Dilemma. Im Prinzip hatte Christian so reagiert, wie er es erwartet hatte. Trotzdem war ihm nicht ganz wohl bei der Sache. Er hatte nicht wirklich eine Ahnung, was ihn bei Duprey erwartete. Wie war er bloß in diese Situation geraten?

»Weißt du, Christian, ich bin Polizist mit Leib und Seele, um es mal richtig altmodisch auszudrücken.«

»Schön und gut. Aber was willst du tun?«, antwortete Christian. »Du kannst jetzt zu Hösli gehen … Ihn anbetteln, dass er dir die Kripo wiedergibt: DEINE Kripo, die du jahrelang erfolgreich geführt hast. Das ist doch grotesk, so etwas …« Christian kam nun richtig in Fahrt.

»Und wenn er sie dir dann gibt, was er vermutlich tun wird …

Wie geht es dann weiter? Das sind doch keine freiheitlichen Verhältnisse, oder? Hösli oben und du unten …«

»Du kannst aufhören«, sagte Eschenbach grimmig. »Ich hab's schon verstanden.«

»Also nutze die Gelegenheit, sei pragmatisch. Wer weiß, ob sich in einem halben Jahr wieder eine solche Chance bietet.«

Eschenbach spielte mit dem Dessertbesteck. Vermutlich lag Christian nicht falsch. Der Weg zu Hösli war ein Gang in die Knechtschaft. Zumindest im Moment, dachte der Kommissar. Und was Corina betraf, sie würde ihn dabei unterstützen. Das hatte sie ihm schon in Kanada mehr als deutlich gesagt.

Christian verteilte den Rest aus der Magnumflasche auf die Gläser und sagte: »Und was das Fachliche betrifft … Du weißt, da kannst du jederzeit auf mich zurückgreifen.«

Nach den »Öpfelchüechli« mit viel Vanilleglacé und zwei Runden Espressi mit Grappa fühlte sich der Kommissar schwer wie ein Kampfpanzer vor einem Übungsgefecht. »Vielleicht hast du ja recht«, sagte er. »Ich werde mit Banz so verbleiben, dass ich mir das erst mal in aller Ruhe ansehen werde. Ein zeitlich begrenztes Mandat. Wenigstens bis ich Klarheit habe, was Hösli mit der Kantonspolizei vorhat.«

Und kurz nach zehn Uhr nahm er Anlauf, sagte mehrmals »also …« und rief den Bankier an. Direkt aus dem Restaurant, vom Tisch aus, weil er wusste, dass er es später vielleicht nicht mehr tun würde.

Christian Pollack hob den Daumen.

Banz war gerade aus Vancouver zurück und voller Tatkraft, er schlug gleich den nächsten Morgen als Arbeitsbeginn vor: »Ich weiß, es ist für dich ein Sprung ins kalte Wasser … Drum legen wir am besten gleich los.«

Eine Stunde später verabschiedeten sich die beiden Freunde gut gelaunt, und Eschenbach machte sich auf den Heimweg. Eine laue Spätsommernacht hing über der Stadt. Überall herrschte Betrieb. Vor dem Odeon standen die Stühle so dicht auf dem Gehsteig, dass Eschenbach Mühe hatte durchzukommen. Er überquerte die Straße, warf einen Blick in den Garten des Terrasse; auch dort war jeder Tisch besetzt. Gemütliches Gemurmel und leises Lachen waren zu hören. Der Kommissar zündete sich eine Brissago an.

Im Spätsommer ist Zürich eine fröhliche Stadt. Auf der Limmat tanzten Lichter wie kleine, brennende Schiffchen, und das Grossmünster hob blasiert seine beiden Türme über die umliegenden Dächer empor, hinauf in einen violetten Himmel.

Mit einer temporären Aufgabe bei der Banque Duprey würde er keine Brücken abbrechen, dachte der Kommissar. Es war ein Engagement auf Zeit; vielleicht auch ein kleines Machtspiel mit Sacher und Hösli, in dem er seine Unabhängigkeit demonstrieren konnte. Und dann würde er sich sein Zürich zurückerobern.

Auch Chefbeamte hatten einen Marktwert.

Vor dem Einschlafen rief er zweimal Corina an. Er wollte ihr seinen Entschluss mitteilen. Aber als sich nur die Combox meldete, hinterließ er keine Nachricht.

Am nächsten Tag war alles anders.

Es begann gleich nach dem Aufstehen, mit der Auswahl von Hemd und Krawatte. Dann schmeckte der Kaffee nicht so wie immer. Das Aroma war durch den Wind – vermutlich, weil die Bohnen schon zu lange in der Büchse eingeschlossen waren und darin nicht atmen konnten.

Als Eschenbach das Haus verließ, hatte auch er das Gefühl, zu lange in derselben Büchse gewesen zu sein. Er stapfte in Richtung See zur Arbeit, also in exakt entgegengesetzter Richtung wie früher. Ein seltsames Gefühl beschlich ihn, als ginge er in fremden Schuhen durch eine fremde Stadt.

Das Gebäude der Banque Duprey lag an der Rämistrasse zwischen Bellevue und dem Schauspielhaus. Eine schlichte, neoklassizistische Fassade in dunkelgrün gestrichenem Sandstein stieg in den herbstlich grauen Himmel auf.

So wie es schien, hatte Banz seine Truppe instruiert. Von der mageren, in einem dunkelblauen Kostüm versinkenden Frau am Empfang bis zu den älteren Herrschaften in der Chefetage empfingen ihn die Leute wie einen verloren geglaubten Sohn.

»Willkommen bei uns, Doktor Eschenbach!«

Der Kommissar, der von seinem akademischen Titel nie Gebrauch machte, erinnerte sich nicht, wann er das letzte Mal so angesprochen worden war.

Er versuchte die Namen und Gesichter beisammenzuhalten, baute sich Eselsbrücken und bekräftigte, dass er sich auf seine Aufgabe bei Duprey freue.

Der Name, den er so schnell nicht mehr vergessen würde, war der von Frau Liselotte Liebgrün. Sie war die Personalchefin der Bank – *Head of Human Resources*, wie sie sagte. Die kleine, schlanke Frau Anfang fünfzig war damit betraut worden, ihn an diesem Morgen durch die Gänge zu führen und mit den wichtigsten Leuten bekannt zu machen.

Händeschüttelnd und lächelnd, versuchte Eschenbach die Struktur des Hauses zu verstehen. Von den leitenden Mitarbeitern blieb ihm vor allem Charles de Stouz in Erinnerung. Der übergewichtige Chef der EDV-Abteilung wirkte nervös. Schon bevor sie sich die Hand schüttelten, war dem Kommissar aufgefallen, wie de Stouz sich die Innenfläche seiner Hand am Hosenbein abgewischt hatte. Der Mann schwitzte. Als eine der ersten Aufgaben würde er sich wohl die Zugriffsrechte der EDV-Leute ansehen müssen, dachte Eschenbach, bevor er kurz vor Mittag sein Büro bezog.

Der quadratische Raum von ungefähr fünf mal fünf Metern lag im zweitobersten Stock. Gegenüber dem Eingang war ein Fenster mit schräg gestellten Jalousien. An den Wänden links und rechts hingen alte Stiche von Zürich aus der Zeit der Pfahlbauer.

»Hier arbeitete bis vor kurzem Herr Dubach«, sagte Frau Liebgrün. Sie deutete auf einen schwarzen Schreibtisch mit Aluminiumbeinen. »Außer den vier Partnern der Bank, Ihnen und mir hat bei Duprey niemand ein Einzelbüro.«

Die *Compliance*-Abteilung der Banque Duprey umfasste neun Leute: vier Juristen, drei Assistentinnen, einen Praktikanten und eine Praktikantin. Sie waren seine direkten Mitarbeiter. Eschenbach hatte sich mit jedem von ihnen kurz unterhalten. Er hatte das Gefühl, dass einige von ihnen verunsichert waren, und dachte deshalb daran, im Laufe der nächsten Tage mit allen ein Einzelgespräch zu führen. Es war wichtig, gleich zu Beginn Vertrauen zu schaffen. Auf diesem Weg war es sicher möglich, etwas über Peter Dubach zu erfahren.

Eschenbach musterte seine neue Umgebung und nickte. Pult, Ledersessel, ein Besprechungstisch mit vier Stühlen, zwei Regale und ein Schrank. Alles von USM Haller, modern und funktional. Nur die altertümlichen Bilder an den Wänden passten nicht dazu. Ein Fehlgriff, dachte der Kommissar. Tradition und Moderne waren zu einer Zwangsehe verdonnert worden; zumindest was das Optische betraf, keine sehr glückliche Heirat.

»Ach, Frau Liebgrün …« Eschenbach blickte an ihr vorbei auf einen Stich, der das Grandhotel Bellevue um 1890 zeigte. »Ich brauche die Personalakte von Peter Dubach. Und wenn wir schon dabei sind: dann auch gleich noch die Akten aller Zu- und Abgänge während der letzten zwölf Monate.«

Frau Liebgrün sah ihn mit aufgerissenen Augen an. Eschenbach lächelte so gewinnend wie möglich zurück.

»Bitte«, ergänzte er höflich. »Und alles, was wir während dieser Periode an Bewerbungsunterlagen bekommen haben, ebenfalls.«

Frau Liebgrüns Mund öffnete sich, aber sie sagte nichts. Es war ein stummer Schrei, wie auf dem Gemälde von Edvard Munch.

»Sie können mir das alles elektronisch schicken. Ich denke, so sparen wir uns eine Menge Zeit.«

»Elek-tro-nisch?« Frau Liebgrün geriet ins Stottern.

»Elektronisch oder Papier, egal.« Eschenbach ging ein paar Schritte auf den Schreibtisch zu. Eine Arbeitsunterlage aus grauem Nubukleder; daneben ein großer Flachbildschirm und ein elegantes Multifunktionstelefon. »Und dann wäre ich froh, wenn Sie mir jemand vorbeischicken könnten, der mir die ganze Technik hier erklärt.«

Einen kurzen Moment schien es, als wollte Frau Liebgrün noch etwas sagen. Aber sie sagte nichts. Nur ein leises Ein- und Ausatmen war zu hören. Dann verließ sie das Büro.

Eschenbach ging zum Fenster und schaute auf die Rämistrasse hinunter. Lautlos wie bunte Käfer krochen die Autos hintereinander her. Oh, du lieber Augustin, summte Eschenbach. Er dachte an das versteinerte Gesicht von Frau Liebgrün. Aus heiterem Himmel hatte er das Hoheitsgebiet der Personalchefin attackiert – die Personalakten! Ein äußerst sensibler Bereich, das wusste der Kommissar aus seiner Zeit als Beamter. Es war immer dasselbe. Vielleicht hätte er ihr sagen sollen, dass es nicht die Löhne und Bonuszahlungen waren, die ihn interessierten, sondern die Menschen. Er wollte mit den Personaldossiers beginnen, weil er von Menschen mehr verstand als von Bilanzen.

Eschenbach ging die restlichen Schritte zum Tisch und ließ sich in den Sessel fallen. Hatte Frau Liebgrün vielleicht wegen Dubach so reagiert? Während er überlegte, fuhr er mit beiden Händen über die Schreibunterlage. Man hat aufgeräumt, dachte er. Das war ihm als Allererstes aufgefallen, direkt nachdem er den Raum betreten hatte. Unweigerlich dachte er an seinen eigenen Arbeitsplatz, den er in der Kasernenstrasse zurückgelassen hatte.

Unter dem Schreibtisch stand ein schwarzer Rollkubus. Eschenbach zog die Schubladen eine nach der anderen heraus. Er fand Schreibpapier, Kuverts, Kugelschreiber, Büroklammern, Tacker und so weiter. Keine Kaugummis, kein Familienfoto und keine Hustenbonbons. Wo waren Dubachs persönliche Sachen?

Eschenbach machte sich eine To-do-Liste. Punkt fünf erledigte sich von selbst, denn kurz nach zwei Uhr kam Rosa in sein Büro. Ohne anzuklopfen, wie immer.

Eschenbach telefonierte gerade mit Banz, es ging natürlich um Frau Liebgrün.

»Sie hat es geschluckt«, sagte der Bankier. »Auch die Einsicht in alle Personaldossiers ... Ist doch klar. Dir steht alles offen. Vermutlich war ich Liselotte gegenüber nicht deutlich genug.«

»Schon recht«, sagte Eschenbach.

»Ich bin jetzt zwei Tage weg.« Banz erzählte von einer Tagung in Frankfurt, zu der er als *Guestspeaker* eingeladen war, und von einem Golfturnier in Niederösterreich, das von der Salzburger Niederlassung der Banque Duprey für Kunden gesponsert wurde. Eschenbach hörte nur mit einem halben Ohr hin. »Am besten treffen wir uns am Freitag für einen Arbeitslunch hier bei mir im Büro. Ich habe einen kleinen Vertrag aufgesetzt, der deinen Einsatz hier regelt – auch dein Honorar. Zudem bin ich sehr gespannt, was du zu berichten hast.«

Rosa stand während des ganzen Gesprächs mitten im Raum: groß, vollschlank, in einem zartlila Leinenkleid, das ihr bis über die Knie reichte. Sie war noch immer bleich, fand Eschenbach. Aber vielleicht war es auch nur die Art, wie sie ihr Gesicht puderte.

Nachdem er den Hörer aufgelegt hatte, zuckte Rosa ein paarmal die Schultern, dann sagte sie, wie jemand, der mit seiner Vergangenheit abschließen wollte, um zielstrebig nach vorne zu blicken:

»Wir machen es uns hier doch auch gemütlich. Oder nicht, Kommissario?«

Am ersten Tag blieb Eschenbach bis tief in die Nacht hinein. Die Tür zu seinem Büro schloss er nicht, denn so hatte er einen Blick in den offenen Raum nebenan, in dem seine Leute in Zweiergruppen an den Tischen saßen und arbeiteten.

Auch Rosa bezog ihren Arbeitsplatz. Sie setzte sich zu Evelyn

Bopp, der jungen Praktikantin, die bisher allein an einem Zweierpult gesessen hatte. Dubach hatte keine Assistentin gehabt. Wenn sich Eschenbach in seinem Sessel etwas zurücklehnte, konnte er Rosa zublinzeln.

Punkt drei Uhr kam Madame Lods, eine Mitarbeiterin der EDV-Abteilung. Mit ernstem Gesicht richtete sie Eschenbach den PC ein, erklärte ihm die wichtigsten Programme und wie man in das interne Netzwerk gelangte.

»Was die Bankensoftware anbelangt«, sagte Eschenbach, als es kompliziert wurde, »also das erklären Sie am besten Frau Mazzoleni. Sie ist meine Assistentin.«

»Hat sie denn eine Berechtigung?«

Während Eschenbach und Madame Lods sich über die Vergabe von Nutzungsrechten und die Aufbewahrung von Passwörtern unterhielten, schaffte ein Mitarbeiter von Liselotte Liebgrün die Personaldossiers herbei. Der junge Mann hieß Raphael Zwygart, ein blonder, sehr höflicher Mensch mit einer etwas zu großen Hornbrille und schwammigen Gesichtszügen. In Abständen von fünf Minuten klopfte er an die offenstehende Bürotür, trat einen Schritt vor und sagte, als hätte er etwas Wichtiges zu verkünden, den immer gleichen Satz: »Herr Doktor, darf ich eintreten, ich bringe noch mehr Akten, im Auftrag von Direktorin Liebgrün, Sie wissen ja.«

»Ja, ich weiß, legen Sie sie einfach auf den Besprechungstisch.«

Beim vierten oder fünften Mal blieb Zwygart stehen. »Sie lassen das doch nicht hier liegen, oder?« Bekümmert blickte er auf die Berge von Papier, die er auf den kleinen Besprechungstisch und die drei Stühle gelegt hatte.

»Ich werde sie gelegentlich lesen«, sagte Eschenbach.

»Sie müssen sie einschließen.«

»Mache ich.«

Stocksteif blieb Zwygart stehen. Ein Räuspern erklang. »Aber Sie haben doch gar keine Schränke … Ich meine, feuerfest und abschließbar.«

»Ach so.« Eschenbach war gerade damit beschäftigt, eine Test-E-Mail zu beantworten, die ihm Madame Lods von Rosas Arbeitsplatz gesendet hatte. Nun blickte er auf und sah Zwygart an. »Es bricht kein Feuer aus«, sagte er ruhig. »Und wenn ich hier tatsächlich noch mal zum Arbeiten komme, dann können Sie das meiste davon morgen wieder abholen. Außerdem verspreche ich Ihnen hoch und heilig, dass ich das Büro über Nacht abschließen werde.«

Zwygart nickte, blieb aber stehen. Eschenbach sah dem jungen Mann an, dass ihn die Sache wirklich bedrückte. Mehrmals öffnete er den Mund, ohne etwas zu sagen. Dann stammelte er: »Ge-ht-ni-cht.«

»Was geht nicht, Herr Zwygart?«

»Die Tür«, kam es etwas gefasster. »Sie lässt sich nicht schließen.«

»Warum denn das?«

»Wir finden den Schlüssel nicht – Herr Dubach hat ihn. Wir müssen das ganze Schloss auswechseln lassen.«

Wie in jedem größeren Unternehmen gab es auch in der Banque Duprey ein Dickicht aus Regeln, Weisungen und exakt definierten Prozessen. Es ging nichts auf die Schnelle an diesem Nachmittag. Eschenbach wusste aus eigener Erfahrung, dass es vollkommen sinnlos war, sich aufzuregen. Es war bei der Kantonalpolizei nicht anders, im Gegenteil. Der einzige Unterschied war, dass er den Urwald dort kannte – und in den vergangenen achtzehn Jahren vielleicht sogar selbst ein Teil davon geworden war.

Abends, als alle gegangen waren, telefonierte Eschenbach mit seinem früheren Kollegen Claudio Jagmetti. Aber der Bündner hatte kaum Neues zu berichten. Hösli hüllte sich in Schweigen, was die Causa Eschenbach anging. Nachdem sie sich für den nächsten Morgen verabredet hatten, nahm sich Eschenbach die Akte Dubach vor. Er studierte sie gründlich, machte sich ein paar Notizen und jagte sie anschließend durch den Kopierer. Es war nichts Auffälliges daran.

Kurz vor halb zwölf fuhr er mit dem Lift ins Erdgeschoss, hielt seine Badgekarte an die entsprechend gekennzeichnete Stelle am Personalausgang und verließ die Bank durch die Sicherheitsschleuse.

Am nächsten Morgen war Eschenbach spät dran. Er hastete die Treppe hoch in den ersten Stock der Confiserie Sprüngli und sah sich schnaufend um. Claudio saß bereits an einem Tisch am Fenster und winkte.

»Ich mag dieses Café überhaupt nicht«, sagte Claudio zur Begrüßung. »Galaktische Preise alles … Und am Schluss bezahlt man an der Kasse beim Ausgang, stehend wie bei der Migros.«

»Du bist eingeladen.« Eschenbach musterte Claudio, den er seit seiner Abreise nach Kanada nicht mehr gesehen hatte. Der junge Polizist blickte düster drein. Er trug einen dunklen Anzug, dazu ein weißes Hemd mit lila Krawatte. Eschenbach konnte sich nicht erinnern, Claudio je in einem solchen Outfit gesehen zu haben. »Musst du zu einer Beerdigung?«

Claudio verdrehte die Augen.

Sie bestellten zwei Birchermüesli mit Croissants und Espressi.

»Heute um zehn bin ich bei Hösli. Bewerbungsgespräch.« Er zog eine Augenbraue hoch.

»Für meinen alten Job?«, fragte Eschenbach.

»Nein, für meinen.«

»Alten?«

»Ja.«

Eschenbach lachte. »Der zieht das also knallhart durch.«

Jagmetti nickte. Seine langen, pechschwarzen Locken waren einem Kurzhaarschnitt zum Opfer gefallen. Seine Gesichtszüge wirkten härter, fand Eschenbach; ein wenig glich er dem amerikanischen Rapper, von dem noch immer ein Poster in Kathrins altem Zimmer bei ihm in der Wohnung hing.

»Hat er dir eigentlich gekündigt?«, fragte Jagmetti.

»Nein.«

»Und du?«

»Auch nicht. Offiziell bin ich immer noch in den Ferien. Zwei Wochen noch, bis Ende Monat. Jetzt warten wir ab, wie sich die Sache entwickelt.« Dabei ließ Eschenbach es bewenden.

Eine ältere Frau eilte herbei, mit einer Schürze, wie sie nur noch bei Sprüngli getragen wurde. »Das Frühstück für die Herren«, sagte sie mit ernster Miene und wuchtete das schwere Silbertablett auf den Tisch.

Sie aßen, und Eschenbach erzählte von seiner Auszeit, von den unendlichen Weiten Kanadas und davon, wie seine Beziehung zu Corina auf eine unergründliche Art tiefer geworden war. »Ich glaube, es liegt an den Entfernungen … Es wohnt ja kaum jemand dort, gemessen an den Quadratkilometern. Da bist du einfach froh, wenn du einer Menschenseele begegnest. Ganz im Gegensatz zu hier …«

Der Kommissar sah sich um. »Hier bist du froh, wenn dich keiner kennt.«

Claudio erzählte nichts Privates, und der Kommissar unterließ es tunlichst, ihn danach zu fragen. Claudio war fünfunddreißig – die jungen Frauen drehten sich auf der Straße nach ihm um. Das ganze Leben lag vor ihm – Herrgott! Eschenbach konnte es kaum fassen, dass Jagmetti so griesgrämig dreinsah.

»Gefällt es dir eigentlich bei dieser Bank?«

Eschenbach hob die Schultern. »Ich hab erst gestern angefangen. Heut ist Mittwoch … Was soll ich dir also sagen?« Die Art, wie Claudio die Frage gestellt hatte, zeigte ihm, dass sich der junge Polizist mit der Situation schwertat.

»Halt einfach durch, Claudio«, meinte er schließlich. »Das Blatt wendet sich immer … Das ist das Einzige, auf das du dich wirklich verlassen kannst. Irgendwann wachsen auf jedem Scheißhaufen wieder Blumen.« Und mit einem Blick auf den Paradeplatz fügte er hinzu: »Hier unten war früher einmal ein

Schweinemarkt ... Jetzt stehen die Paläste von Crédit Suisse und UBS da. Es braucht nur Geduld und Nerven.« Eschenbach nahm seine Mappe, zog die Akte Dubach hervor und gab sie Claudio. »Das ist der *Compliance Officer*, von dem ich dir erzählt habe. Schau doch mal nach, was du über den findest.«

Claudio nahm den Umschlag und schaute auf die Uhr. »Ich muss«, sagte er.

Sie standen auf.

»Viel Glück«, sagte Eschenbach und machte sich mit der Rechnung auf den Weg zur Kasse.

Tamás Abrámyi, 32 Jahre alt, Ökonomie-Abschluss an der ETH Zürich mit Bestnoten, Ausbildung zum Finanzanalysten an der AZEK; Muttersprache Ungarisch; spricht akzentfrei Deutsch, Englisch und Spanisch. Verlässt die Bank in gegenseitigem Einvernehmen per Ende November. Neuer Arbeitgeber: Bank Julius Bär, Zürich.

Nach zwei Stunden hörte der Kommissar auf, sich Notizen zu machen. Er warf die Akte (es war die fünfundzwanzigste) auf den Haufen derer, die er bereits bearbeitet hatte. Plötzlich wusste er nicht mehr, weshalb er die ganzen Papierberge angefordert hatte. Die alte Geschichte mit den Bäumen und dem Wald kam ihm in den Sinn.

Um ein Uhr ging er mit Rosa mittagessen. Sie spazierten zum Bellevue hinunter, kauften eine Bratwurst und setzten sich an das Seeufer.

»Sie sind näher an den Leuten als ich«, sagte er kauend. »Ich hab mir überlegt, dass es gar nicht so gut ist, wenn die wissen, dass wir uns so gut kennen.« Er sah Rosa an: »Sie könnten vielleicht ...«

»Ich weiß, Kommissario, was Sie denken. Ich hab drum gesagt, dass ich vorher im Kunsthaus gearbeitet habe.«

Eschenbach zog die Brauen hoch. Rosa dachte wie immer mit. »Aber warum gerade das Kunsthaus?«, wollte er wissen.

»Ich interessiere mich schon eine Weile dafür …« Sie schmunzelte. »Man kann über Kunst reden, ohne etwas davon zu verstehen.«

Eschenbach lachte.

»Die Leute sind verunsichert, das habe ich gleich zu Beginn gemerkt«, fuhr sie fort. »Dieser Peter Dubach … Also der muss sie regelrecht ausspioniert haben. Das hat mir Françoise erzählt, die Assistentin von Dr. Hauri. Muss zudem ein recht verschlossener Typ gewesen sein, der viel in der Nacht gearbeitet hat.«

»Sehen Sie.« Eschenbach wischte sich mit der Serviette die Hände ab. »Mir erzählt kein Mensch solche Dinge. Darum bin ich froh, wenn Sie die Augen offen halten.«

»Und dass Dubachs Mutter in der Irrenanstalt ist, das habe ich ebenfalls gehört.«

Der Kommissar staunte nicht schlecht. Es war ein besonderes Talent, das Rosa besaß. Die Menschen vertrauten sich ihr schon nach kurzer Zeit an, schütteten ihr Herz aus und redeten über Dinge, die sie sonst niemandem erzählten.

Nicht so bei ihm: In den Gesprächen, die er am Nachmittag mit seinen Mitarbeitern führte, kam nichts zutage, was für seine Untersuchung von Belang gewesen wäre. Man gab sich zugeknöpft und war höflich. Das wichtigste Anliegen der Kollegen, alle hatten es erwähnt, bestand darin, dass er doch bitte offen mit ihnen kommunizieren möge.

Am Abend ging Eschenbach ins Kino Frosch und sah sich *El secreto de sus ojos* an. Der Film spielte in Buenos Aires. Ein Polizeikommissar rollt am Ende seiner Karriere zwei Fälle nochmals auf; einen grässlichen Mord an einem jungen Mädchen und seine alte, unerfüllte Liebe zu einer Kollegin.

Mitten im Film überfiel Eschenbach eine tiefe Sehnsucht nach Corina. Er tippte im Dunkeln eine schwülstige SMS, die er nach zweimaligem Lesen wieder löschte. In der Pause tigerte er unruhig auf und ab und kaufte aus purer Langeweile eine große Tüte Popcorn und eine Cola.

Der Fall endete tragisch, und die Liebe der beiden Protagonisten blieb unerfüllt. Eschenbach stand nicht auf, bis der komplette Abspann durch war. Die Sehnsucht war nicht weniger geworden, dazu kam ein leichtes Sodbrennen.

Auf dem Heimweg machte er halt im Hotel Storchen, trank in der Lobby einen Cognac und telefonierte endlich mit Corina. Er erzählte ihr, dass er sich bis zum Ende seiner offiziellen Auszeit um die Duprey-Geschichte kümmern werde. »Ich schau mal, wie das dort läuft. Dann kann ich mich immer noch entscheiden.«

»Vielleicht gefällt es dir ja?«

»Wann kommst du zurück?«

»Ich dachte, du bist vielleicht froh, wenn du dich in aller Ruhe einarbeiten kannst.« Ihre Stimme klang unbeschwert, als habe sie einen schönen Tag gehabt.

Kapitel 10

Quit or stay

Der kleine schwarze Junge hockte vor einer Hütte aus Bambusrohren und spielte mit seinen Händen. Er war ungefähr zwölf Jahre alt. Die Augen hielt er halb geschlossen, während er sprach. Seine Stimme war hell, und die Worte klangen weich, fast zärtlich in der fremdartigen, melodiösen Sprache. Im Hintergrund war eine weitere Hütte zu sehen, ihr Strohdach leuchtete golden in der tiefstehenden Sonne.

Judith saß neben ihrem Chef, Kurt Imholz, im abgedunkelten Sitzungsraum des Hotels St. Gotthard. Auch der schwarze König, Paul Zimmer vom Strategischen Nachrichtendienst beim Bund, und der Herz-Bube, Max Hösli, schauten konzentriert auf die Leinwand. Von beiden konnte Judith nur die Umrisse erkennen.

Am Fußende des Tisches, direkt vor der Leinwand, saß Zimmers Assistent Adrian Horlacher mit dem Laptop. Der Film, den er gerade eben gestartet hatte, war kein Ferienspot, dessen war sich Judith sicher. Trotz der frohen Farben der Bilder und des lieblichen Singsangs des Jungen ahnte Judith das Bedrohliche bereits jetzt, noch bevor es sich auf der Leinwand manifestierte.

Sie starrte auf den Mund des Kleinen. Er hatte die vollen Lippen aller Afrikaner, und wenn er sie bewegte, strahlten die Zähne in seinem dunklen Gesicht wie kostbare Perlen. Eine weitere Kinderstimme erklang. Sie sprach deutsch, war lauter und übersetzte den Singsang des schwarzen Jungen.

Die Kamera zoomte näher ran.

»Sie gaben uns Macheten …«, sagte der Kleine zögerlich. »Und sie haben befohlen, geht los und schneidet sie in kleine Stücke … So klein, dass sogar die Fliegen sie tragen können.« Der Junge machte eine Pause, knotete seine Finger fest zusammen und löste sie wieder: »Also gingen wir los und zerhackten sie …«

Im Hintergrund waren Schüsse zu hören. Die Kamera schwenkte, zoomte auf eine Gruppe Kinder, die mit einer Maschinenpistole in eine brennende Hütte feuerten.

»Stopp«, sagte der schwarze König.

Der Film fror mitten im Mündungsfeuer ein.

»Kindersoldaten«, sagte Zimmer. »Aufgenommen an der Grenze zwischen Sudan und Uganda.«

Obwohl Judith in der Dunkelheit die Gesichter von Hösli und Zimmer nicht erkennen konnte, spürte sie förmlich, wie die Augen der beiden Männer auf ihr ruhten. Sie durfte sich von diesen Bildern nicht einnehmen lassen, dachte sie. Unweigerlich kam ihr die Werbung einer Schweizer Versicherung in den Sinn: wie Kinder durch einen Garten rennen, einem bunten Ball hinterher. Sie versuchte sich daran zu erinnern, ob es eine Hausrats- oder eine Lebensversicherung war, um die es ging.

Was zum Teufel wollten diese Leute von ihr, was war ihre Absicht? Judith versuchte sich wieder auf Zimmers Bericht zu konzentrieren:

»Die USA und Uganda unterstützten Rebellentruppen, um sich ertragreiche Erdölfelder im Süd-Sudan zu sichern.« Zimmer sprach leise und sachlich, als läse er aus einem Telefonbuch vor. »Im Gegenzug finanzierte die sudanesische Regierung die Milizen der Lord's Resistance Army, die in Uganda wüteten. Bis vor vier Jahren.« Zimmer machte eine kurze Pause.

»Soll ich mehr Licht machen?«, fragte Hösli.

»Warte.« Zimmer zeigte mit dem Laserpointer auf das eingefrorene Bild auf der Leinwand. »Das ist eine AK47, eine Kalaschnikow, erhältlich für fünfundsiebzig Dollar.«

»Massenware«, ergänzte Hösli. »Die meisten davon stammen aus den Beständen der Sowjets.«

Zimmer legte den Laserpointer vor sich auf den Tisch. Als Chefbeamter beim Bund war er gewohnt, dass man ihm folgte. Er wartete, bis sein Assistent das Licht wieder angemacht hatte. Dann sprach er leise und ohne besonderes Pathos weiter: »Nachdem Joseph Kony seinen Bürgerkrieg im Sudan beenden musste, suchten die Waffenhändler weitere Absatzmärkte und fanden sie im Norden Kongos, am Kivu-See. Waffenhandel ist in Afrika wie ein Wanderzirkus.«

Judiths Anspannung wuchs. Sosehr sie es auch versuchte, sie wurde die Bilder nicht los, im Gegenteil. Was der Junge erzählt hatte, begann sich vor ihrem geistigen Auge abzuspielen. In allen Details sah sie, wie Waffen aus Kindern Mörder machten.

Diese Bilder hatte man ihr nicht gezeigt. Vermutlich gab es sie weder auf Film noch auf einer Festplatte. Aber sie gehörten dazu. Die Wahrheit ist immer das ganze Bild, sie lässt sich nicht in Einzelteile zerlegen. Seit Judith denken konnte, hatte sie diese Visionen, sah Dinge, die niemand erzählt oder dokumentiert hatte.

Oft waren es Ahnungen, aber manchmal, so wie in diesem Augenblick, bestürmten sie die Bilder mit quälender Genauigkeit, und sie sah den Film hinter dem Film. Bilder, die sie nicht abschütteln oder wegdrücken konnte. Sie musste hinsehen. Die Wahrheit aushalten. Was der Junge erzählt hatte, war die Wahrheit. Und diese Wahrheit brannte sich in ihr Hirn.

Zimmer sprach immer noch, und noch immer kreisten seine Ausführungen um das Stichwort Kalaschnikow. Judith riss sich zusammen. Sie musste den Spieß umdrehen, die Schwachstellen der Männer ins Visier nehmen. Herausfinden, was sie von ihr wollten.

»Diese Knarre ist vergleichbar mit Mercedes Benz. Eine sichere Einnahmequelle«, fuhr Zimmer fort. »Und noch viel mehr. Wer sie hat, kann seine materiellen und sexuellen Bedürfnisse befriedigen ... Er vergewaltigt, nimmt sich, was er will. Alles straffrei. In den Krisengebieten Afrikas herrscht eine Rechtlosigkeit sondergleichen. Jeder bewaffnete Mann, gleich welcher Partei, fühlt sich berechtigt, alles in Besitz zu nehmen, was ihm unterkommt.«

Judith schüttelte den Kopf. »Ich möchte wissen, was das mit der Banque Duprey zu tun hat. Dort steuern wir doch hin, nicht wahr? Also kommen Sie bitte auf den Punkt.«

»Werden wir, werden wir«, sagte Max Hösli.

»Sie reagieren sensibel auf solche Bilder.« Der schwarze König verzog einen kurzen Moment den Mund. »Man hat uns das gesagt. Ist erstaunlich, denn die meisten Menschen stumpfen ab, seit das Zeug täglich über den Bildschirm flimmert.« Zimmer bat Hösli, nun doch das Licht einzuschalten. »Eigentlich hätten wir noch einen zweiten Beitrag, Kinder, die als lebende Detektoren auf Minenfelder geschickt werden.«

»Und das ist nicht gerade schön anzusehen«, bemerkte Hösli, bevor er am Lichtschalter drehte.

»Ich will das nicht sehen«, sagte Judith. »Ich weiß doch, was dort läuft. Amerika, Russland, China, England, Frankreich ... Die halten den Bürgerkrieg im Kivu am Kochen. Wegen der Bodenschätze: Coltan, Gold, Edelsteine. Man lässt zu, dass das Land geplündert wird, um die Waffen zu bezahlen, weil jeder davon profitiert ...«

»Was ist eigentlich Coltan?«, fragte Imholz.

»Das Gold des Kongos, ein Erz«, antwortete Judith. »Ohne diesen Stoff wäre die moderne Welt nicht denkbar: Handys, Spielkonsolen, Laptops ... überall ist es drin.«

»Dass diese Barbaren so was besitzen ...«

»Imhof.« Der schwarze König rief Judiths Chef zur Ordnung und schüttelte leicht den Kopf. Judith verbuchte einen Punkt auf ihrer Seite. »Die Waffen ermöglichen den Milizen, die Minen weiter zu kontrollieren. Damit sind wir wieder bei der Kalaschnikow. Ein teuflischer Kreislauf.«

»Sie beantworten meine Frage nicht«, sagte Judith. »Ich will wissen, was das mit dem Job bei Duprey zu tun hat.«

»Das ist mein Part«, sagte Hösli und stand auf.

* * *

Zu Eschenbachs großem Erstaunen war die Tür zu seiner Klosterzelle nicht abgeschlossen. Der Kommissar trat in den Gang. Niemand war zu sehen. Er ging ein paar Schritte nach rechts und hielt inne. Das Geräusch seiner Schuhe irritierte ihn. Turnschuhe! Sie quietschten auf den hellen Steinplatten.

Ich habe nie solche Turnschuhe getragen, dachte er. Eschenbach blickte an sich hinunter. Schlottrige Baumwollhosen mit ausgebeulten Knien, die sich mit Elastikbündchen an seinen Hüften und Fußgelenken festhielten. Und dieser weiße Sweater – um Gottes willen! Er sah aus wie Sylvester Stallone beim Training.

Langsam setzte er sich wieder in Bewegung. Ein Lichtstrahl fiel durch die Fenster auf der linken Seite und ließ den Staub in der Luft tanzen. Rechts waren in Abständen von fünf Schritt Türen eingelassen. Nachdem der Kommissar ungefähr die Hälfte des Ganges zurückgelegt hatte, drehte er sich um: Er konnte nicht mehr mit Sicherheit sagen, aus welchem Zimmer er gekommen war.

Hinter dem letzten Fenster lag der Gang im Halbdunkel. Das Quietschen der Schuhe wurde unerträglich. Eschenbach versuchte anders aufzutreten. Es wurde nicht besser.

»Guten Morgen«, sagte eine Stimme.

Eschenbach erschrak. Er hatte den Mann nicht kommen hören. »Hallo«, sagte er und fügte vorsichtshalber ein »Grüß Gott« hinzu.

»Haben Sie gut geschlafen?« Der Mönch lächelte ihn an. Er war von schlanker Statur, hatte weiße, buschige Augenbrauen und eine Adlernase. »Ich bin Bruder Gerold.«

»Sind Sie ... Ich meine, waren Sie bei mir im Zimmer?«
Eschenbach versuchte sich an den Mann zu erinnern, den er ein
paarmal schemenhaft wahrgenommen hatte.

»Nein«, meinte Bruder Gerold und schüttelte den Kopf. »Das
war Bruder John.«

»Kleiner ... mit einer Brille?«

»Und etwas runder, richtig.« Bruder Gerold lächelte. »Sie
können sich also erinnern, das ist gut. John hat von Ihnen erzählt. Er macht sich Sorgen und bat uns, für Sie zu beten.«

Eschenbach nickte.

»Und die Knochen heilen?«

»Alles heilt«, antwortete der Kommissar.

»Wenn Sie ein wenig frische Luft brauchen«, der Mann deutete mit der Hand zum Ende des Ganges. »Etwas weiter vorne,
dann links. Dort finden Sie den Ausgang.«

Eschenbach bedankte sich und ging weiter. Man hatte für ihn
gebetet, das war immerhin schon etwas.

Auf seinem Weg in Richtung Ausgang traf Eschenbach noch
drei weitere Ordensbrüder. Auch sie grüßten ihn höflich, erkun-
digten sich nach seinem Befinden und ermunterten ihn, bei diesem schönen Wetter draußen einen Spaziergang zu unternehmen.

Die Begegnungen taten Eschenbach gut. Die Gesichter der
Mönche hatten etwas Heiteres, fand er. Und plötzlich hatte der
Kommissar das Gefühl, dass man innerhalb dieser Mauern nicht
flüstern musste, sondern ganz normal sprechen konnte.

Vielleicht sogar lachen?

Ganz sicher war er sich nicht. Aber die sakrale Stille, die hier
offenbar zu Hause war, hatte ein menschliches Antlitz bekommen. Das beklemmende Gefühl, das ihn die ganze Zeit begleitet
hatte, begann sich zu verflüchtigen. Auch das Quietschen seiner
Turnschuhe auf dem Boden störte ihn plötzlich nicht mehr. Nur
die Schmerzen waren noch da; ein dumpfes Gefühl inneren Ge-
schundenseins – als wäre sein Körper mit Reißnägeln gefüllt.

Draußen fand er sich im Schatten eines mächtigen Kirchenportals wieder. Er blieb einen Moment stehen und sog die kühle Morgenluft tief in seine Lungen. Zögerlich ging er weiter. Vor ihm, leicht abschüssig, lag ein großer Platz. Wäre er nicht mit Menschen gefüllt gewesen, vielleicht hätte er dann geschrien vor Freude. Die Schritte, die er tat, gingen wie von selbst. Beschwingt und leicht bewegte er sich über das Kopfsteinpflaster und dann die paar Treppenstufen hinunter bis zur Straße. Die Mühelosigkeit, mit der er sich bewegte, hatte topographische Gründe. Aufgrund der erhöhten Position von Kloster und Kirche fiel der Weg zum Dorf hin ab – ließ sich also ohne Kraftaufwand und beinahe schwebend zurücklegen.

Gott hatte die Schwerkraft nicht auf seiner Seite.

Auf der anderen Seite des Platzes befanden sich eine Reihe von kleinen Restaurants und Cafés. Auf dem Gehsteig und auf einer großen Terrasse im ersten Stock eines der Gebäude saßen Leute an kleinen Tischen: Sie aßen, tranken und hielten ihre Gesichter in das wärmende Sonnenlicht. Eschenbach überkam die Lust auf einen Espresso. Er grub in seinen Taschen und stellte fest, dass er kein Geld hatte. Etwas beschämt durch seinen Aufzug, schlenderte er weiter. Vor dem Buchladen Benziger machte er halt und betrachtete die Auslage: *Das Wunder der Engel … Der Engel in uns … Was mir mein Engel erzählt.* Die dekorierten Bücher machten keinen Hehl daraus, dass Gott gleich gegenüber wohnte.

Eine Gruppe älterer Menschen, mehrheitlich Frauen, verließ den Laden. Ihre Plastiktüten waren vollgepackt. »Die Sachen können Sie im Bus deponieren«, leierte ein hagerer Mann schmallippig herunter. Dann verkündete er mit ernstem Gesicht und tragender Stimme die Fortsetzung des Programms: »Als Nächstes empfängt uns die Schwarze Madonna … Treffpunkt vor dem Kircheneingang um Punkt zehn.« Offenbar war er der Reiseleiter.

Die Schwarze Madonna!

Eschenbach drehte sich um, erblickte die imposante Front der Klosterkirche mit ihren zwei Türmen – und auf einen Schlag wusste er, wo er gelandet war.

»Einsiedeln«, murmelte er. Gedankenverloren wandte er sich ab und steuerte auf einen Kiosk zu, der zwischen den Cafés regelrecht eingeklemmt zu sein schien. Weil er keine Ahnung hatte, welcher Wochentag war, wollte er einen Blick auf eine Tageszeitung werfen. Allerdings bezweifelte er, dass sich dadurch die Lücken in seinem Kopf füllen oder sogar schließen würden. Fehlten ihm nur ein paar Tage, oder waren es Wochen? Noch nicht einmal das konnte er mit Sicherheit sagen. Der Kommissar fühlte sich wie auf einem wackeligen Schemel; nicht wirklich mit der Erde verbunden. Was war bloß mit ihm passiert?

Eine Zeitung war keine schlechte Idee. Aber die Dinger kosteten etwas. Auch wenn ganze Heerscharen an diesen Ort pilgerten, es gab keine kostenlosen Pendlerzeitungen in Einsiedeln. Noch nicht. Einen kurzen Moment überlegte er, ein Exemplar zu stehlen. Irgendwie musste er seinen Filmriss beheben. Im knallbunten *Blick* stand manchmal tagelang derselbe Mist. Vielleicht würde so seine Erinnerung zurückkehren. Das Boulevardblatt kostete zwei Franken, zwei zu viel. Vor allem dann, wenn man kein Geld hatte.

Zwei Jahre zuvor hatte Kathrins Lehrerin ihn gefragt, ob er in ihrem Unterricht etwas über seine Arbeit erzählen könnte. »Die Pubertät, Sie wissen schon«, hatte sie ihr Anliegen begründet. »Und es wird viel gestohlen an unserer Schule. Ein paar Kinder sind bereits mit dem Gesetz in Konflikt gekommen. Der Unterschied zwischen Mein und Dein – könnten Sie darüber etwas sagen?«

Stehlen war also keine Option. Der Kommissar wunderte sich, wie dieser Gedanke überhaupt in sein Hirn gefunden hatte. Vielleicht dachte man mit Trainingsanzug und ohne Geld in der Tasche einfach anders. Er könnte sich die zwei Franken erbetteln. Wenn Leute für Engel Hunderte von Franken lockermachten, dann würden sie vielleicht auch ihm ...

Häsch mer zwei Schtutz?

Der Kommissar lachte laut heraus. Er würde zurück ins Kloster gehen und sich seine Sachen geben lassen. Herrgott noch mal – was war mit ihm los?

Kennen Sie diese junge Frau? – Die Schlagzeile des *Blick* sprang ihn förmlich an.

»Darf ich da mal reinsehen?«, fragte Eschenbach höflich die Kioskfrau. Die Zeitung lag direkt neben dem *Tages Anzeiger*, umgeben von Schokoriegeln und Kaugummipackungen. Ohne eine Antwort abzuwarten, griff er zu und schlug die Zeitung auf.

»Nur anschauen, nicht lesen!« Die Mittvierzigerin warf ihm einen giftigen Blick über die Süßigkeiten hinweg zu.

Es traf ihn wie der Blitz: Auf der Titelseite war eine junge Frau abgebildet, die ihn mit stechendem Blick ansah ... Er kannte sie. Auch das Foto hatte er schon irgendwo gesehen. Es war dieses unverwechselbare Grün der Augen. Eine Farbe, die man normalerweise nur mit Jade und alten Burgunderflaschen in Verbindung brachte.

»Zwei Franken«, sagte die Frau in schneidendem Ton.

Eschenbach las die Zeilen unterhalb des Bildes: *Im Mordfall Banz sucht die Zürcher Kriminalpolizei eine junge Frau. Laut ihrem Kommandanten Max Hösli handelt es sich dabei um Judith Bill, die persönliche Assistentin des ermordeten Bankiers. Frau Bill ist flüchtig ...*

Mit einem zischenden Laut entglitt die Zeitung Eschenbachs Händen.

»Herrgott«, fluchte er.

»Erst zahlen, dann lesen!« Die Frau, die aus ihrem Kabäuschen herausgeeilt war, faltete das Blatt zusammen und legte es wieder zurück zu den anderen. »Wo kommen wir hin ... Ich bin ein Kiosk, keine Bibliothek!«

»Ich bringe das Geld später.«

»Das sagen alle.« Sie machte auf dem Absatz kehrt.

Eschenbach stand wie versteinert da. Er konnte nicht fassen, was er gerade gelesen hatte. Seine Augen fixierten das oberste Exemplar auf dem Stapel. Mindestens dreißig weitere lagen drunter. Der Kommissar kniff die Lippen zusammen.

»Unterstehen Sie sich … Die Polizei ist gleich um die Ecke.« Die Frau hatte hinter den Zeitschriften und Süßigkeiten wieder Position bezogen.

»Ja, ja …«, murmelte Eschenbach wütend. Weil die Zeitung gefaltet war, konnte er Judiths Augen nicht mehr erkennen. Nur die Stirn und den Ansatz ihrer pechschwarzen Haare. Der Kommissar blickte genervt zu der Frau, die die resolute Feldherrin gab. »Dumme Giftschnecke«, sagte er gerade so laut, dass sie es noch hören konnte, dann drehte er sich so schwungvoll es ging um und stieß mit einem Mann zusammen. »Hoppala.«

»Sie Penner.« In der Stimme der Frau schwang Häme mit.

Ganz anders der alte Mann, den Eschenbach fast umgerannt hätte. Der lächelte. Eschenbach war irritiert. Außerdem war es ein freundliches Lächeln. Nicht dieses gequälte Schmunzeln, das man zu sehen bekam, wenn jemandem ein Missgeschick zustieß, und auch nicht dieser belustigte Ausdruck, der Schadenfreude ausdrückte. Der Mann sah aus wie jemand, der nach langer Zeit einen alten Freund getroffen hatte. »Entschuldigung«, sagte er. Seine Stimme hatte einen angenehm rauchigen Klang.

Eschenbach zögerte einen Moment, dann sagte er: »Ich muss mich entschuldigen.« Aber seine Worte gingen ins Leere. Der alte Mann war bereits damit beschäftigt, aus den Regalen und Auslagen eine Auswahl an Zeitungen herauszunehmen: *NZZ, Tages Anzeiger, Obersee Nachrichten, Einsiedler Anzeiger* … Er übergab sie der Kioskfrau und bat sie zusätzlich um einen *Blick*.

Eschenbach musterte den Mann von der Seite. War es möglich, dass er ihn kannte? Unter normalen Umständen hätte er geschworen, diesen Menschen noch nie in seinem Leben gese-

hen zu haben. Aber so, wie er im Moment beieinander war ...
Der Mann war groß, trug eine Brille. Eschenbach schätzte ihn
auf etwa siebzig. Sein dichtes Haar war überwiegend weiß, an
den Schläfen und im Nacken mit gelblich blonden Strähnen
durchmischt. Als der Fremde sich umdrehte, blickte er Eschenbach direkt in die Augen.

»Sind Sie Ewald Lenz?«, fragte der Kommissar.

Der Mann schüttelte den Kopf. »Sie müssen mich verwechseln.«

»Ja, natürlich.« Eschenbach wunderte sich über seinen spontanen Einfall. Vielleicht war es die Hornbrille gewesen oder die
wässrigen graublauen Augen, die ihn auf Lenz gebracht hatten –
oder war es der helle Schnurrbart? Etwas verwirrt entschuldigte
sich Eschenbach abermals. Was für eine absurde Situation. Eine
plötzliche Mattheit überfiel ihn, eine Niedergeschlagenheit, als
hätte er eine Prüfung nicht bestanden. Am besten, er ging zurück
ins Kloster, um sich ein wenig hinzulegen und um nachzudenken.

»Die sind für Sie«, sagte der Fremde. Er hielt dem Kommissar
das Bündel Zeitungen hin. »Bestimmt gibt Ihnen die Giftschnecke noch eine Plastiktüte ... natürlich nur, wenn Sie wollen.«

»Ich kann doch nicht ...«

»Können Sie ruhig«, sagte der Mann. »Ist immer gut, wenn
man auf dem Laufenden ist ... und wenn die Quellen voneinander unabhängig sind.«

Eschenbach nahm das Bündel, sah zur Kioskfrau, die missmutig und betont langsam nach einer Tüte kramte. Als alle Zeitungen verstaut waren, wollte der Kommissar sich bedanken.
Aber der Fremde war weg. Eilig trat Eschenbach aus dem Wind-
schatten des Kiosks ins Freie, schaute in alle Richtungen. Er
konnte den Mann mit dem Schnurrbart nirgends mehr entdecken.

Auf halbem Weg zurück setzte sich der Kommissar auf die
Treppe, die hinauf zum Kloster führte. Die Leute gingen an ihm

vorbei, ohne ihn zu beachten. Der Mann war und blieb verschwunden. Die Sonne schien über das mächtige Kirchenportal hinunter auf den Platz. Eschenbach spürte, wie sie ihm den Rücken wärmte. Er klappte den *Blick* auf, balancierte ihn auf der Tüte, die auf seinen Knien lag, und fand die Stelle, an der seine Lektüre unterbrochen worden war.

»Ich sehe, Sie haben sich mit Literatur eingedeckt.«

Von hinten hatte sich ein Schatten auf ihn gelegt. Eschenbach drehte sich um. Er blickte in das rundliche Gesicht, in dem, etwas schief und ebenso rund, die kleine Nickelbrille hing.

»Ich bin Bruder John.«

»Weiß ich doch«, sagte der Kommissar etwas schroff.

»Sie kennen mich also?«

Eschenbach nickte. Es war nicht nur das Gesicht, auch an die Stimme konnte er sich erinnern. »Die Suppe ... und Sie haben bei mir am Bett gesessen, nicht wahr?«

Der Mönch schlug die Hände zusammen. »Ich sehe, Ihr Gedächtnis funktioniert wieder prima.«

»Ja, ja ...« Eschenbach faltete die Zeitung, steckte sie in die Tüte zu den anderen und stand auf. Er überragte den Mönch um mehr als einen Kopf. »Und jetzt kommen Sie mich abholen ... der Patient muss zurück in sein Zimmer.«

»Ach was.« John schüttelte energisch den Kopf. »Ich habe mir nur Sorgen gemacht, wenn man die Gegend hier nicht kennt ...«

»Wird man in den dunklen Gassen von Einsiedeln niedergeschlagen?«

»Und ausgeraubt!« John sah zum Kirchturm. »Am gefährlichsten ist es morgens um Viertel nach zehn.«

Eschenbach mochte den kleinen, rundlichen Mann auf Anhieb. Dabei war es nicht nur der Humor, der ihm behagte; es war die feinfühlige und respektvolle Art, wie ihm der Mönch begegnete.

»Sie sagen es, Bruder.«

»Humor nicht verloren, nichts verloren«, meinte John mit

einem Seufzer der Erleichterung. »Ich bin aus Niddrie, das ist ein kleiner Vorort von Edinburgh. Vor über zwanzig Jahren bin ich hierhergekommen. *Quit or stay*, das ist mein Motto ... Es liegt ganz bei uns. Der Himmel ist blau, und wir sind frei.«

»Mit der Freiheit ist es so eine Sache.« Eschenbach lachte. Edinburgh hatte wie Edinbrrrah geklungen. Er sah an sich hinunter. »In diesem Aufzug kommt man nicht weit, ich meine ... ohne Portemonnaie und Handy.«

»Was soll ich da sagen?« Der Mönch streckte sich und legte Eschenbach eine Hand auf die Schulter. »Wenn Sie wollen, dann können Sie noch bei uns bleiben, bis Sie sich ganz erholt haben.« Er deutete mit dem Kinn auf die Plastiktüte in Eschenbachs Hand: »Wenn ich die Zeitung richtig lese ... Die schreiben, dass Sie auch in dieser Bank arbeiten.«

Eschenbach nickte. Er dachte an seine Visitenkarte, die ihm die junge Frau gegeben hatte.

»Ich habe keine Ahnung, was in dieser Bank vorgefallen ist«, sagte John. »Aber eines weiß ich genau: Judith hat niemanden getötet.« Zwei kleine braune Äuglein sahen zu Eschenbach hoch und blinzelten in der Sonne.

»Ist von mir auch ein Bild drin?«

John nickte. »Aber man wird Sie kaum erkennen ... So unrasiert, wie Sie sind.«

Eschenbach fuhr sich mit der freien Hand über Wange und Kinn.

»Dreitagebart«, John lachte. »Das kommt sogar hin, in der Nacht auf Samstag hat Judith Sie hierhergebracht.«

»Judith?«

»Sie hatten einen schweren Unfall und waren bewusstlos.«

Eschenbach rieb sich den Nacken.

»Finden Sie heraus, was passiert ist.« Johns Stimme war ganz leise geworden: »Ich bitte Sie ... Judith ist da in etwas hineingeraten. Sie müssen ihr helfen. In der Zeitung steht, Sie sind einmal Polizist gewesen.«

»Das bin ich immer noch.«

»Ja, schon.« John rieb sich mit beiden Händen die etwas fleischigen Wangen, wie ein Kind, das sich auf ein Geschenk freute. »Sie müssen herausfinden, wie die Dinge wirklich liegen, Herr Kommissar!«

Kapitel 11

Ein kompetitives Geschäft

Max Hösli nahm den Laserpointer, ging ein paar Schritte in Richtung Leinwand und nickte dem Mann am Laptop zu. Eine Graphik erschien. »Nun, um es gleich vorwegzunehmen ... Die Banque Duprey finanziert diesen Saustall. Jedenfalls Teile davon.«

»Vermuten wir«, ergänzte Zimmer.

»Das ist doch Blödsinn«, erwiderte Judith. »Die FINMA kontrolliert jede einzelne Bank im Land.«

Hösli räusperte sich. »Waffenhandel ist nicht verboten. Aber ich merke schon, Sie wissen nicht viel über dieses Geschäft. Das macht nichts ... Ist ja auch normal. Wer hat schon einen Waffenhändler in seinem Bekanntenkreis.« Hösli lachte auf.

Ein neues Bild erschien auf der Leinwand.

»Das ist Victor Bout.« Der rote Punkt des Laserpointers landete direkt auf der Stirn des Mannes. »Sieht aus wie ein Staubsaugerverkäufer ... ist aber ein ehemaliger sowjetischer Geheimdienstler. Wir haben ihn am 6. März in Thailand dingfest gemacht.«

»Mit *wir* meint Herr Hösli eine international koordinierte Polizeiaktion«, ergänzte Zimmer trocken. »Die Schweiz unter der Leitung von Herrn Hösli war auch mit von der Partie ... Nicht federführend allerdings. Ob Bout je der Prozess gemacht wird, ist übrigens fraglich.« Zimmer kniff die Lippen zusammen und sog Luft durch die Nase. »Im Moment gibt es bei der UNO eine Arbeitsgruppe ... Dort diskutiert man nicht zum ersten Mal ein Abkommen, das die strafrechtliche Verfolgung von Zwischenhändlern zulässt. Aber das ist natürlich nur für die Galerie, weil kein Land, das selbst Waffen herstellt, ein solches Gesetz unterzeichnen wird.«

»Ich würde gerne weitermachen.« Hösli sah auf die Uhr und dann zum Mann hinter dem Laptop.

Ein älterer Herr mit kurzen weißen Haaren erschien auf der Leinwand. Er hatte ein volles Gesicht und das Lächeln eines großväterlichen Freundes.

»Jean de Tonquedec, auch ein Zwischenlieferant. Im Gegensatz zur russischen Konkurrenz arbeitet er auch für Regierungen. Waffenhandel ist ja schließlich nicht verboten.« Hösli nickte wieder in Richtung Laptop. »Das Nächste, bitte.«

Eine Weltkarte löste de Tonquedec ab. Auf etwa zwei Dutzend Ländern stapelten sich Jetons wie auf einem Roulettetisch: kleine Türme, die nach einer Weile – und in unterschiedlicher Höhe – zum Stillstand kamen. »Adrian Horlacher ist ein Künstler«, sagte Hösli und nickte dem Mann am Laptop zu. »Er hat diese Graphik animiert: eine Statistik zur weltweiten Produktion von Handfeuerwaffen. Das Spektrum geht von der Pistole bis zur Panzerfaust. Alles, was man so ohne größere Ausbildung bedienen kann. Grob gerechnet, sind 700 Millionen davon im Umlauf. Dazu werden jährlich 14 Milliarden Schuss Munition geliefert – macht zwei Kugeln für jeden auf diesem Planeten. Der größte Teil davon unterhält die Armee- und Polizeibestände, geht in die Privathaushalte oder an paramilitärische Institutionen. Diesen Teil lassen wir weg. Er ist für die folgende Betrachtung nicht von Bedeutung. Weiter, bitte.«

Die nächste Weltkarte, die projiziert wurde, war zuerst grau, bis sich, wie durch einen Pilzbefall, einzelne Regionen langsam rot verfärbten. »Wir kennen derzeit rund dreißig Krisengebiete: von Burma über Südostanatolien, den Irak, Libanon, Afghanistan, Pakistan, Angola, Uganda, Somalia bis in den Jemen, Mali und Niger …« Der Laserpoint reiste von Osten nach Westen und wieder zurück.»Man kann sie kaum alle behalten«, sagte Hösli.

»In diesen Regionen finden Kriege und bewaffnete Konflikte statt«, ergänzte Zimmer.»Die Waffen produzierenden Regierungen halten sich da in der Regel zurück ... Embargos und Bestimmungen, das alte Lied. Meist tun sie es aber aufgrund ihres außenpolitischen Renommees.«

»Die Versorgung geht hier über den Zwischenhandel«, ergänzte Hösli. Er sah zu Judith.»Als Ökonomin sind Ihnen diese Mechanismen ja bekannt.«

Judith war irritiert. Man hatte sie zu dieser Sitzung wegen einer Assistentenstelle bei der Banque Duprey gebeten, die sie abgelehnt hatte. Das war schon merkwürdig. Und nun bot man ihr Bilder von Kindersoldaten und einen Vortrag über internationale Krisenherde und Waffenhandel. Alles, was sie darüber wusste, war, dass viele der Transaktionen durch Rohstoffe gedeckt wurden. Insbesondere der Diamantenhandel spielte eine Rolle. Sie zuckte die Schultern.»Ich weiß noch immer nicht, was Sie von mir wollen.«

»Wir waren vielleicht etwas zu umständlich«, begann der schwarze König und schürzte die Lippen.»Die ganze Sache ist ziemlich komplex.«

»Ich bin nicht blöd«, sagte Judith.»Wenn die Banque Duprey da mit drinsteckt, warum leiten Sie keine Untersuchung ein? Nehmen Sie die Bank doch hoch. Verhaften Sie die entsprechenden Leute ... Es ist keine gute Idee, mich da vorzuschicken. Ich habe nämlich keine Ahnung von dem ganzen Zeug, das Sie hier erzählen.«

»Das ist nicht so einfach«, sagte Hösli.»Und was Sie betrifft, so wissen wir sehr gut, wovon Sie eine Ahnung haben und wovon nicht. Es ist auch nicht die Rede davon, dass Sie Dinge tun, die Sie nicht können. Wir brauchen Informationen, das ist alles.«

Zimmer überlegte kurz.»Wir haben normalerweise einen guten Überblick über die Art und Weise, wie dieser Zwischenhandel ... dieses *cash and carry* funktioniert. Die Seriennummern der sichergestellten Waffen sagen uns, wer was wohin geliefert hat. Wir kennen die Konten der beteiligten Personen und können die Zahlungsströme einschätzen. Auch wenn sich der Handel schrecklich bemüht ... Es gibt Leute, die uns diese Informationen zutragen. Für Geld – oder für ein Geschäft. Wie Sie gesehen haben, profitieren alle davon.«

»Es ist wie Poker.« Hösli grinste. »Jeder rechnet sich aus, welche Karten der andere hat – außer dass natürlich keiner das Blatt am Ende ganz auf den Tisch legt.«

»Und *wir* – das sind die Geheimdienste, nehme ich an.« Judith sah fragend zu Zimmer.

»Oder die Regierungen, das ist ja dasselbe.« Der Mann vom SND dachte einen Moment nach, als prüfte er den Satz auf seinen Wahrheitsgehalt. »Und hie und da gelingt es uns, eine Karte zu tauschen. Es ist normalerweise ein sehr übersichtliches Spiel, vorausgesetzt, es halten sich alle an die Regeln.«

»Und Duprey ... Wie spielen die da mit?«, wollte Judith wissen.

»Genau wissen wir das nicht. Aber in den letzten Jahren haben sich die Dinge verändert. Gewisse Spuren wurden verwischt. Genauer gesagt, sie verliefen plötzlich im Sand. Wir finden zwar noch immer die Waffen ... Aber von einem Teil des Geldes fehlt jede Spur ... Als ob es plötzlich unsichtbar wäre.«

»Geld, das bis dahin bei der Banque Duprey war«, präzisierte Hösli.

»Zahlungsströme sind immer sichtbar«, sagte Judith. »Schauen Sie sich die Bewegungen in den internationalen Clearingsystemen an ... Da finden Sie jeden transferierten Franken.«

»Haben wir alles geprüft«, sagte Paul Zimmer geduldig. »SIX, SIC ... das ganze Programm. Wir kommen nicht mit leeren Händen, Frau Bill.«

»Da ist nichts«, sagte Hösli und warf theatralisch die Arme hoch. »Und damit läuft alles aus dem Ruder.«

»Wir sind sogar noch einen Schritt weiter gegangen.« Paul Zimmer sah zu Adrian Horlacher, der die ganze Zeit über wortlos an seinem Laptop gesessen hatte. »Zeigen Sie unseren Mann.«

Auf der Leinwand löste sich die Weltkarte mit den Krisenherden langsam auf.

»Ich muss ihn erst suchen«, sagte der Assistent.

»War auch nicht abgemacht, dass wir den zeigen.« Hösli rümpfte die Nase. »Aber bitte: Unsere Lady will alles ganz genau wissen.«

Judith sagte nichts. Sie hielt ihren Blick auf die Leinwand gerichtet und beobachtete, wie nun dort der Bildschirm von Horlachers PC erschien. Der Assistent öffnete Verzeichnisse und Unterverzeichnisse, manövrierte den Pfeil seiner Maus durch Listen von Dateien. Zweimal öffnete und schloss er eine falsche Akte.

Judith las die Namen der Dateien: HELIX 1, HELIX 2, CASTOR – was für dämliche Codenamen, dachte sie.

»Warum müsst ihr alles immer verschlüsseln?«, sagte Hösli.

»Das ist er«, murmelte Horlacher. »Peter Dubach.«

Auf der Leinwand erschien ein Bild, etwas überbelichtet: Es war ein Mann, frontal fotografiert. Obwohl er schöne, dunkle Augen hatte, war sein Blick seltsam ausdruckslos, fand Judith. Aber vielleicht blickte man so in die Kamera, wenn man von der Polizei oder vom Passbüro fotografiert wurde. Sie schätzte den Mann auf Mitte vierzig; er hatte dunkle Haare, die an den Schläfen etwas ergraut waren.

»Das wär's«, sagte der schwarze König. Er bat seinen Assistenten um etwas mehr Licht, blickte zu Judith hinüber und meinte: »Jetzt kommen wir zu Ihrer Aufgabe, Frau Bill.«

* * *

Bis zum Freitag hatte Eschenbach sich zwölf Seiten Notizen gemacht. Es war die erste Sitzung, die er mit Jakob Banz in dessen Büro im obersten Stock der Banque Duprey abhielt.

»Und, kommen wir vorwärts?«, fragte der Bankier.

Auf dem großen Besprechungstisch aus dunkler, geölter Eiche stand ein Korb mit Früchten, daneben Sandwiches von Sprüngli.

»Es geht«, sagte der Kommissar. »Du hast einen Riesenladen ... Aber so langsam beginne ich zu begreifen, wie eine Bank funktioniert.«

»Ich habe Leute, die wissen das nach zwanzig Jahren noch nicht.«

Eschenbach widersprach nicht. Es war tatsächlich keine einfache Spezies, mit der er sich gerade herumschlug. Das große Problem dieses Berufsstandes war, so schien es ihm, dass kaum jemand genau wusste, was diese Leute taten.

Ein Bäcker backt,

ein Bergsteiger steigt auf die Berge,

ein Pharmakonzern stellt Medikamente her,

ein Musiker macht Musik, und

was in einem Bordell geschieht, wissen auch die, die noch nie dort gewesen sind.

Aber was tat eine Bank?

Vielleicht lag es an der Bezeichnung, die einfach nichts hergab; und unter der man sich alles oder eben nichts vorstellen konnte. Dazu kam, dass die Namen der Finanzinstitute an den seltsamsten Orten auftauchten: auf Rennautos, Fußballtrikots und an den Banden von Tennisturnieren. Sie zierten die Programmhefte von Musikfestwochen und stellten sich gönnerhaft in Szene, wenn die besten Leichtathleten um die Wette liefen.

Man hätte sie leicht für Wohltätigkeitsinstitute halten können, wenn nicht eine gehörige Finanzkrise der ganzen Welt vor Augen geführt hätte, was sie wirklich tun: Banken verdienen Geld, indem sie Risiken eingehen.

Ein Bäcker verbrennt sich gelegentlich die Hände,
ein Bergsteiger stürzt ab.

Und man erwartet keine Nonne, wenn man ins Puff geht.

Die Gespräche, die Eschenbach mit über zwei Dutzend Angestellten geführt hatte, zeigten folgendes Bild: Im Großen und
Ganzen machte er drei Typen von Mitarbeitern aus. Zum einen
sind da die *Zittrigen*. Sie verschanzen sich hinter einem täglich
wachsenden Wall von Regeln und Weisungen, erfinden Hunderte von Gründen, weshalb man aufgrund *fundierter Risikoer-
wägungen* von jedem Geschäft am besten die Finger lassen soll;
sie interpretieren die Tatsache, dass es die Bank nach über
150 Jahren noch gibt, als ihr alleiniges Verdienst.

Eschenbachs eigene Abteilung bestand ausschließlich aus dieser Gattung Mensch.

Den zweiten Typus bezeichnete der Kommissar als die *Wagh-
halsigen*. Sie sind im Vergleich zu den Zittrigen deutlich unter-
vertreten und haben inmitten der größten Finanzkrise seit 1929
einen schwierigen Stand. Dennoch bieten sie einen gewichtigen
und lautstarken Gegenpart. Sie kaufen und verkaufen Aktien,
Obligationen und Rohstoffe, erfinden, konstruieren und handeln derivative Instrumente und generieren horrende Provisionen für sich und entsprechende Gewinne (manchmal auch
Verluste) für die Bank.

Die Waghalsigen und die Zittrigen mögen sich nicht, sie liefern sich einen Dauerstreit, der bisweilen ins Absurde geht. Dabei ist *fuck you* ein sehr häufig verwendetes Idiom auf der Zank-
wiese dieser sehr unterschiedlichen Lager; ein Idiom, das die
Waghalsigen tatsächlich auch aussprechen, während es die
Zittrigen nur denken.

In einem Punkt aber unterscheiden sich die Waghalsigen keineswegs von ihrem Gegenpart: Auch sie sehen ihr Handeln als
den einzigen Grund, weshalb die Bank nach über 150 Jahren
überhaupt noch existiert.

Die dritte Spezies sind die *Kundenberater*: Sie sind weder das eine noch das andere, sondern schwenken wie ein loser Fensterladen von waghalsig zu zittrig und wieder zurück, je nachdem, ob es an der Börse gerade aufwärts- oder runtergeht.

Diese Erkenntnisse waren natürlich nicht Teil der Notizen, die der Kommissar in das Meeting mitgenommen hatte. Auf seinen Zetteln standen Zahlen, genauer gesagt, Kennzahlen, und Begriffe. Und das war die Crux an der Sache: Denn wie andere Bereiche des täglichen Lebens (zum Beispiel Fußball, Religion oder Kochen) hatte auch die Finanzindustrie ihre eigene Sprache, mit dem Ziel, die Eingeweihten von den nicht Eingeweihten abzugrenzen.

»Es ist wie blanchieren, glasieren und legieren«, hatte sein Freund Gabriel gesagt, der von Beruf Koch war und mit dem Schafskopf im Seefeld eines der besten Restaurants von Zürich besaß. »Du musst das auswendig lernen, sonst wird das nichts.«

Aber wie sollte er Begriffe lernen, deren Bedeutung ihm ebenso fremd war wie die Begriffe selbst? Dass Eschenbach – ein Mensch, der bis zu seinem dreiundfünfzigsten Lebensjahr noch nie in einer Bank gearbeitet hatte – diese Fachsprache, wenigstens die wichtigsten Eckpfeiler, tatsächlich auch kapierte, verdankte er seinem Freund Christian Pollack.

Am Abend vor seinem Meeting mit Banz hatte sich Eschenbach mit seinen Freunden zu einem Jass im Schafskopf getroffen. Und natürlich waren seine ersten Tage bei Duprey das Gesprächsthema Nummer eins gewesen. Kanada schien plötzlich weit weg. Auf die Schiefertafel, auf der normalerweise der Spielstand notiert wurde, hatte der Anwalt eine Kuh gemalt. Vielleicht hatte es an den drei Flaschen Barbaresco gelegen oder an den unzähligen Grappe von Angelo Gaja, dass die Zeichnung hervorragend gelungen war. Denn Christian Pollack konnte überhaupt nicht zeichnen.

»Das ist das heilige Wappentier der Finanzindustrie«, hatte Christian gemeint. »Und weil jede anständige Kuh einen Namen hat, nennen wir sie *Shareholder value*. Wie *Fiona, Bella* oder *Diana*, die häufigsten Namen für weibliche Schweizer Kälber, wird der Name nicht übersetzt. Gemeint ist der Aktionärswert – und ausgesprochen wird er als *Schäerholdervalijuu*. Ihre Euter heißen Gewinn, Rendite, genauer: Eigenkapitalrendite, und Wachstum.«

Christian schrieb die Worte unter die Kuh, die mit den drei Eutern nun aussah wie von einem anderen Stern.

»Bei Banken wie Duprey, deren hauptsächliches Geschäft, also ihr *core business*, darin besteht, Kundenvermögen zu verwalten, bezieht sich das Wachstum auf die Höhe der anvertrauten Gelder.«

»Das ist überhaupt das Wichtigste … die Kundenvermögen«, sagte Gregor Allenspach, der ebenfalls zu Eschenbachs Jass-Freunden gehörte. Als Lehrer für Latein, Deutsch und Geschichte und weil er auch sonst ein sehr gebildeter Mann war, hatte Gregor von fast allem eine Ahnung.

»Richtig.« Christian befeuchtete die Spitze des Kreidestifts mit Spucke und malte ein viertes Euter. »Die *Assets*«, sagte er und überlegte, wo für den Begriff auf der vollgekritzelten Schiefertafel noch Platz war. »Es bedeutet die Summe an Geldern, Aktien, Obligationen und so weiter … das ganze Anlagevermögen eben: Und weil sie der Bank anvertraut werden, bezeichnet man sie als *Assets under Management*.«

Das passte nun wirklich nicht mehr, Christian schrieb nur das Kürzel hin: AuM.

Es kamen noch weitere Begriffe dazu, die Eschenbach zusammen mit seinen Freunden während des Abends enträtselte. Und mit den Fortschritten, die er machte, stieg die Freude auf die Sitzung mit Banz. Zwar fühlte er sich noch immer wie ein Fremder, aber weil er die Sprache der Leute zu verstehen begann, eröffneten sich neue Perspektiven.

Christian Pollack hielt Wort und stand Eschenbach auch bei den dümmsten Fragen Rede und Antwort. So ging es rasch vorwärts, und der Kommissar fing an, die Geschäfts- und Quartalsberichte auszupacken, die er für den Abend mitgenommen hatte. Er gewann einen Überblick über das Zahlengerippe der Bank und bekam Antworten zu Dingen, die ihm während der drei Tage bei Duprey besonders aufgefallen waren.

Jetzt, bei Banz am Besprechungstisch, mit einem Thunsandwich in der Hand, kauend, blätterte er in seinen Notizen.

»So ganz spontan und von außen ...« Banz wischte sich mit einer Serviette den Mund. »Gibt es irgendwelche neuen Erkenntnisse ... Ungereimtheiten, du weißt schon. Irgendetwas, das dir aufgefallen ist.«

»Deine AuMs gehen den Bach runter«, sagte der Kommissar und schluckte.

»Meine was?«

»Assets ... die *under Management*.«

»Ach so.«

»Und zwar gewaltig.«

»Nun ja. Die Krise trifft jeden«, sagte Banz.

Das Telefon klingelte.

»Mach nur ...«

Banz griff nach dem Hörer und murmelte ein »nur kurz bitte« in die Muschel.

Eschenbach sah sich in der Zwischenzeit den Vertrag an, den ihm der Bankier hingelegt hatte. Es war eine sehr großzügige Vereinbarung, zudem zeitlich begrenzt, genau so, wie es der Kommissar gewünscht hatte. Er unterschrieb.

Als ihm Banz mit der freien Hand signalisierte, er solle fortfahren, machte Eschenbach weiter: »Was die Fluktuation angeht, ... kaum Entlassungen, dafür werden immer mehr Leute eingestellt, obwohl im großen Stil Geld abgezogen wird.«

Banz nickte in sein Doppelkinn, sagte zweimal »sehr gut« und legte auf.

Mit »sehr gut« konnte Banz nicht das gemeint haben, was Eschenbach gerade gesagt hatte. Die *Assets under Management*, das hatte der Kommissar verinnerlicht, waren der Lebensnerv einer Vermögensverwaltungsbank. Eine Bank, die Assets verlor, war eine Bank, die blutete. »Um präzise zu sein«, sagte Eschenbach kühl. »Ich meine nicht, dass eure Assets weniger wert sind, weil es an der Börse gekracht hat ... Ich meine *cash out*.«

»Ich weiß«, sagte Banz.

Eschenbach runzelte die Stirn. Entweder spielte Banz ihm etwas vor, oder es kümmerte den Bankier tatsächlich nicht, dass seine Bank langsam den Bach runterging. »Für mich wäre das beunruhigend, wenn ich fast fünfzig Prozent meiner Vermögenswerte verlieren würde.«

»Es ist die Angst der Leute ...« Der Bankier hob die Schultern. »Die Finanzkrise hat sie verunsichert. Dazu kommt, dass Amerika, Deutschland, Frankreich – ich kann die Liste beinahe beliebig erweitern –, dass die aufs Schweizer Bankgeheimnis gewaltig Druck machen.«

Eschenbach wusste wenig über die Angst der Leute, die derartige Summen auf dem Konto hatten. »Nur mal so über den Daumen gepeilt ...«, sagte er und sah in seinen Notizen nach. »Rund zehn Milliarden kommen da schon zusammen.«

Banz zuckte nur mit den Schultern. »Hast du schon einmal bemerkt, dass die meisten Leute denken, hundert Millionen wären eine Milliarde?«

»Zehn Milliarden!«

»Bist du jetzt mein Buchhalter?«

Eschenbach kam unweigerlich Kathrin in den Sinn, ihre Ausweichmanöver, wenn er die Französischvokabeln abfragen wollte. Er räusperte sich, sortierte seine Notizen wie ein *Tagesschau*-Sprecher vor der Erfindung des Teleprompters. Und wie Léon Huber, bevor er eine wichtige Mitteilung verlas, hob und senkte auch der Kommissar seine Augenbrauen. »Und weißt du, was das Interessanteste daran ist, Jakob?«

An dieser Stelle machte Eschenbach eine kurze Pause, sah ins düstere Gesicht seines Gegenübers, und als Banz nicht einmal mit der Wimper zuckte, sagte er: »Der Abfluss deiner Assets hat bereits zu einer Zeit begonnen, als noch kein Hahn nach dem Bankgeheimnis krähte.«

Eschenbach schob Banz das Blatt zu, auf dem er die Entwicklung der Vermögenswerte über die letzten zehn Jahre skizziert hatte. »Noch drastischer sieht die Sache aus, wenn man bedenkt, dass die meisten Banken ihre Assets über diese Zeitspanne verdoppelt haben. Es kann also weder an der Krise noch an den Amerikanern liegen; denn im Branchendurchschnitt liegt die Banque Duprey …«

»Zum Teufel mit dem Branchendurchschnitt«, raunzte Banz. »Glaubst du, ich kenne meine Zahlen nicht? Und überhaupt …« Banz lockerte den Knoten seiner Krawatte, nahm einen Schluck Wasser aus seinem Glas. Er stellte das Glas wieder hin, und sein Gesicht erhellte sich etwas. Er sah Eschenbach an, überlegte kurz und sagte: »Weißt du, was General Guisan gemacht hat, als im Juli 1940 Frankreich kapitulierte und die Schweiz komplett von den Achsenmächten eingeschlossen war?«

Eschenbach zuckte mit den Schultern. »Ich weiß nicht, was Guisan mit deinen Assets zu tun hat …«

»Die Strategie, mein Lieber.«

»Welche Strategie?«

Es klopfte.

Die Lautstärke, mit der Banz »Herein!« bellte, ließ Eschenbach vermuten, dass sich Banz gerade selbst für den Befehlshaber der Schweizer Streitkräfte hielt.

Eine junge Frau streckte den Kopf durch den Türspalt. »Störe ich?« Die Frage galt ausschließlich dem Bankier.

»Dummes Zeug.« Banz winkte sie zu sich. »Wir sind gerade bei Henri Guisan – was wissen Sie über ihn?«

»Ich?« Etwas verwundert über die Frage und den fehlenden Zusammenhang, blieb die Frau auf halbem Weg zwischen Tür und Schreibtisch stehen.

Eschenbach erhob sich.

»Das ist meine neue Assistentin ... Ich nehme an, ihr habt euch schon kennengelernt.«

»Nicht dass ich wüsste.« Eschenbach zog eine seiner neuen Visitenkarten aus der Jackentasche und musterte die Frau: Sie war klein und trug einen dunkelblauen Hosenanzug mit Nadelstreifen. Von der Aufmachung her unterschied sie sich kaum von den weiblichen Angestellten der Bank, die ihm täglich in den Gängen und im Aufzug begegneten und deren Namen er sich nicht merken konnte.

Die junge Frau kam auf Eschenbach zu. Sie nahm das kleine Kärtchen an sich, das er ihr gab, sah es kurz an und meinte: »Ich bin Judith Bill. Herr Banz hat mir gesagt, Sie haben diese Woche auch frisch angefangen. Genau wie ich.«

Der Kommissar sah sie einen Moment irritiert an, wie jemand, der auf eine überraschende Frage keine Antwort wusste. Eine kurze Stille entstand. Es war das seltsamste Augenpaar, das er je gesehen hatte und das überhaupt nicht in dieses junge Gesicht passen wollte.

Mit einem etwas verwirrten Lächeln gab er ihr die Hand und sagte: »Eschenbach.«

Kapitel 12

Abteilung D – das wird schwierig

Wissen Sie, wie viele Millionen eine Milliarde hat, Frau Mazzoleni?«

Nach der Besprechung mit Banz, auf dem Weg in sein Büro, war er für einen Moment neben Rosas Arbeitsplatz stehen geblieben.

»Immer tausend, Kommissario. So muss man es sich merken: *mille milioni*. Das hat sogar Stefano, der Kleine meiner Schwester, sofort begriffen. «

»Donnerwetter«, sagte Eschenbach.

»Und nach den Milliarden geht es weiter mit Billionen, Billiarden, Trillionen, Trilliarden. Immer mal tausend.«

»Im Amerikanischen ist's aber anders …«

»*Sississì* …«, sagte Rosa. »Die sagen Billionen und meinen Milliarden, da muss man sich nicht wundern, wenn die ihren Haushalt nicht in Ordnung kriegen. Aber das darf uns nicht kümmern, was die Amerikaner sagen.«

»Das meint auch Banz.«

»Um Gottes willen!« Besorgt, als wäre gerade ihr Haus abgebrannt, legte Rosa beide Hände auf ihre gepuderten Wangen. »Ich hab Sie gar nicht gefragt – O *Mamma mia* –, wie ist es denn gegangen?«

»Mit den Zahlen, die Sie mir zusammengestellt haben?«

Rosa nickte und sah Eschenbach erwartungsvoll an.

»Nichts«, sagte er. »Ich glaube, es hat ihn überhaupt nicht interessiert.«

»Ha!«, rief Rosa.

Eschenbach hob die Schultern. Auch nach Jahren war er sich noch nicht vollkommen sicher, was dieser Ausruf bedeutete: War es ein »Ha, das habe ich erwartet!« oder ein »Ha, das habe ich nicht erwartet!«? »Ha!«, einfach nur mit Ausrufezeichen, blieb ein unergründliches Feld.

»Stattdessen haben wir über Guisan gesprochen.« Der Kommissar grinste.

»Sie machen Witze?«

»Nein, bei Henri Guisan hört der Spaß auf«, sagte Eschenbach. »Als neutrales Land wählen wir nur im Kriegsfall einen General. Im letzten Jahrhundert waren es also zwei, und das reicht, finde ich.«

»Wir hatten Mussolini … und jetzt Berlusconi. Das reicht auch«, sagte Rosa.

»Eben.«

Eschenbach folgte ihr zur Espressomaschine. Weil Rosa hartnäckig darauf bestand, schilderte er die geschichtsträchtige Situation mit Guisan, auf die Banz angespielt hatte.

»Angesichts der Kapitulation Frankreichs und der kompletten Umzingelung durch die Achsenmächte konnte man damals einen Angriff auf die Schweiz nicht mehr ausschließen.«

»Hm«, machte Rosa, während sie in den Schubladen nach Kaffeekapseln suchte. »Der Schweizer Finanzplatz ist im Moment etwas unter Druck, deshalb zieht Banz diesen Vergleich.«

»Genau«, sagte Eschenbach und fuhr fort: »Das Volk ist verunsichert … und dann ist es bei uns so üblich, dass der Bundesrat eine Ansprache hält. Er sagt, dass alles nicht so schlimm sei.«

»Berlusconis Ansprachen machen die Sache immer noch schlimmer«, kommentierte Rosa und befreite zwei Lavazza-Espressokapseln aus der Verpackung.

»Das war im Juli 1940 auch der Fall. Pilet-Golaz, unser damaliger Außenminister, der gleichzeitig auch Bundespräsident war, sprach übers Radio von ›Anpassungen an das Neue Europa‹ – das hat die Gemüter natürlich nicht beruhigt.«

»Ach so.«

»Ach so« gehörte in dieselbe Kategorie wie »Ha!«.

Rosa stellte eine Mokkatasse auf die Ablage der Lavazza und lud die Maschine mit einer Kapsel. »Und jetzt vergleicht Banz den Druck aufs Schweizer Bankgeheimnis mit der Situation von damals?«

»Vermutlich.«

Die Espressomaschine brummte wie ein Tupolew-Bomber.

»Aber was wirklich geschah, am Tag der Radioansprache …«

Eschenbach versuchte die Tupolew zu übertönen. »Der Oberbefehlshaber der Schweizer Armee …«

»General Guisan«, warf Rosa dazwischen.

»Richtig.«

»Wie immer schwarz?«

»Guisan?«

»Nein, Ihr Espresso, Kommissario!«

Eschenbach zwinkerte ihr zu. »Also, Guisan … der hatte sämtliche höheren Offiziere, ab Stufe Major, zum Rapport auf die Rütliwiese gebeten. Und die bei diesem Rapport ausgegebenen Befehle über die Landesverteidigung galten als Botschaft der Abschreckung, gerichtet an die Achsenmächte Deutschland und Italien.«

Die zweite Tasse füllte sich.

»Was Guisan damals getan hat, ging als Rütlirapport in die Schweizer Geschichte ein.«

»Mir gefällt diese Symbolik«, sagte Rosa, als sie Eschenbach die Tasse reichte. »Unser Geschichtslehrer am Gymi … also der ist mit uns auch aufs Rütli gegangen. Zuerst hat er uns die Geschichte der Gründung der Schweiz durch die drei Urkantone nochmals in Erinnerung gerufen: der Rütlischwur! Und dann hat er uns ins Gewissen geredet, weil er davon gehört hatte, dass zwei in unserer Klasse Haschisch geraucht hätten. Der innere und der äußere Feind ... Irgend so etwas hat er uns gepredigt.«

Nachdem sie die Tassen geleert hatten, gingen sie zurück zu Rosas Arbeitsplatz. »Und da ist noch etwas, worüber ich mich wundere«, sagte Eschenbach. Weil gerade keiner der Mitarbeiter, mit denen Rosa das Büro teilte, in Sicht war, zog er eine blaue Plastikhülle aus seinen Unterlagen. »Peter Dubach, gewissermaßen mein Vorgänger hier ...« Der Kommissar seufzte. »Banz hat ihn mit keinem Wort erwähnt. Ich werde den Verdacht nicht los, dass ihn das ebenso wenig interessiert wie die Sache mit den Assets.«

»Er hat die Stelle wieder besetzt ... *So what?*«, sagte Rosa.

»Mit Ihnen! Ich vermute, das war sein eigentliches Anliegen. Der *Chief Compliance Officer* ist doch wie ...«

»Wie was?«

Rosa zögerte.

»Das Feigenblatt einer Bank«, ergänzte Eschenbach etwas missmutig. »Wenn es runterfällt, nimmt man ein neues ...«

»*Ma no*«, unterbrach Rosa. »Ich habe eigentlich an etwas ganz anderes gedacht.«

»Bitte?«

»An die heilige Madonna.«

Wieder zurück an seinem Schreibtisch, auf seinem mit Leder gepolsterten Sessel, legte Eschenbach die Unterlagen rasch zur Seite, nur die dünne Plastikhülle warf er vor sich und schaute dann hoch zur Decke. Jagmetti hatte die Mappe am Morgen vorbeigebracht, vor der Sitzung mit Banz. Auf drei A4-Blättern hatte er Informationen zur heiligen Madonna (der vorherigen), zu Peter Dubach, zusammengestellt, säuberlich auf dem Computer, mit einer kurzen Gliederung, erstens, zweitens usw. Es las sich wie die Masterarbeit eines Studenten. Der Kommissar hatte nicht schlecht gestaunt.

Wer schrieb so etwas bei der Kriminalpolizei, jetzt, da Rosa nicht mehr dort war? Vielleicht hatte Banz ja recht: Mitarbeiter gehen, Mitarbeiter kommen. Oder war bereits das neue System in Kraft, das *Systema Automatica*, von dem Rosa erzählt hatte? Ein Programm, das solche Informationen per Knopfdruck fand, sie mit verständlichen Sätzen untermauerte, alles formatierte und es dann als hübschen Bericht ausdruckte?

Eschenbach nahm den Telefonhörer und zog die Mappe zu sich. Der Reihe nach probierte er alle Telefonnummern, die Claudio ihm im Zusammenhang mit Peter Dubach aufgeschrieben hatte. Die zweite war seine eigene Büronummer – der Kommissar merkte es erst bei der vorletzten Ziffer. Er nahm die nächste.

»Hallo?« Es war die Stimme einer Frau.

»Kantonspolizei Zü…« Eschenbach biss sich auf die Unterlippe. »Eschenbach.«

»Kandoneszei zü Eschendrach?«

Am anderen Ende war entweder ein Kind oder eine Ausländerin.

»Wer spricht da?«, fragte der Kommissar. »Ich hätte gerne Herrn Dubach, Peter Dubach.«

»Frau Dübach?«

»Nein … Ich meine ja. Geben Sie mir Frau Dubach.« Der Kommissar sah, dass es die Nummer der Mutter des Vermissten war, die er gewählt hatte. Eine Adresse in Meilen.

»Frau Dübach ist Klünük«, sagte die Stimme.

Nach mehrmaligem Nachfragen und Buchstabieren fand der Kommissar heraus, dass er mit der Putzfrau von Peter Dubach sprach und dass die Mutter des Vermissten, Frau Dubach, sich derzeit in einer Klinik in Rüschlikon befand.

»Rüschlikon … Ich solle buchstabiere?«

»Nein, es geht. Nur die Telefonnummer.«

Es dauerte eine Weile, dann hatte Eschenbach die Nummer notiert.

Bei der Klünük handelte es sich um das Sanatorium Rosen,

eine Privatklinik zur Behandlung von Menschen mit psychischen Problemen, wie Eschenbach später auf der Webseite des Instituts herausfand.

»Wir können Sie nicht mit Frau Dubach verbinden«, sagte eine freundliche Dame. »Der Kontakt zu Frau Dubach ist einzig Familienmitgliedern vorbehalten.«

»Ich bin ihr Bruder«, sagte Eschenbach.

»Ihr Name?«

»Hans«, sagte der Kommissar, ohne zu zögern.

Geräusche einer Tastatur erklangen. »Frau Dubach hat keinen Bruder.«

Es klackte, und die Leitung war tot.

»*Systema Automatica*«, murmelte Eschenbach und blickte hinüber zu den Stichen des alten Zürich, die goldgerahmt an der Wand hingen.

Das Sanatorium Rosen lag idyllisch am Hang. Ein altes Gebäude mit einem Park, in dem knorrige Kastanienbäume melancholisch hinunter auf den Zürichsee blickten.

Eschenbach zeigte seinen Polizeiausweis. »Ich bitte um ein kurzes Gespräch mit Frau Dubach … im Zusammenhang mit einer Vermisstenmeldung.«

Die Dame am Empfang nickte. »Dubach, Gisela«, las sie vom Bildschirm, »Abteilung D – das wird schwierig.«

»Nur kurz«, sagte Eschenbach.

»Kurz oder lang ist nicht das Problem.«

»Sondern?« Eschenbach hob den Kopf.

»Frau Dubach ist in der geschlossenen Abteilung … Aus verständlichen Gründen haben dort nur Familienangehörige Zutritt.

Eschenbach, dem nicht klar war, ob er die Gründe verstanden hatte, sagte: »Ich bin Polizist … Kriminalpolizei, Zürich. Es geht um den Sohn von Frau Dubach. Ich verspreche Ihnen, dass …«

»Sie müssen mir nichts versprechen«, sagte die Dame kühl.

»Ich bin weder Frau Dubachs Ärztin, noch gehöre ich hier zum Pflegepersonal.«

»Natürlich«, sagte Eschenbach etwas mürrisch. »Sie befolgen nur die Vorschriften.«

»Ge-nau«, machte die Frau, nickte bei jeder Silbe und griff zum Telefon. »Heben Sie Ihre Überredungskünste für Frau Dr. Koch auf – sie ist die Ärztin auf Station D.«

Der Kommissar wartete eine Dreiviertelstunde auf der roten Ledercouch in der Empfangshalle. Er blätterte in ein paar Kunstbüchern und las die Hausbroschüre des Sanatoriums. Als die Ärztin endlich kam, war Eschenbach überrascht. Er hatte einen grauhaarigen Drachen erwartet, stattdessen kam ein blonder Engel: um die Taille Giacometti, mit einem Busen von Rubens.

»Erzählen Sie mir, was Sie von Frau Dubach wollen?«

Die junge Frau war auf Zack. Sie drückte nervös auf ihrem Kugelschreiber herum.

Klick-klack-klick.

Eschenbach brachte sein Anliegen vor. Während er sprach, fiel sein Blick – einem unbekannten Gravitationsgesetz folgend – immer wieder auf die Stelle, für die der weiße Kittel zwei Nummern zu klein war.

Es gab sie tatsächlich: Zwangsjacken!

Gehetzt durch die immer schneller werdende Taktfrequenz des Kugelschreibers, verlor der Kommissar zweimal den Faden.

Klack. »Aha«, sagte die Ärztin. »Frau Dubach hat uns gesagt, ihr Sohn wäre beim Militär. Wir haben sie gefragt ... weil sie diesmal allein gekommen ist.«

»Diesmal?«

»Frau Dubach kommt drei- bis sechsmal im Jahr zu uns. Sie leidet an einer seltenen Nervenkrankheit ... Mehr kann ich dazu nicht sagen.«

Klack.

»Wir behalten sie ein paar Wochen stationär, stellen die Medikamente frisch ein.«

Klick-klack.

»Normalerweise stabilisiert sich ihr Zustand, und wir können sie bis auf weiteres wieder entlassen.«

»Und?«

»Und.« Klick. »Was?«

»Wenn Sie normalerweise sagen ...« Der Kommissar hob fragend die Schultern.

»Dann bedeutet das«, klack, »dass sich Frau Dubachs Sohn bei uns meldet und«, klick, »seine Mutter später auch zu Hause weiterhin betreut.«

Eschenbach wartete auf das Klack, das aber nicht kam. Stattdessen forderte ihn zu seinem Erstaunen die Ärztin auf, mit ihr auf Station D zu kommen. Sie verließen das herrschaftliche Haus und steuerten auf ein zweites, deutlich hässlicheres Gebäude zu. Vielleicht war es ein Segen, dachte der Kommissar, dass die Abteilung geschlossen war und sich keiner der Insassen den schrecklichen Betonbau von außen ansehen musste.

Vorausgesetzt, dass es drinnen anders aussah.

Tat es aber nicht: Grauer Novilonboden und graue Wände empfingen sie. An ein paar Stellen hingen Bilder, kleine, kraftlose Aquarelle, die verloren wirkten und der drückenden Umgebung nicht standhalten konnten. Wer nicht depressiv war, musste es hier werden.

In den Gängen schlurften alte Menschen umher. Einige stützten sich dabei auf Gehhilfen und sahen finster zu Boden. Ein etwas jüngerer Mann um die sechzig kam langsam auf Eschenbach zu. Er stellte sich ganz nah vor den Kommissar hin und sah ihm in die Augen: »Das ist ein Inferno, ich warne Sie!«

Eine Schwester kam sofort herbeigeeilt, zog den Mann freundlich am Ärmel und lächelte.

»Polizei!«, kreischte jemand in Eschenbachs Rücken.

Der Kommissar fuhr zusammen und drehte sich um.

Dr. Koch winkte ab. »Keine Sorge, es sind nicht Sie gemeint.«

Sie gingen weiter, vorbei an einer kleinen Sitzgruppe mit billig wirkenden blauen Polstersesseln. Auf einem Beistelltisch aus Plastik stand ein Gesteck mit ausgefransten Trockenblumen.

»Erwarten Sie nicht zu viel«, sagte Dr. Koch, als sie im Büro der Ärztin angekommen waren. »Der äußere Schein trügt.«

Eschenbach fragte sich, welcher Schein gemeint war. Und er wunderte sich, als kurz darauf eine großgewachsene, schöne Frau Mitte sechzig ins Zimmer trat.

»Frau Dubach«, sagte die Ärztin.

Der Kommissar erhob sich.

Der Besuch im Klinikum Rosen war Eschenbach in die Knochen gefahren. Er merkte es am Zittern seiner Knie und der tattrigen Art, mit der er sich hinters Steuer seines dunkelblauen Mercedes E 350 setzte und losfuhr. Rosa hatte ihm den Geschäftswagen organisiert, vermutlich weil sie wegen der Volvo-Geschichte noch immer ein schlechtes Gewissen hatte. Der Kommissar manövrierte den Wagen durch die engen Kurven hinunter auf die Seestrasse.

Äußerlich hatte Gisela Dubach rein gar nichts gefehlt. Sie war mit ihren kurzen schwarzen Haaren und dem perfekt sitzenden Kostüm von Chanel sogar eine äußerst attraktive Erscheinung. Eine alternde Audrey Hepburn. Erst als sie miteinander sprachen, hatte er gemerkt, wie wenig sie noch von dieser Welt war. Und als sich Eschenbach nach einer knappen halben Stunde verabschieden wollte, hängte sich Gisela Dubach bei ihm ein und sagte: »Peter, du nimmst mich jetzt mit ... Wie immer, gell?«

Die ganzen Kehren hinunter zum See hatte der Kommissar dieses Bild vor sich: die verwirrte Frau, wie sie von zwei Pflegern in den großen Bettenlift gebracht worden war, wie sie ihn flehend angestarrt hatte, bevor sich die metallenen Schiebetüren mit einem dumpfen Geräusch geschlossen hatten.

Unten am Hang, vor einer der letzten Kehren, trat Eschenbach aufs Gaspedal und drückte die edle Limousine um die

Kurve, wie Jo Siffert im Bergrennen von St. Ursanne. Es ist die Angst – sie reißt uns in den Abgrund –, nicht genau in diesen Worten zwar, aber in ungefähr diesem Kontext hatte Dr. Koch ihm das Problem vieler ihrer Patienten umschrieben.

Warum ließ sich Angst nicht einfach überwinden? Eschenbach merkte, wie sein Heck ausbrach, wie sein Wagen schlingernd von der Straße abkam und nur dank einer Thujahecke wieder zurück auf die Fahrbahn gelangte. Das Zittern seiner Knie verstärkte sich. Es war das Alter, nicht der Tod, vor dem ihm graute. Auf der Seestrasse, nach ungefähr fünfhundert Metern, hielt er an und blickte auf das blau schimmernde Wasser des Zürichsees. Wann war er das letzte Mal einfach so hineingesprungen?

Eine Viertelstunde später, nass und nur mit seiner Unterhose bekleidet, stand der Kommissar wieder vor seinem Wagen. Eine kühle Brise fegte das erste Herbstlaub über die kleine Rasenfläche am Ufer. Er fühlte sich wie Kirk Douglas in *Spartacus*. Das Zittern war weg, dafür schlotterte er wie Espenlaub. Aber das machte nichts, er spürte sein Herz, wie es kraftvoll das Blut durch die Adern pumpte und wie sein Kopf wieder klar wurde.

Nachdem er sich angezogen hatte, rief er Claudio Jagmetti an.

»Wir müssen diesen Dubach finden«, sagte er ohne große Umschweife.

»Der ist doch über alle Berge.«

»Nein.«

»Er wäre nicht der Erste, der mit ein paar geklauten Bankdaten verschwindet«, argumentierte Claudio. »Und der sie dann an die Deutschen oder die Franzosen … oder an was weiß ich wen verhökert und sich irgendwo auf einer Südseeinsel ein schönes Leben macht.«

»Nein und nochmals nein«, sagte Eschenbach.

Dubach war ein Sohn, der sich um seine Mutter kümmerte. Dies stand außer Zweifel. Er hatte sie in die Klinik gebracht, dort regelmäßig besucht und wieder abgeholt. Immer. Dubach ging im Klinikum Rosen ein und aus. Es war unmöglich, dass er einfach verschwand. Aber weil es Dinge gab, die man erst begriff, wenn man älter wurde, verschwieg der Kommissar seine Überlegungen. Claudio war ein junger Mensch, das Altwerden war für ihn so weit weg wie ein Begriff aus einem Chinesisch-Wörterbuch.

»Ich weiß es, Claudio. Peter Dubach ist entweder tot, oder es ist ihm etwas zugestoßen.«

»Aha.«

»Genau.«

Eine kurze Pause entstand.

»Sucht ihn verdeckt, wenn's irgendwie geht«, nahm Eschenbach das Gespräch wieder auf. »Keine Presse also. Ich möchte nicht, dass die ganze Welt davon erfährt. Nicht jetzt.«

»Okay«, willigte Jagmetti ein.

»Ich hab mir ein paar Dinge aufgeschrieben«, sagte Eschenbach. Er nahm die Notizen vom Beifahrersitz. »Festungstruppen … es ist möglich, dass er im Militär bei denen war.«

»Von mir aus«, sagte Claudio. »Ich werde der Sache nachgehen.«

Der Begriff, den Gisela Dubach verwendet hatte, war »Festungsclub« gewesen – Eschenbach hatte ihn exakt so aufgeschrieben. Aber so etwas gab es in der Schweizer Armee nicht.

Kapitel 13

Lenz studiert

Nach dem Gespräch mit Claudio rief Eschenbach seinen Freund Ewald Lenz an. Aber es nahm niemand ab. Bestimmt war Lenz im Garten, säuberte seinen Seerosenteich oder lag einfach nur im Schatten der alten Weide. Ein Handy benutzte der Alte nie. Der Kommissar fasste den Entschluss, Lenz persönlich aufzusuchen. Ein kleiner Abstecher, denn der Hügel, an dem Lenz wohnte, lag auf der gegenüberliegenden Seeseite, direkt vis-à-vis.

Dass aus dem kleinen Abstecher ein großer wurde, verdankte der Kommissar Arnold Bürkli. Der Stadtingenieur hatte 130 Jahre zuvor das Nadelöhr zwar nicht erfunden, es mit seiner Quaianlage am See aber nahezu perfekt umgesetzt. Der Platz vereinte alles, was der moderne Verkehr zu bieten hatte: Heerscharen von Passanten, die – entweder vertieft in ihre Geschäftsideen oder hingerissen vom Bergpanorama im Südosten – so abgelenkt waren, dass sie glaubten, sie wären die einzigen Menschen auf Erden. Und so sahen sie nicht die Fahrradfahrer kommen – ihnen voran die Kuriere, die in freier Interpretation der Verkehrsregeln mal links, mal rechts und mal mittendurch flitzten.

Möge Gott sie beschützen!

Hinzu kamen fünf Tram- und zwei Buslinien, die in Abständen von nur wenigen Minuten aus drei Himmelsrichtungen aufkreuzten und den Platz forsch, im Wissen um ihr Vortrittsrecht, überquerten.

Und dann waren da natürlich die Schiffe: die Dampfer und Motorboote der Zürichsee-Schifffahrtsgesellschaft, deren wichtigste Anlegestelle auch die vierte Himmelsrichtung im Seebecken in Beschlag nahm.

In diesem Chaos, gezwungenermaßen langsamer als alle bisher genannten Verkehrsteilnehmer, bewegten sich die Automobilisten. Sie taten es fluchend, mit einem Telefon am Ohr oder frei sprechend, manchmal auch mit Geschäftsunterlagen auf den Knien. Immer ungeduldig, und das war eigentlich erstaunlich, weil es sich beim Dauerstau vom General-Guisan-Quai bis zum Bellevue um eine vorhersehbare Größe und nicht um ein einmaliges Naturereignis handelte.

Langsamkeit – auch wenn sie städteplanerisch verordnet wurde – war Zürichs Sache nicht. In dieser Hinsicht wollte man an der Limmat eine Metropole sein und mit der übrigen Schweiz nichts zu tun haben. In Zürich war Geduld keine Tugend. Im Gegenteil. Vermutlich hatte Arnold Bürkli dies bereits geahnt und der Stadt und ihren Bewohnern mit seinem Platz einen Prüfstein verordnet, an dem sie sich bis heute die Zähne ausbissen, und zwar lautstark:

»Arschloch!«

»Wichser!«

»Penner!«

Mit Hupen und ausgestrecktem Mittelfinger.

Eschenbach schreckte hoch, denn er merkte plötzlich, dass er auf der Höhe des Anlegestegs kurz eingenickt war.

»Selber Arschloch!«, rief er und kroch weiter.

Die alte Mühle an der Forchstrasse lag oben am Hang, zwischen dem Stadtteil Hottingen und dem Friedhof Enzenbühl. Eine herrliche Wohnlage, bei der man den Quadratmeter Erde mit Gold aufwog.

Das altmodische Anwesen, in dem Lenz drei Zimmer bewohnte, hätte es ohne Denkmalschutz wohl nicht in die heutige Zeit geschafft. Schiefe Wände, knarrende Holzböden und ein Hausgeist – es war ganz nach Lenzens Geschmack. »Wenn ich auf Zürich hinunterblicke, auf den See und den Uetliberg – ich kann's anstellen, wie ich will –, immer sehe ich auch das Burghölzli, direkt vor meinen Augen.«

Tatsächlich grenzte die berühmte Psychiatrische Anstalt direkt an das Grundstück, ein Umstand, der für den schwarzen Humor des Alten wie geschaffen war.

Außer Lenz wohnte in dem Fachwerkbau ein Geigenbauer mit seiner Familie, er arbeitete auch dort und sah gelegentlich bei Ewald nach dem Rechten.

»Er ist weg, Herr Kommissar.«

Eschenbach musterte den »kleinen Sebastian«, inzwischen ein schlaksiger junger Mann von eins neunzig, der ihm bereits auf dem Kiesplatz entgegengekommen war.

»Ich dachte, Sie wissen das.«

»Wissen was?«

»Herr Lenz studiert Kunstgeschichte in Florenz, schon seit diesem Sommer.«

»Kunstgeschichte.«

»Yep«, machte Sebastian, grinste schelmisch und zog dabei an seiner Wollmütze. »Cool, oder?«

Eschenbach wusste nicht, ob die Mütze oder Lenz gemeint war. »Ich war in Kanada, deshalb.«

»Ich weiß … Er hat's mir gesagt. Yeah – ist auch cool, Kanada.«

»Yeah«, wiederholte der Kommissar.

»Jede Woche kommt eine Karte mit Botticelli, Raffael und dem nackten David. Und er hat geschrieben, wir sollen Ihnen einen schönen Gruß ausrichten. *Tanti saluti.*«

Eschenbach lachte. Wie um alles auf der Welt war Lenz auf die Kunst gekommen? »Hast du … ich meine Sie, haben Sie eine Nummer, wo ich ihn erreichen kann?«

»Du ist schon okay«, sagte Sebastian. »Ich hol sie … Wollen Sie reinkommen?«

Eschenbach schüttelte den Kopf. »Ich mach ein paar Schritte, bin unten im Garten, Sie können mir die Nummer einfach ins Auto legen.«

»Du.«

»Ja, natürlich.«

Der Kommissar folgte dem Weg, der ums Haus herum führte, stieg die paar Stufen hinunter und blieb vor dem Eingang zu Lenz' Wohnung stehen. Nach einem kurzen Zögern drückte er die Türfalle, öffnete die Tür einen Spalt weit und schloss sie wieder. Erleichtert atmete er auf und ging weiter in den Garten. Es war eine Marotte des Alten, dass er seine Wohnung nie zuschloss. Auch dann nicht, wenn er wegging.

Die Welt war nicht aus den Fugen geraten.

Gut gelaunt und mit einem leichten Herzen blieb der Kommissar eine Weile am Seerosenteich stehen. Von den weißen Blüten, die von Frühling bis tief in den Sommer wie Königinnen auf ihren Blättern thronten, war nicht mehr viel zu sehen. Schlammiges Grün überzog das Wasser, und die Buchenhecke am Ende des Gartens rostete still in den Herbst hinein.

Nach einer Viertelstunde ging er zurück zum Auto und fuhr los. Auf dem Weg zur Bank wählte Eschenbach die Nummer, die ihm Sebastian auf einen Zettel geschrieben hatte. Die Leitung war besetzt und blieb es auch, über eine halbe Stunde lang. Mit wem sprach Lenz so lange, er, der normalerweise so wortkarg war wie ein Bauer in der March?

Als Eschenbach gegen sieben Uhr abends in der Banque Duprey aus dem Aufzug trat, sah er, dass Rosas Arbeitsplatz noch immer hell erleuchtet war.

»Werden Ihnen die Überstunden eigentlich bezahlt?«, fragte er mit einem Augenzwinkern.

»In einer erfolgreichen Bank rechnet man nicht in Überstunden, weil, die Leistung schlägt sich nämlich im Bonus nieder …«, murmelte Rosa, ohne ihren Blick vom Bildschirm abzuwenden.

Dann sagte sie: »*Et voilà*«, drückte die Enter-Taste und lehnte sich in den Stuhl zurück.

Der Kommissar war schon weitergegangen, als er Rosa rufen hörte.

»*Monsieur!*«

Er ging zurück und sah Rosa tief in die Augen: »Sie arbeiten gar nicht, Frau Mazzoleni. Sie lernen Französisch.«

»*Non, pas du tout.*«

»Was nicht?«

»Weil ich schon fließend Französisch spreche«, sagte sie mit dem berühmten Lächeln jener Mona L., der das schwere Schicksal zuteilgeworden war, als Italienerin in einem französischen Museum ausgestellt zu werden.

»Es ist die Sprache der Banquiers«, sagte sie. »Man sagt Banque Duprey, Banque Pictet, Banque Cantonale Vaudoise … und im Übrigen schreibt man Crédit Suisse mit Aigu, wohlverstanden.«

Eschenbach nickte anerkennend.

Rosa nahm einen Bankauszug: »Und wissen Sie, was hier überall draufsteht?« Sie zeigte mit dem Finger auf die Fußzeile.

»Irrtum eingeschlossen, ist ja logisch«, sagte er. Als *Compliance Officer* hatte er als Erstes gelernt, alles – aber wirklich auch alles – sofort mit dem Stempel des Haftungsausschlusses zu versehen. *Disclaimer* hieß das Ding in der Fachsprache. Und darin stand: a) Nichts darf verwendet werden (für oder gegen wen oder was spielte keine Rolle); b) nichts entspricht im Zweifelsfall der Wahrheit; c) usw., usw. – es waren Sätze, die von angelsächsischen Rechtsmühlen gedrechselt und anschließend geschliffen und poliert worden waren, als handelte es sich dabei um die englischen Kronjuwelen.

»Es ist eben nicht logisch«, insistierte Rosa. »Hier steht S.E.O. – das ist französisch, und man hat es schon auf Bankauszüge geschrieben, als das Wort ›*Compliance*‹ noch gar nicht existierte.«

»Ach ja?« Eschenbach hob das Kinn. »Und was heißt das?«

»*Sans Erreurs et Omissions.*«

»Ohne Furcht und Tadel«, übersetzte Eschenbach frei.

»Sie nehmen mich nicht ernst«, sagte Rosa. Sie richtete den Blick wieder auf den Bildschirm. »Aber das hier … Schauen Sie einmal. Ein Report, Sie erinnern sich. Sie haben mich doch gebeten, einmal nachzuforschen, was mit diesen Geldern passiert ist.«

Eschenbach nickte. »Knappe zehn Milliarden, die über die letzten fünf Jahre abgezogen wurden. Genau.«

»Ich weiß nicht, ob sie abgezogen wurden«, sagte Rosa etwas unsicher. »Das ist es ja gerade.« Sie deutete mit dem Finger auf eine Zeile auf dem Bildschirm. »Sehen Sie, das ist eine ganz normale Transaktion, von A nach B über SIX Interbank Clearing. Links steht der Absender, rechts der Empfänger.«

»Wie bei der Post«, sagte Eschenbach.

»Genau. Und hier, auf dieser Maske …«

Rosa klickte durch ein Menü, gab Identifikationsnummer und Passwort ein, fuhr mit der Maus auf dem Pad herum und summte ein italienisches Volkslied, das Eschenbach schon hundertmal gehört, dessen Namen er sich aber nie hatte merken können.

»Hier, sehen Sie, exakt das meine ich.«

»Ein Nummernkonto.«

»Ja, auch«, sagte Rosa. »Aber das ist nicht das Entscheidende.«

»Sondern?«

»Der Empfänger.«

Eschenbach, der sich inzwischen auf Rosas Schreibtisch gesetzt hatte, blickte von der Seite und mit zusammengekniffenen Augen auf den Bildschirm.

»Wo?«

»Nirgends, das ist es ja. Der Empfänger fehlt.« Rosa sagte es mit der stillen Freude, eine Pointe an der richtigen Stelle platziert zu haben. »Da staunen Sie, Kommissario, oder? Das ist, wie wenn Herr Müller, der natürlich ein Nummernkonto bei uns hat, sein Geld hier oben zum Fenster hinauswirft. Wir wissen dann nämlich nicht, wer es unten auf der Rämistrasse aufhebt. Und wir wissen genauso wenig, wohin es dann weitergeht, mit dem guten Geld.«

»Es fällt aus dem System«, sagte Eschenbach spontan.

»Sie sagen es, Kommissario. Es fällt aus dem System.«

Eschenbach dachte scharf nach, biss sich auf die Unterlippe: So einfach war es nicht. »Wir können Herrn Müller fragen, wo sein Geld ist. Herr Müller, der ein Nummernkonto hat, aber den wir natürlich kennen – kennen müssen.«

»Ich habe keinen Zugriff auf die vielen Müllers.« Rosa hob die Schultern. »Aber es würde uns auch nicht weiterhelfen, weil Herr Müller nicht verpflichtet ist, uns zu sagen, wohin er sein Vermögen bringt. Er könnte es ebenso bar abheben, in einen Koffer packen und einfach verschwinden.«

»Zehn Milliarden in bar.« Eschenbach schüttelte den Kopf. »Das ist doch Blödsinn. Haben Sie denn nichts gefunden ... Ich meine etwas, das vernünftiger daherkommt.«

Rosa seufzte. »Ich habe wirklich nachgeforscht ... Hier«, sie tippte mit dem Finger auf den Bildschirm. »Das System gibt mir immer denselben Eintrag: *réduit*.«

»*Réduit?*«

»Das ist auch französisch.«

»Ich weiß das auch, Frau Mazzoleni. Das Verb heißt *réduire* und bedeutet kürzen, streichen ...« Eschenbach hatte es von Rosas Notizblock abgelesen. Sie hatte sämtliche Konjugationen aufgeschrieben, Redewendungen und dergleichen. Mit ihrer Kalligraphiefeder und wie immer mit grüner Tinte. Es war eine schwungvolle Handschrift, die Rosa führte und bei der Eschenbach manchmal das Gefühl hatte, er kenne sie besser als seine eigene.

»*Je réduis, tu réduis, il réduit, nous réduisons ...*«

»Sie brauchen das hier gar nicht abzulesen und so zu tun, als wüssten Sie's«, unterbrach ihn Rosa etwas gereizt. »Die Bedeutung ist nämlich vielschichtig. Ich bin halt so mit Sprachen, probier einfach mal rum … und sehen Sie«, Rosa deutete auf den Schreibblock, »zusammen mit *être* hat es auch die Bedeutung von *gezwungen sein zu*. Also, ich find das sowieso komisch, wenn das hier steht. Vielleicht sprechen Sie den Herrn Banz einmal darauf an. Er müsste schließlich wissen, wohin seine Milliarden gehen. Wir können dann immer noch mit jemandem von der Revision reden.«

»Drucken Sie mir das bitte aus«, sagte Eschenbach und wies mit dem Kinn in Richtung Bildschirm. »Ich werde Banz gleich morgen darauf ansprechen.«

»Ausdrucken geht nicht … Eine Sicherheitsmaßnahme des Systems«, Rosa grinste. »Aber wir können es fotografieren.«

»Wenn wir einen Fotoapparat hätten.«

Rosa sah Eschenbach lange und durchdringend an. »Kommissario«, sagte sie.

Aber der Kommissario kam nicht drauf.

»Geben Sie es mir bitte.« Sie sprach leise, wie zu einem Kind.

»Was denn?«

»Ihr neues iPhone. Es macht wunderschöne Fotos … und ich wollte schon lange einmal darauf herumspielen.«

Nachdem Rosa gegangen war, holte Eschenbach den Zettel mit der Nummer von Lenz hervor und rief an. Es meldete sich eine Frauenstimme auf Italienisch. Weil der Kommissar nur mit den Händen Italienisch sprechen konnte und weil die Dame am anderen Ende der Leitung – ungeduldig, wie sie war – Eschenbachs deutsche Sätze mit seiner italienischen Pantomime nicht zusammenbrachte, wurde nichts aus dem Gespräch.

Niente.

Genervt legte der Kommissar auf. Er musste Rosa damit beauftragen, weshalb nur kam ihm dieser Gedanke erst jetzt?

Er trank seinen Espresso, zündete sich eine Brissago an und

nahm noch mal die Akte zur Hand, die Claudio ihm über Dubach zusammengestellt hatte.

Er sah sich das Foto des *Compliance Officer* an und studierte den Text. Die Informationen waren dünn. Fast kläglich, fand Eschenbach. Er wunderte sich, wie man im Zeitalter von Internet und Wikileaks über eine Person so wenig zusammentragen konnte. Keine Mitgliedschaften bei Gesangs-, Schieß- oder Sportvereinen. Keine Präsenz auf Twitter, Facebook oder sonst einem Netzwerk, das die Recherche über Personen immer einfacher machte. Dubach hatte eine Wohnung, einen Telefonanschluss, und er bezahlte seine Rechnungen pünktlich.

Entweder war er ein Einzelgänger, oder aber er verstand es meisterhaft, sich im Schatten zu halten und seine Kontakte zu verschleiern.

War Peter Dubach doch ein Krimineller, der bewusst – und im Hinblick auf eine Datenklauaktion – alle seine Spuren verwischte? Einiges deutete auch darauf hin.

Weniger spartanisch waren die Angaben zu seiner Mutter, Gisela Dubach. Beinahe üppig verzettelte sich ein engagiertes Frauenleben über drei Seiten Papier. Studium der Dentalmedizin (als alleinerziehende Mutter), dann über dreißig Jahre Zahnärztin in einer Gemeinschaftspraxis im Seefeld. Politisch aktiv: zuerst in der Schulpflege, dann für die FDP im Gemeinderat von Meilen.

Mit 56 Jahren kam der Zusammenbruch. Viel zu früh, so wie alles viel zu früh kam, was Gisela Dubach an Schmerz und Leid in ihrem Leben zu ertragen hatte: der Tod ihrer Mutter, als sie gerade einmal fünf Jahre alt gewesen war. Der Vater, der fehlte, sie wurde offenbar von einer Tante großgezogen, und dann die frühe Heirat mit einem Mann, der sie verließ, noch bevor der gemeinsame Sohn das Licht der Welt erblickte.

Nur Peter war ihr geblieben. Peter Dubach, über den niemand etwas wusste, außer vielleicht sie selbst. Eschenbach sah sich nochmals die Notizen an, googelte den *Festungsclub*, den er sich aufgeschrieben hatte. 248 000 Einträge, aber nichts, worauf sich der Kommissar einen Reim hätte machen können.

Mit brennenden Augen und dem Gefühl, etwas Wichtiges übersehen zu haben, verließ er kurz vor ein Uhr morgens die Bank durch den Personalausgang.

Die Luft war kühl draußen, es roch nach Herbst. Der Kommissar schlug den Kragen hoch und blickte hinauf in den Himmel. Keinen einzigen Stern konnte er ausfindig machen. Eine milchige Wolkendecke hing über den Häusern am Zürichberg. Eschenbach hatte sich bereits in Bewegung gesetzt, als er nochmals hochblickte. Im obersten Stock der Banque Duprey brannte noch Licht. Es war die Etage, in der auch Banz sein Büro hatte.

Wenn der CEO einer Privatbank um diese Zeit noch arbeitete, war dies ein gutes oder ein schlechtes Zeichen? Für die Kunden, für die Aktionäre oder für ihn selbst?

Der Kommissar wusste es nicht.

Kapitel 14

Der Befehl des Generals

Der Personaleingang der Banque Duprey war das, was man in der Sicherheitstechnik als *state of the art* bezeichnete.

Jeder Mitarbeiter musste, wenn er kam oder ging, durch eine Schleuse, eine Art gläserne Drehtür, die so konzipiert war, dass nur eine einzige Person darin Platz fand. Zutritt und Austritt erfolgten durch magnetische Impulse, die von der persönlichen Badgekarte des jeweiligen Mitarbeiters ausgelöst wurden. Als die Angestellten der Bank vor fünf Jahren mit dieser Technik vertraut gemacht wurden, hatte man ihnen ein Geheimnis verraten: Der Boden der Schleuse war eine Waage, die das Eintrittsgewicht der Angestellten maß, es mit den gespeicherten Daten der Person und mit deren Austrittsgewicht verglich und entsprechend den Übereinstimmungen der Daten den Weg freigab oder eben nicht.

Es war ein ausgeklügeltes System, dem man auch Respekt zollte, aber man stand ihm – und dies vor allem in der weiblichen Belegschaft – mit allergrößter Skepsis gegenüber. Wie viel durfte man essen? Durchfall war ebenso ein Thema wie Verstopfung, und was machte man mit den Trainingstaschen, die man mitnahm, weil man über den Mittag ins Fitnessstudio ging? Und shoppen? Ging das überhaupt nicht mehr – oder höchstens bei leichtgewichtiger Lingerie?

Wie alle Systeme, die von hochtrabendem Intellekt und beinahe paranoider Beflissenheit konstruiert wurden, fand auch die Zutrittskontrolle der Banque Duprey ihren Lehrmeister in der

Alltagstauglichkeit. Es hatte beinahe täglich Alarme gegeben. Die morgendliche Kolonne, die sich wie bei einem Skilift entlang der Rämistrasse bildete, hatte sie zum Gespött aller gemacht.

Weil das System weder Rang noch Namen kannte, blieben auch die Partner und Direktoren der Bank regelmäßig stecken. Diese erregten sich über den entstandenen Zeitverlust, über die Wartungskosten und darüber, dass die Anlage weitaus teurer gekommen war als im Steuerungsausschuss geplant. Besonders ärgerte sie jedoch die Tatsache, dass die Belegschaft abends nicht rechtzeitig aus der Bank konnte. Weil die Austrittskontrolle mit dem Zeiterfassungssystem gekoppelt war, entstanden so Tausende von Überstunden, in denen nichts Produktives geleistet wurde.

»Willkommen im Kommunismus!«, hatte Banz gebrüllt, in einer Sitzung, die speziell zu diesem Thema angesetzt worden war. »Wenn wir unsere Leute fürs Warten bezahlen, dann hört der Spaß auf. Es ist mir völlig egal, wie Sie das anstellen, meine Herren ...«

Die Leute der Sicherheitsfirma, die den Partnern von Duprey am langen Besprechungstisch gegenübersaßen, nickten, noch bevor Banz zum eigentlichen Punkt gekommen war.

»Ab morgen funktioniert diese Scheißtür wieder, und es ist mir völlig egal, wie Sie das anstellen!«

Für die Sicherheitsleute war dies der einfachste Teil des ganzen Auftrags gewesen. Sie programmierten noch am selben Abend die Gewichtstoleranzen neu und verfassten eine abschließende (und astronomische) Honorarnote für den, wie sie schrieben, nicht unerheblichen Mehraufwand.

Es hatte nie mehr einen Alarm gegeben. Und weil das System allseits als absolute Fehlinvestition betrachtet worden war, wurde das Thema auf keiner der Geschäftsleitungssitzungen je wieder aufgegriffen.

Judiths Besorgnis war also völlig unbegründet, als sie mit dem vier Kilo schweren Laptop ihres Chefs in die Schleuse trat. Alles funktionierte wie immer: Türe auf – Türe zu – Türe auf.

Mit einem Seufzer der Erleichterung trat sie ins Freie, stand auf dem Gehsteig der Rämistrasse, exakt an jener Stelle, an der Eschenbach eine Stunde zuvor ebenfalls gestanden hatte.

Sie blickte nach links und nach rechts. Zwei Hotels kannte sie, die ungefähr in Reichweite lagen: der Florhof, oben bei der Akademie, und unten am Utoquai das Helmhaus. Unter normalen Umständen hätte sie nicht lange überlegt, aber so, wie sie aussah – sie musste sich etwas einfallen lassen.

Aber was? Judith versuchte einen klaren Gedanken zu fassen. Sie presste den Laptop fest an die Brust, ging die zweihundert Meter bis zum Bellevue, überquerte den Platz in Richtung See, setzte sich an die Uferböschung und zog Jackett und Bluse aus. Ihre alte Wunde über dem rechten Auge war aufgeplatzt, und auch ihre Nase schmerzte. Sie wusch ihr Gesicht mit Seewasser.

Was Judith über Blut wusste, hatte sie von Ernest. Er kannte jeden Trick, wenn es darum ging, Flecken zu entfernen. Der größte Fehler bestand darin, heißes Wasser zu nehmen, denn durch die Hitze gerannen die Eiweiße im Blut, und die Schlacht war an allen Fronten verloren. Wenn man schnell reagierte, ließ sich Blut mit kaltem Wasser beinahe mühelos entfernen. Löste man ein Aspirin, also Acetylsalicylsäure, darin auf, waren die Blutflecke später nicht mehr nachzuweisen.

Judith sah sich um. Es gab einige Leute, die sich an diesem Samstagmorgen, kurz nach zwei Uhr, am Seeufer tummelten. Ein schwules Paar machte sie aus, eine Gruppe von Jugendlichen, die sich gegenseitig stützten und von denen sich der eine wenig später übergeben musste. Sie alle waren zu sehr mit sich selbst beschäftigt oder zu betrunken, als dass sie Judith beachtet hätten.

Judith tauchte die Bluse mit den Blutspritzern ins kalte Seewasser und sah zu, wie der Stoff allmählich wieder seine ursprüngliche hellrosa Farbe annahm. Obwohl Judith am ganzen Körper zitterte, nahm sie sich Zeit. Dabei zählte sie in Gedanken die Spielkarten durch: vom Kreuz-Ass bis zur Karo-Zwei. Sie legte eine Karte nach der andern auf diesen imaginären grünen Filz, und als das ganze Spiel in vier vertikalen Reihen vor ihr lag, begann sie von neuem, so wie sie es immer tat, wenn sie sich beruhigen musste.

Als Judith mit ihrer Bluse zufrieden war, tat sie dasselbe mit Jackett und Hose. Weil diese Kleidungsstücke schwarz waren, konnte sie das Ergebnis zwar nicht sehen, aber sie wusste, dass es funktionieren würde.

Der Nachtportier im Hotel Helmhaus hatte sich die Geschichte vom eifersüchtigen Freund angehört und immer wieder mitleidvoll den Kopf geschüttelt: »Geben Sie mir Ihre Kreditkarte«, sagte er schließlich.

Judith gab sie ihm. Vermutlich hätte sie sich die Erklärung zu ihren nassen Kleidern sparen können. Der Mann, der ihr gerade das Gästeformular zur Unterschrift hinhielt, sah so aus, als hätte er alle Geschichten dieser Welt schon gehört. Die möglichen und die unmöglichen.

»Ich gebe Ihnen Zimmer drei, das ist im dritten Stock«, sagte er, als alle Formalitäten erledigt waren. »Und was Ihren Freund angeht, also wenn der Sie heute schon in den See stößt … Er wird Sie spätestens in zwei Jahren umbringen. Es gibt keine guten Männer mehr, heutzutage. Gute Nacht.«

Die heiße Dusche tat ihr gut.

Als sie sich vor dem Spiegel abtrocknete, sah Judith, dass ihre Oberlippe geschwollen war. Es war seltsam, dass sie es erst jetzt bemerkte. Banz hatte sie geschlagen. Aber sie konnte sich nicht an den Schmerz erinnern; nur eine leichte Taubheit fühlte sie nun, wenn sie mit der Zunge über die verletzte Stelle fuhr.

Wie konnte das nur passieren?

Sie war in Banz' Büro gewesen, in der Hoffnung, etwas über die dubiosen Geschäfte mit dem Kongo herauszufinden. Sie hatte keine Ahnung, wonach sie hätte suchen sollen. Eine Notiz, Verträge – irgendetwas halt. Dann hatte sie in der Schreibtischschublade diesen Laptop gefunden. Sie hatte ihn noch nicht ganz hochgefahren, als sie im Gang den Aufzug hörte. Gerade noch rechtzeitig, um alles wieder an seinen Platz zu legen und zu verschwinden. Warum war Banz zurückgekommen? Und woher hatte er gewusst, dass sie in seinem Büro war?

Judith erinnerte sich, wie er sie zu sich gerufen und zur Rede gestellt hatte. Keine zwanzig Minuten später. Und wie er gegrinst hatte, als sie ihn auf diese andere Sache ansprach.

Nur gegrinst und gelacht.

Dass sie das Kind einer Hure sei, hatte er ihr an den Kopf geworfen. Ein Hurenkind!

Aber das stimmte nicht. Das war einfach nicht wahr.

Und wie er dann auf sie zugekommen war, mit diesem geilen, gurgelnden Lachen – was hätte sie anderes tun sollen?

Wenn du nicht davonrennen kannst, dann wehr dich! Das hatte ihr Ernest schon eingebläut, als sie noch gar nicht wusste, gegen wen oder was sie sich zur Wehr setzen musste.

Der erste Schlag muss überraschend erfolgen. Der Gegner darf ihn nicht erwarten – und er muss Wirkung zeigen. Ernest nannte es den zentralen Leitsatz des Kampfs.

Der erste Schlag war ihr nicht geglückt. Judith sah sich im Spiegel noch einmal ihre geschwollene Lippe an, dann nahm sie den Bademantel, der an einem Haken an der Wand hing, zog ihn über und setzte sich aufs Bett.

Als sie den Laptop startete, wunderte sie sich, dass er nicht durch ein Passwort geschützt war. Banz war ein Sicherheitsfreak. Aber nach all den Pannen mit Zu- und Austrittskontrollen, den EDV-Lecks und undichten Firewalls, den Hackerattacken – Banz hatte ihr diese Geschichte erzählt, gleich am ersten Tag, als sie bei ihm angefangen hatte. Immer wieder hatte er an seiner Zigarre gezogen und ihr mit einem verschwörerischen Lächeln anvertraut, was er in seiner langen, gottverdammten Bankenkarriere in puncto Sicherheitssysteme erlebt hatte: »Ich verzichte auf diese dämlichen Bit-Verschlüsselungen. Jeder nur halbtalentierte Hacker knackt sie. Glauben Sie mir, der Einzige, den sie mit diesem ganzen Theater wirklich aussperren, ist der User, weil der dauernd die Passwörter vergisst. Es gibt bessere Methoden, um sein Eigentum zu schützen, effektivere. Stahltüren zum Beispiel und Panzerglas. Ich habe drei Dianit-Tresore in meinem Büro, da kommen Sie nicht einmal mit einer Panzerfaust rein ... und ein paar Dinge noch, die ich Ihnen nicht verraten kann.«

Der Laptop enthielt eine Menge Dateien, Judith öffnete sie zuerst wahllos. Sie suchte nach Kontenverbindungen, Namen und Adressen. So wie Paul Zimmer es beschrieben hatte, gab es große Geldabflüsse, die vermutlich in bar die Bank verlassen hatten. Geld, das einfach verschwand, ohne Bestimmung und ohne Empfänger.

Da die Kennzahlen der Bank auch so alle Anforderungen der Finanzmarktaufsicht erfüllten, hatte es nie einen Anlass zu einer Untersuchung gegeben. Dies hatte man ihr im Anschluss an die nächtliche Sitzung im St. Gotthard erklärt. Rein buchhalterisch sah es so aus, als hätten viele Kunden über eine längere Zeitspanne ihre Einlagen systematisch reduziert.

Das wäre durchaus plausibel. Es hatte Phasen während der Finanzkrise gegeben, da hatten Kunden in panischer Angst, sie verlören ihr Geld, ihre Ersparnisse von den Banken geholt, sie in Gold oder Edelsteine investiert oder einfach nur unters Kopfkissen gelegt. Es waren innerhalb von Tagen gewaltige Umschichtungen von Kapital vorgekommen, von den Privatbanken weg hin zu den Kantonalbanken, die ihrerseits über eine Staatsgarantie verfügten, weil sie den Kantonen und letztlich der Schweizerischen Eidgenossenschaft gehörten.

Dies alles gab es. Und dies alles hatte einen gemeinsamen Nenner, es war nämlich *unsystematisch*. Wie die Angst oder die Freude kannte auch der Finanzmarkt kaum eine Systematik.

Seine Welt war das Erratische, das Ängstliche oder Gierige, das Plötzliche und das maßlos Übertriebene.

Dass sehr viele Kunden über einen längeren Zeitraum immer wieder größere Beträge abhoben, war zwar nicht verboten, aber nicht sehr wahrscheinlich.

Dieser Argumentation folgend, vermuteten Judiths Auftraggeber vom SND und der FINMA, dass es sich bei der Banque Duprey umgekehrt verhielt, dass all dies nur Tarnung war. Vermutlich hatten wenige Kunden, im Gesamtkontext vielleicht ein paar hundert, riesige Beträge transferiert.

Zehn Milliarden Franken lautete die ungefähre Schätzung, auf die man sich geeinigt hatte.

Und die beiden Fragen, die alle gleichsam beschäftigten, waren: Wohin hatte man das Geld transferiert und warum?

Judith las ein paar Geschäftsbriefe, überflog Notizen und E-Mails. Sie sortierte die Files nach Typen: .DOC, .XLS, .PPT und so weiter. In einem der Unterverzeichnisse fand sie Präsentationen und Reden, die Banz zu verschiedenen Themen gehalten hatte. Ein anderer Bereich enthielt Quartalsberichte und Kennzahlen. Wenn sie die Dateien gründlich durchforsten wollte, brauchte sie Zeit. Die Batterieanzeige ließ ihr davon wenig. Eine Stunde und zehn Minuten – das reichte nicht. Sie würde sich am nächsten Morgen ein Netzkabel besorgen und dann in aller Ruhe eine Sicherheitskopie anfertigen, dachte sie.

Judith merkte, wie sie wieder zu frösteln begann, wie ihre Finger über der Tastatur zitterten. Sie war in eine Daunendecke gewickelt, mehr ging nicht.

Wenigstens die Hauptverzeichnisse wollte sie noch durchgehen, auch wenn ihre Namen wenig verheißungsvoll klangen. COMPL, FIN, STRAT usw. Es waren meist Abkürzungen, die einen Bezug zum Geschäftsfeld oder zur Organisationsform der Bank hatten. Beim Begriff REDUIT stutzte Judith.

Während ihrer Recherchen bei der FINMA hatte sie unzählige Namen, Abkürzungen oder Idiome gelesen. Manchmal hatte sie diese seltsamen Wortschöpfungen sogar übernommen, bewusst oder unbewusst. Aber REDUIT gehörte nicht in die Schatulle dieser seltsamen Wortschöpfungen, die die Finanzwelt mit ihrem alchemistischem Eifer hervorbrachte.

REDUIT bedeutete etwas ganz anderes: Als Begriff stand es für die Verteidigungsstrategie der Schweizer Armee während des Zweiten Weltkriegs. Angesichts der übermächtigen Bedrohung durch die Achsenmächte hatte General Henri Guisan den Plan entwickelt, das Gros seiner Streitkräfte in Festungsanlagen rund um das Schweizer Alpenmassiv zu konzentrieren. Das Schweizer Réduit wurde später zum Inbegriff des helvetischen Wehrwillens gegen das Dritte Reich.

Judith war dieser Plan von Kindesbeinen an geläufig, denn er war ein Steckenpferd von Ernest, der oft und gerne darüber philosophierte, weil er in der momentanen Finanzkrise eine ähnliche Bedrohung auf die Schweiz zukommen sah.

Judith klickte das Verzeichnis an und öffnete eines der Dokumente.

Es war die Kopie eines Schreibens des Generals an den Schweizer Bundesrat, datiert vom 12. Juli 1940.

Geheim

Ich habe folgenden Entschluss gefasst. Die Verteidigung des Landes wird nach einem neuen Grundsatz organisiert werden, demjenigen der Staffelung in der Tiefe …

Die Widerstandsstaffeln werden sein:
  – die Grenztruppen,
  – eine vorgeschobene oder Sicherungsstellung,
  – eine Alpen- oder Zentralraumstellung (réduit national), die im Osten, Westen und Süden durch
  – die einbezogenen Befestigungen von Sargans, St. Maurice und des Gotthard flankiert wird.

Die diesen drei Widerstandsstaffeln zugewiesenen Aufträge sind
die folgenden:
  – derjenige der Grenztruppen bleibt aufrecht;
  – die vorgeschobene oder Sicherungsstellung sperrt die Ein-
  fallsachsen in das Innere des Landes;
  – die Truppen der Alpen- oder Zentralraumstellung halten,
  mit größtmöglichen Vorräten versehen, ohne jeden Gedan-
  ken an Rückzug.

Aber es ist vor allen Dingen wichtig, dass die Bevölkerung auf
keinen Fall in der Richtung auf das Réduit zurückströmt, wo sie
den Erfolg der Operation in Frage stellen und nicht über genü-
gend Vorräte verfügen würde.

gezeichnet: General Henri Guisan

Beim Lesen des letzten Satzes durchfuhr Judith ein leichter
Schauer. Natürlich war nach dem Krieg allmählich bekannt geworden, was das Einschwenken des Generals auf eine Réduit-
Strategie bedeutet hätte: Bei einem Angriff wären die Grenzge-
biete und große Teile des Mittellandes mehr oder weniger
kampflos dem Feind überlassen worden.

Der Wehrwille der Schweiz – oder besser gesagt, der ihrer
Generalität – bestand in einer gigantischen Opferbereitschaft.
Dass man diese so konkret mit dem Bundesrat abgesprochen
hatte, befremdete Judith.

Weshalb hatte Banz dieses Schreiben auf seinem PC? Es war
eines jener Dokumente, die vielleicht für Historiker noch interessant waren, dessen aktuelle Bedeutung sich Judith aber nicht
erschloss. Weil sie noch immer fröstelte, zog sie die Daunendecke bis unter die Arme hoch. Die Batterieanzeige auf dem
Laptop schien die Minuten schneller zu zählen als die Uhr an
ihrem Handgelenk. Es blieb nicht mehr viel Zeit. Ihr Blick fiel
auf eine Reihe alphabetisch geordneter Files, die keine Typen-

bezeichnung hatten: AMOS, DANIEL, HABAKUK, HESEKIEL, HOSEA ... Judith klickte auf einen Namen, und als nichts geschah, auf drei weitere. Es passierte nicht das Geringste.

Während sie bei REDUIT nur ungefähr wusste, was gemeint war, hatte sie bei diesen Namen eine klare Vorstellung, woher sie stammten. Aber warum hatte Banz sie aufgeführt? Es war der Zusammenhang, der ihr fehlte. Sie suchte weiter und fand ein Icon mit der Bezeichnung DUB.MOV. Als sie es aufrief, öffnete sich eine Applikation, und ein kleines Fenster erschien:

Loading ...

Kapitel 15

Links und rechts der Limmat

Sekunden später wurde ein Film abgespielt, aufgenommen im Halbdunkel eines kahlen Raums, mit einem Handy oder einem Fotoapparat. Die Qualität war miserabel.

Ein Gesicht erschien in einer Nahaufnahme. »Es hat keinen Sinn ...«, keuchte der Mann. Die Haare klebten nass an seiner Stirn. Die Kamera schwenkte. »Lass es ... Ich kann nicht mehr.« Die Augen kamen zurück ins Blickfeld, sahen direkt in die Linse.

Judith wusste nicht, ob sie Angst oder Lust ausdrückten.

»Tu mir den Gefallen und lass es ...«

»Ach was!«

»Bitte!«

Die Kamera schwenkte wieder. Der Boden kam nun ins Blickfeld. Nur der Boden. Ein geometrisches Bild aus Platten und Fugen bildete die Kulisse für weiteres Keuchen und Stöhnen.

Judith sah auf die Batterieanzeige am oberen rechten Rand des Bildschirms. Es blieben noch fünfzehn Minuten.

Als das Gesicht wieder erschien, war es tropfnass. Ein Rauschen erklang. Judith starrte gebannt auf die Filmsequenz, die sich in einem kleinen Rechteck und in düsteren Farben vor ihr abspielte.

In diesem Moment klopfte es an der Tür.

Instinktiv drückte Judith auf die Taste, die den Ton am PC ausschaltete.

Stille.

* * *

Zur selben Zeit, auf der anderen Seite der Limmat, klingelte ein Handy. Hätte man eine Schnur durch die Luft gespannt, von der Stille hier bis zum Lärm dort, und hätte man die Distanz gemessen, es wären keine fünfhundert Meter gewesen.

Eschenbach schrak auf, als hätte bei ihm eine Bombe eingeschlagen. Er griff, ohne die Nachttischlampe anzuknipsen, nach dem Apparat, setzte sich sofort auf die Bettkante und rief zweimal laut »Corina!« ins Telefon.

Am anderen Ende war es ein paar Sekunden still. So still, dass Eschenbach im Dunkeln seinen Herzschlag hören konnte. Dann hörte er die Stimme von Claudio Jagmetti.

»Das ging jetzt aber verdammt schnell.«

»Claudio?«

Tiefes Schnaufen am anderen Ende der Leitung.

»Ja, ich.«

»Hab nur gedacht … weil in Kanada jetzt Tag ist. Aber vielleicht bin ich es einfach nicht mehr gewohnt, dass man mich mitten in der Nacht anruft.«

»Jagmetti – Claudio – Kriminalpolizei – Kanton – Zürich … Soll ich dir noch meine Dienstnummer vorlesen.«

»Bitte gern.«

»Banz ist tot.«

»Nein.«

»Doch.«

»Nein … Ich meine, das kann doch nicht sein.«

Stille.

»Wo?« Eschenbach drückte auf den Knopf der Nachttischlampe und blinzelte gequält im hellen Lichtschein.

»In der Bank, in seinem Büro.«

»Und wie ist das passiert?«

Claudio räusperte sich. »Erschossen. Habe ich das nicht schon gesagt?«

»Nein …« Eschenbach versuchte seine Gedanken zu ordnen. Er sah auf die Uhr. Noch vor ein paar Stunden war er dort gewesen und hatte das Licht gesehen. Zuoberst, im Büro von Banz.

»Wie konnte das passieren?«

»Was weiß ich, wie so etwas passiert ...« Claudio seufzte. »Wie immer halt. Wir sind erst vor einer Viertelstunde eingetroffen. Über den Notruf ... Eine Meldung war eingegangen, von der Securitas. Die kontrollieren das Gebäude in der Nacht. Ihr Sicherheitsmann hat Banz hier aufgefunden. Mehr wissen wir auch nicht.«

»Erschossen.«

»Ja. Ist immer deprimierend so was ... Du kennst es ja. Habe alles aufgeboten: Spurensicherung, die Forensische ... Den ganzen Zirkus. Wollte es dir einfach sagen, bevor du es anderweitig erfährst.«

»Ja, klar. Natürlich.«

»Mach's dann mal gut.«

»Ja.«

Herzattacke, Herzinfarkt, Herzstillstand ... Die häufigsten plötzlichen Todesursachen bei Bankern hatten mit dem Herzen zu tun. Und wenn Eschenbach etwas weiterdachte, dann hatte auch ein Selbstmord Platz auf seiner Liste. Bei Banz hätte ihn das überrascht.

Aber erschossen, so wie man ein Tier erlegte ... Womit eigentlich?

»Womit eigentlich wurde er erschossen?«

Aber Claudio war schon nicht mehr in der Leitung.

»Hallo?«, rief der Kommissar ins Telefon. Und obwohl er begriffen hatte, dass die Leitung tot war, fügte er noch hinzu: »Ich bin in zwanzig Minuten da ... und dass mir keiner vorher etwas anfasst!«

* * *

Judith wartete und starrte gebannt zur Tür.

Es klopfte wieder, diesmal energischer.

Sie reagierte blitzschnell, klappte den Laptop zusammen, steckte ihn unter die Decke, stand auf und zog den Bademantel eng um ihre Taille.

»Judith!«, rief es nun laut vom Gang, gefolgt von einem weiteren Klopfen.

Judith hatte die Tür noch nicht erreicht, als diese aufflog und ein Mann ins Zimmer stolperte, dicht gefolgt von einem zweiten.

»Scheiße, Judith … Verdammt noch mal.«

Kurt Imholz stand vor ihr und musterte sie von oben bis unten.

»Sag mal, spinnst du?« Judith sah den Mann an, für den sie bei der FINMA gearbeitet und der sie zusammen mit Paul Zimmer vom SND in diese ganze Sache hineingeritten hatte. »Ich habe geschlafen«, sagte sie mit dem Unterton der Empörung.

»So, so.«

Imholz warf einen Blick an ihr vorbei zum Bett. »Wo ist der verdammte Computer?«

»Was weiß ich …«

»Stell dich nicht so saublöd an. Das Ding hat einen Chip … Oder was meinst du, wie wir dich hier gefunden haben.«

Judith ging ein paar Schritte rückwärts. Sie realisierte, dass es wenig Sinn machte, wenn sie weiter Theater spielte.

»Ich hätte ihn morgen sowieso ins Büro gebracht …«

»Morgen.«

»Ja, verdammt! Es ist mitten in der Nacht …«

»Mach vorwärts, Judith … Rück das Ding raus, wir dürfen keine Zeit verlieren.«

»Warum?« Sie ging langsam zum Bett, riss die Decke hoch und fluchte. »Ihr kommt hier hereingestürmt wie ein Himmelfahrtskommando. Was ist eigentlich los?«

Imholz blickte zum zweiten Mann und nickte. »Beeil dich, sonst verreckt uns die ganze Scheiße, und alles war umsonst.«

Der Mann, der einen kleinen Aluminiumkoffer bei sich trug, ging zum Bett, setzte sich auf die Kante und machte sich am Laptop zu schaffen.

»Was hast du mit Banz gemacht?«, fragte Imholz, wieder an Judith gewandt.

»Er hat mich belästigt.«

Imholz schwieg.

»Meint ihr, ich lass mich von so einem durchknallen, nur damit ihr an euer Zeug kommt? Ihr spinnt wohl.«

Imholz schwieg noch immer. Er sog an seiner Oberlippe, blickte abwechselnd zum Mann auf dem Bett, dann wieder zu ihr.

Eine Weile verging, ohne dass jemand etwas sagte.

»Und?«, fragte Imholz.

»Und was?«

»Nicht du ...« Imholz ging an Judith vorbei zum Bett. »Ich meine den PC-Doc hier. Meinst du, wir kriegen's noch hin?«

Der Typ, der mit Kabeln und einer Reihe von Hightech-Geräten am Laptop von Banz herumoperierte, sog Luft durch die Vorderzähne: »Scheiße, Scheiße ... Es ist, wie ich vermutet habe. Das Ding hat ein Dual-GPS Processing System ... Will heißen, Banz kann von jedem Ort auf der Welt auf die Maschine zugreifen.«

»Und warum tut er es dann nicht?«, fragte Judith.

Die Frage blieb im Raum stehen, wie schlechte Luft. Niemand sagte etwas, bis der PC-Doc plötzlich, als hätte ihn ein elektrischer Schlag getroffen, beide Hände in die Höhe warf und »Jetzt aber!« rief. Ein Ausspruch, der eine Mischung aus Hochachtung und Empörung war.

Der Doc zog alle Stecker und Kabel aus dem Laptop, umwickelte ihn mit der Daunendecke – alles begleitet durch eine Reihe ununterbrochener, leiser Schimpfwörter. Als er das Paket fertig hatte, drückte er den ganzen Wust unters Bett, dann packte er seine Geräte zurück in den Aluminiumkoffer. »Im Moment zerstört ein Programm die Festplatte. Ich konnte es nicht mehr stoppen. Und wenn ich hier richtig liege, dann fliegt das Ganze spätestens in zehn Minuten in die Luft.«

»Sprengstoff?«, fragte Imholz.

Der Doc nickte. »Nicht viel … Aber es reicht, damit von der Kiste nicht mehr viel übrig bleibt. Gehen wir.«

Zwei Minuten später hatte Judith ihre nassen Kleider wieder angezogen und folgte Imholz nach draußen. Der zweite Mann, von dem sie inzwischen wusste, dass er Sam hieß, bildete die Nachhut.

An der Ecke bei Hugo Peters auf dem Gehsteig wartete ein schwarzer Audi A6 mit laufendem Motor.

»Warum hat Banz so lange gewartet, bis er den Laptop zerstörte?« Judith saß hinten im Fond neben Imholz, Sam vorne, neben dem Fahrer. Erwartungsvoll sah sie ihren Vorgesetzten von der Seite an.

Imholz schwieg.

Sie fuhren den Utoquai entlang bis zum Bellevue.

Es war Sam, der ihr auf die Frage eine Antwort gab.

»Ein Dual-GPS-Prozessor misst die Entfernung zweier Sender. Der Laptop von Banz war so programmiert, dass er sich selbst zerstört, wenn er über eine gewisse Zeit zu weit von seinem Besitzer entfernt ist. Es ist also alles ganz automatisch gegangen. Banz hat überhaupt nichts gemacht.«

»Nichts?«

»Nein, nichts. Banz wurde nämlich erschossen«, sagte Imholz.

Judith war einen Moment still, dann lachte sie auf, wie über einen schlechten Witz. Sie schüttelte den Kopf. »Ihr wollt mich wohl für blöd verkaufen, eh? Das ist doch völliger Schwachsinn …«

»Mit einem Schuss ins Genick«, unterbrach sie Imholz. »Und ich wäre jetzt froh, wenn du einen Moment schweigen und deine Ohren spitzen würdest … Ich möchte das alles nämlich nicht zweimal erzählen.«

»Okay, okay.« Judith wunderte sich über den gehässigen Ton ihres Chefs.

»Wir bringen dich jetzt auf die Polizeiwache beim Bahnhof. Ich hab dort angerufen, die wissen, dass wir kommen. Wegen der Sache mit Banz ...« Ein tiefer Seufzer erklang. »Also da kannst du natürlich auf stur machen. Aber ich sag dir, am besten ist es, wenn du uns jetzt die Waffe gibst ... Gleich am Anfang. Sag, wie es ist. Ein Geständnis, weil, glaub mir ...«

»Schon klar«, sagte Judith, die es innerlich beinahe zerriss.

»Eben. Und einen Link zum SND hat es nie gegeben. Das war eine der Abmachungen, die wir getroffen haben. Ich nehme an, auch das ist dir klar, wenn du so etwas in die Welt stellst ... Der SND würde sich deutlich distanzieren.«

»Ja natürlich, und wie«, sagte Judith und erzählte sich die Geschichte selbst zu Ende: wie es nach dem Distanzieren weitergeht, wenn man bei seiner Meinung blieb. Eine kleine Diffamierungskampagne in den Medien würde folgen, und am Ende wüssten die Leute ganz genau, wie der Fall liegt.

Sie würden ausrufen: Ach so!

Und sie würden die Zeitung beiseitelegen und denken: Um Gottes willen! Das Mädchen stand also unter Drogen, wer hätte das gedacht.

Eine Nutte?

Kein Wunder!

Eine, die Daten klaut – haben wir das nicht immer gesagt?

Und jetzt ist sie auch noch eine Terroristin!

Oh, Heinrich, mir graut!

Wen die Banken heutzutage alles einstellen!

Wie beim Häuten einer Zwiebel gelangte Judith allmählich zum Kern der Geschichte, erkannte das Ausmaß der Katastrophe und die Hoffnungslosigkeit ihrer Lage. Und wie beim Häuten einer Zwiebel kamen ihr die Tränen. Verzweifelt, wie sie war, legte sie ihre Karten auf eine Limmat aus grünem Filz. Nur noch ganz leise hörte sie, wie Imholz weitersprach.

»… und wie wir uns bei der FINMA zur Sache äußern werden, das kann ich dir beim besten Willen nicht sagen. Da spielt immer auch Politik mit rein, und da weiß man natürlich nie. Jedenfalls werden wir uns um dich kümmern. Du brauchst einen Anwalt … einen guten. Wir haben an Dr. Albrecht Kupper gedacht. Strafverteidiger … einer der Besten. Er wird sich bei dir melden … Hörst du mir überhaupt zu?«

Nachdem sie die Brücke in Richtung Bürkliplatz überquert hatten, bog der Wagen rechts in den Stadthausquai.

»Da kommst du nicht durch«, sagte Sam zum Fahrer. »Wir müssen außen rum … Gleich wieder links!«

Der Fahrer tat wie geheißen.

In diesem Moment, wie ein Schatten aus dem Nichts, erschien eine Gestalt im Licht der Scheinwerfer. Weder Judith noch Imholz hatten sie kommen gesehen; nur den dumpfen Aufprall hörten sie, unmittelbar bevor sie aus dem Fond nach vorne geschleudert wurden, mit dem Gesicht gegen die Nackenstützen der Vordersitze prallten und wieder zurück ins Polster katapultiert wurden.

Zwei harte Schläge, von vorne und hinten.

Der Fahrer fluchte, gefolgt von einem ohrenbetäubenden Knall. Einer der Airbags hatte sich auf der Beifahrerseite explosionsartig geöffnet und den Aluminiumkoffer auf Sams Knien mit aller Wucht gegen dessen Brust gerammt.

»Was soll ich jetzt tun, verdammt noch mal«, rief der Chauffeur in die gespenstische Stille. Obwohl der Wagen schon eine ganze Weile stillstand, hielt er noch immer den Fuß fest auf der Bremse.

Niemand antwortete.

»Wir haben jemanden umgefahren … Ich hab den überhaupt nicht kommen sehen. Herrgott!«

Als wiederum keiner antwortete, fing der Fahrer zu schluchzen an.

Als Judith benommen den Kopf hob, hörte sie das leise Wimmern direkt vor sich. Sie blickte nach rechts und sah Imholz. Ihr Chef lag mit blutender Nase schräg gegen das Fenster gelehnt. Regungslos wie ein niedergestreckter Boxer.

Ohne den Blick von Imholz abzuwenden, tastete Judith mit der Hand zur Tür, öffnete sie und stieg aus.

Der schwarze Audi stand quer vor einem Geschäft mit Fischereiartikeln.

Langsam, wie in Trance, setzte sie einen Fuß vor den andern. Ihre feuchten Kleider klebten an ihrem Körper. Mit jedem Schritt wurde ihr kälter.

»Judith, denk nach«, sagte sie zu sich selbst.

»Denk verdammt noch mal nach!«

Kapitel 16

Glaubensfragen und eine rasante Fahrt

In den zwei Tagen nach dem ersten Gespräch, das Eschenbach mit Bruder John auf der Treppe vor dem Kloster geführt hatte, verbesserte sich sein Gesundheitszustand wesentlich. Das verdankte der Kommissar nicht zuletzt Dr. Kälin. Der Arzt führte mehrere Tests durch und fuhr mit seinem Patienten ins Spital Einsiedeln. Dort wurde von Eschenbachs Brummschädel eine Computertomographie gemacht, die zum Glück nichts Gravierendes zutage förderte.

»Hirnblutungen oder andere Komplikationen können wir nun ausschließen«, meinte Dr. Kälin erleichtert, nachdem das ganze Procedere durch war. »Sie brauchen aber weiterhin Ruhe.«

Vergeblich versuchte Eschenbach sich an den Unfall zu erinnern.

»Eine anterograde Amnesie ist nicht untypisch«, beruhigte ihn der Arzt. »Es können auch weiterhin Beschwerden wie Apathie, Leistungsminderung, Kopfschmerzen, Schwindel und Übelkeit auftreten. Man spricht in diesem Zusammenhang von einem postkommotionellen Syndrom.«

Der Kommissar seufzte. »Ich hab auch keine Ahnung, wie ich hierhergekommen bin.«

»Keine Sorge.« Dr. Kälin nickte. »Diese Form der Gedächtnislücke betrifft auch den kurzen Zeitraum nach dem Unfallereignis. Gravierender wäre umgekehrt.«

Eschenbach blickte den Arzt fragend an.

»Eine retrograde Amnesie ... Also ein Gedächtnisverlust für die Zeit vor dem Unfallgeschehen. Sie tritt eher selten auf und ist in der Regel Zeichen einer höhergradigen Hirnschädigung.«

»Ach so.«

»Sie haben mir erzählt, dass Ihr Kollege Jagmetti Sie in der Nacht angerufen hat ... und dass Sie dann zur Bank gingen. Das wissen Sie also noch. Richtig, oder?«

Der Kommissar nickte. »Ich sollte ihn vielleicht benachrichtigen ... und meine Frau auch. Sie ist in Kanada.«

»Es wäre besser, wenn Bruder John dies für Sie erledigen würde.« Der Arzt machte ein ernstes Gesicht. »Die Untersuchungen waren anstrengend ... Sie müssen sich nun hinlegen. Es ist wichtig, dass Sie sich nicht überanstrengen.«

Zurück im Kloster, gab Eschenbach Bruder John sein Handy: »Corina und Claudio, bitte«, seufzte er. »Die Nummern sind gespeichert. Und dramatisieren Sie die Sache nicht. Die anderen werde ich später benachrichtigen.«

Als John das Tablett mit dem Abendessen brachte, schlief der Kommissar bereits tief und fest.

»Glauben Sie an Vorsehung, Kommissar?«

Eschenbach zuckte ungeduldig die Schultern, dann schüttelte er leicht den Kopf. Er hatte über fünfzehn Stunden geschlafen. Nun saß er seit einer halben Stunde mit John auf der Terrasse des Café Tulipan, direkt gegenüber dem Kloster. Die Sonne stand bereits zwischen den Kirchtürmen. Es war fünf vor zehn.

Wo war Judith? Eschenbach hatte mehrmals nach ihr gefragt, aber John war ihm stets ausgewichen. Und jetzt, so wie der Bruder die Geschichte erzählte, war es die reinste Geduldsprobe. Wie bei einer Fortsetzungsserie im Fernsehen unterbrach er seine Ausführungen immer wieder, wenn sie gerade so richtig interessant wurden, wiegte dann nachdenklich den Kopf und stellte Eschenbach eine Frage, die mit »Glauben Sie ...« begann und die nicht unmittelbar etwas mit dem Unfallhergang zu tun hatte.

»Wo sind wir denn stehengeblieben?«, fragte John. Es war ihm nicht anzusehen, ob er enttäuscht war, dass er von Eschenbach wieder keine Antwort auf seine »Glauben Sie«-Frage erhalten hatte.

Der Kommissar rückte mit seinem Stuhl näher an den Tisch und fasste die letzte Folge zusammen.

»Im Moment liege ich bewusstlos am Boden, und im Auto ... also dort sind zwei Männer. Einer ist Judiths Chef bei der FINMA, dieser Imholz.«

»Perfekt.«

»Und dann noch der Fahrer, der fluchend hinter dem Lenkrad sitzt ... am Rand eines Nervenzusammenbruchs.«

»Das ist eine ganz exzellente Zusammenfassung.«

»Ach, kommen Sie!« Eschenbach wusste nicht recht, ob die treuherzigen Kommentare des Mönchs ironisch gemeint waren. Er räusperte sich. »Judith realisiert also, dass in ihrem Hofstaat der Dornröschenschlaf ausgebrochen ist, packt die Gelegenheit beim Schopf, steigt aus dem Wagen und flüchtet.«

»Hm«, machte John und blinzelte in die Sonne.

»Dann eben nicht.« Eschenbach hob die Schultern. »Ich kann's ja nicht wissen. Aber Sie ... Sie sind offenbar über alles im Bilde. Also, sagen Sie's schon, wie geht es weiter?«

John schwieg.

Nicht schon wieder eine Pause. Eschenbach hob den Blick zum Himmel. An dieser Stelle hätte man im Fernsehen einen Werbeblock gezeigt.

»Judith flüchtet eben nicht ... Sie entfernt sich nur.« Ein Lächeln flog über das pausbäckige Gesicht des Bruders. »Das ist ein kleiner, aber wichtiger Unterschied. Wenn man flüchtet, sitzt einem die Angst im Nacken ... Doch Judith hat einen Plan. Und wenn man einen Plan hat, dann tritt an die Stelle der Angst die List.«

»Sie lesen zu viele Krimis, John.«

Der Bruder schüttelte den Kopf. »Nein, nein, Herr Kommissar. Stellen Sie sich vor: Judith hat bestimmt keine Ausweise, kein Geld … rein gar nichts. So kommt man vielleicht durch den Kanton Schwyz, aber in Zürich ist man aufgeschmissen. Man wird aufgegriffen … durch eine Polizeistreife, früher oder später. Und dann wäre Judith ebendort gelandet, wo man sie sowieso hatte hinbringen wollen.«

»Hat sie Ihnen das so erzählt?«

John schüttelte erneut den Kopf. »Aber ich kann es mir vorstellen.«

Eschenbach holte tief Luft. So wie der Ordensbruder von Judith sprach, konnte es nicht mehr lange dauern, bis sie heiliggesprochen wurde.

»Mal ehrlich, John, warum glauben Sie, dass Judith Banz nicht erschossen hat?«

»Stellen Sie jetzt die Glaubensfragen?«

»Ich meine nur.«

»Ich weiß es.«

»Was wissen Sie?«

»Judith sagt die Wahrheit.« John wurde plötzlich ganz ernst. »Es mag für Sie seltsam klingen. Als Polizist sowieso; denn vermutlich hat man Sie in Ihrem Leben mehr angelogen, als dass man bei der Wahrheit geblieben ist.«

»Ebendrum.«

»Aber Judith kann gar nicht lügen.« Bruder John nickte mehrmals hintereinander. Als er das verdutzte Gesicht Eschenbachs sah, atmete er hörbar ein und aus, tief und etwas resigniert: »Judith … Sie hat es nicht ein einziges Mal getan. In den ganzen fünfzehn Jahren nicht, seit ich sie kenne. Und glauben Sie mir, ich merke sehr wohl, wenn man mir einen Bären aufbindet. Ich unterrichte seit über dreißig Jahren Kinder und Jugendliche. Da werden Sie angelogen, bis sich die Bäume biegen … Der Lehrer erlebt das noch häufiger als der Polizist.«

»Na gut, was nun?«

»Glauben Sie, es gibt Menschen mit einem Wahrheitsfimmel? So wie Putzfimmel oder wie …«

»Nicht schon wieder!«

»Also gut.«

»Weiter. Was geschieht nun?«

»Judith türmt nicht. Sie beobachtet aus sicherer Entfernung das Geschehen ...«

»Sitzt also hinter dem Rosenbusch?«

Der Bruder schüttelte den Kopf. »Nein, nein ... Vermutlich versteckt sie sich zwischen zwei geparkten Autos. Da stehen bestimmt welche, beim Stadthausquai. Ich kenne die Gegend. Sie können Judith selbst fragen, ich war ja nicht dabei.«

Eschenbach entschied, keine Zwischenfragen mehr zu stellen, auch wenn sie ihm noch so auf der Zunge brannten.

»Judith behält den Wagen im Auge, beobachtet, wie die Männer zu sich kommen und wie sie streiten ... Wegen des Unfalls und weil Judith geflüchtet ist. Sie realisiert, dass sich das Blatt gewendet hat.«

»Und was geschieht mit mir?«

»Sie landen im Kofferraum.«

Eschenbach lachte. »Wie in einem amerikanischen Film ... Ich wundere mich immer, warum den Leuten nicht mal was Neues einfällt.«

»Das ist kein Witz ... Es ist der springende Punkt.« John rückte die kleine Nickelbrille auf seiner Nase zurecht. »Bedenken Sie, Kommissar, Sie sind ein großer und schwerer Mann. Da mussten alle drei anpacken, um Sie vom Boden aufzuheben ...«

»Und diese Gelegenheit hat Judith ergriffen«, folgerte Eschenbach, der sich den Rest der Geschichte inzwischen denken konnte.

»Genau. Sie ist eine Frau der Tat«, sagte John.

»Die sich dann ans Steuer setzt und einfach davonbraust.« Eschenbach trank den letzten Schluck seines inzwischen kalt gewordenen Espressos. Ungläubig schüttelte er den Kopf.

»Ich weiß nicht, wohin die Leute in amerikanischen Filmen

gebracht werden ...«, bemerkte John und hob etwas enttäuscht die Augenbrauen. »Ich meine, nachdem man sie in den Kofferraum gesteckt hat.«

»Sie erwarten, dass ich mich jetzt auch noch bedanke.«

»Dankbarkeit ist nie ein schlechter Anfang ... Auf jeden Fall, hat Judith mich angerufen, irgendwo von unterwegs. Denn sie wusste, wen sie im Schlepptau hat.«

»Ach ja?«

»Nun, Sie waren zu dieser Zeit ein Angestellter der Bank. Ein wichtiger sogar ... hat Judith gesagt. Sie hat Sie sofort erkannt. Direktor von irgendwas.«

»*Compliance.*«

»Sie sagen es! Und wo wären Sie denn lieber hingebracht worden statt hierher, ins Kloster?«

»In ein Spital zum Beispiel«, sagte Eschenbach und massierte sich mit beiden Händen den Nacken.

»Herr Kälin ist ein hervorragender Arzt. Sie wurden rund um die Uhr versorgt und gepflegt.«

»Na ja.« Eschenbach wollte nicht undankbar sein. Er nickte. Sein Kopf schmerzte. Ausgelöst durch den Bericht des Mönchs, hatte er plötzlich das Gefühl, dass er sich an einige der Gegebenheiten wirklich erinnern konnte. Aber sicher war er sich nicht. Was den Unfall betraf, durchmischten sich die Bruchstücke der Erinnerung konturlos mit dem, was John ihm erzählte. Der Kommissar wurde das seltsame Gefühl der Unsicherheit nicht los, das ihn seit Tagen so hartnäckig begleitete. Es war nur eine kleine Lücke in seinem Gedächtnis. Aber sie war da. Und in Momenten wie diesem weitete sie sich aus zu einem großen Raum ohne Boden, ohne Decke und Wände – nur mit Möbeln, von denen er nicht wusste, ob es seine eigenen waren.

Wenn das so weiterging, war er auf dem besten Weg in den Wahnsinn.

Zudem ging ihm der Mönch mit seiner Gelassenheit langsam auf den Geist. Das ausschweifende Geschwätz und die Art, wie er den Mund spitzte, bevor er einen Satz begann. Die kleinen nussbraunen Äuglein, die ständig in Bewegung waren.

Seine Leichtgläubigkeit.

Einfach alles.

»Zürichsee – Katzensee – Greifensee«, begann John seine Aufzählung, nicht ohne Amüsement.

»O nein!«

»Türlersee – Pfäffikersee – Hüttnersee – Sihlsee.« Bei jedem neuen See hob der Ordensbruder die linke Augenbraue. »Die sind alle von Zürich aus erreichbar, in einer halben Stunde. Dann hätten die Ihnen vielleicht einen Stein ans Bein gebunden, und Sie wären nie mehr aufgetaucht.«

»Haha.«

»Was wissen wir schon von diesen Leuten?«

»Dass einer von ihnen, Judiths Chef …« Eschenbach, der zwischen Heiterkeit und Ernst hin- und hergerissen war, machte mitten im Satz eine Pause. Was John gerade erzählte, war derart abstrus, dass der Kommissar die Unterhaltung um ein Haar abgebrochen hätte. Wieso erzählte der Mönch ihm solche Räubergeschichten? Neugierig geworden, fuhr der Kommissar fort: »Wenn also dieser Imholz bei der FINMA arbeitet, wie Sie sagen … Also dann ist der nicht von der Mafia. Vermutlich wollten die mich ins Krankenhaus fahren.«

»Und das glauben Sie?« John schüttelte den Kopf: »Nein, nein, nein.«

»Sondern?«

»Judith rettete Ihnen das Leben!«

Eschenbach verzog den Mund. Da war es nun, worauf John hinauswollte. »Vielleicht dachte sie, ich gebe ihr später ein Alibi … eine Art Ablasshandel, so wie es in Ihrer Institution üblich ist.«

John lachte laut heraus.

Beinahe gleichzeitig traten zwei Personen an den Tisch: eine untersetzte, kräftige Frau mit Föhnfrisur und ein großer, sportlicher Mann, die Hände tief in den Hosentaschen.

Weil die Sonne den Kommissar blendete, sah er nur die beiden Silhouetten.

»Eine doppelte Portion geräucherter Lachs aus Norwegen«, begann die Frau mit einer Trompetenstimme. »Ohne Salat … Wie es die Herren gewünscht haben. Und Klosterbrot mit Butter und eine Maissuppe mit Peperoncini – ach ja, und den Löffel bringe ich noch.«

Die zweite Person hielt sich zurück, wartete, bis die Frau alles aufgetischt hatte, und trat höflich beiseite, als sich die Bedienung mit dem leeren Tablett wieder davonmachte.

Einen kurzen Moment sah Eschenbach das Profil des Mannes: Er beobachtete, wie dieser kurz Luft holte, bevor er sich dem Tisch zuwandte.

Eine kräftige Stimme erklang. »Es ist einfach unglaublich!«

»Um Gottes willen, was?« John ließ die Gabel, die bereits im Lachs steckte, sofort los und sah sich um.

Aber das »unglaublich« galt nicht ihm.

»Er meint mich«, sagte Eschenbach kauend.

»Wer?«

Eschenbach wischte sich mit der Serviette den Mund ab, deutete zum jungen Mann, der wie eine Statue regungslos in der Sonne stand. »Hock ab!« Er zog einen dritten Stuhl an den Tisch.

Als nichts geschah, erhob sich Eschenbach und ging auf den Mann zu. Zwei Schritte waren es, mehr nicht. Dann umarmten sich die beiden Männer. Innig. Eschenbach klopfte dem Jüngeren auf die Schulter und wiederholte murmelnd: »Nun setz dich endlich.« Mit Blick auf den Bruder sagte er: »Das ist Bruder John.«

Claudio sah den Mönch an. »Dann haben Sie mich gestern angerufen?«

John stand auf, nickte und streckte seine Hand aus.

Der Kommissar lachte. Es war ein befreiendes Lachen, das tief aus seinem Herzen kam, mit einem Tremolo wie bei einer

Bassgeige, wenn man mit dem Bogen kräftig über die Saiten streicht. »Mensch, Claudio, bin ich froh, dass du da bist!« Und an John gerichtet, meinte der Kommissar: »Claudio ist ein Bündner ... kommt aus Chur. Das sind alles gute Katholiken dort.«

Eine Stunde später, nachdem John seine Geschichte auch Claudio erzählt hatte (diesmal ohne Unterbrechungen), brachen Jagmetti und Eschenbach auf. Bruder John lächelte dünn. So wie er dastand, sich mit dem Ärmel seiner Kutte die Stirn tupfte und später winkte, wirkte der Mönch auf eine seltsame Weise kraftlos. Eschenbach schien es, als hätte John alle seine Energie aufgebraucht, um ihn und Jagmetti von der Unschuld Judiths zu überzeugen.

Auf der Fahrt von Einsiedeln nach Zürich legte der Bündner eine Fahrt hin, die Indianapolis würdig gewesen wäre. Dem Kommissar auf dem Beifahrersitz wurde schwindlig. Er hätte schwören können, dass Jagmetti seinen schwarzen Audi A3 im Kreisel bei Schindellegi nur noch mit zwei Rädern auf der Fahrbahn hielt.

»Eine ziemlich wilde Geschichte«, sagte Claudio. Er zirkelte den Wagen auf eine schmale Landstraße und bretterte in vollem Karacho los. »Ich meine, ich ruf dich an, du sagst, du kommst gleich ... Und dann höre ich fast eine Woche einfach nichts mehr. Kannst du dir vorstellen, was einem da durch den Kopf geht?«

Eschenbach nickte. Er schielte zur Tachonadel, die zwischen hundert und hundertdreißig hin und her pendelte. »Willst du nicht runter auf die Autobahn?«

»Wir nehmen eine Abkürzung.«

Das sanfte Grün der Hügel und die Wiesen, die, herbstlich fett, prächtige Blumen trugen – sie wären eine Augenweide gewesen.

Wären!

Der Hüttnersee flog rechts an ihnen vorbei.

Aber weil Eschenbach die Augen geschlossen hielt, sah er nichts. Auch die Häuser bemerkte er nicht, die ebenso vorbeisausten wie die kleinen Mäuerchen oder die Pfosten der Gartenzäune. Wenn der Motor aufjaulte, weil Claudio einen Gang tiefer schaltete, dann blinzelte der Kommissar kurz, um zu sehen, ob sie in eine Links- oder Rechtskurve stachen.

»Ich finde, dein Bart sieht irgendwie schräg aus«, sagte Claudio auf einer langen Geraden.

Etwas mitgenommen, stemmte sich Eschenbach aus dem Sitz und betrachtete sein Gesicht im Spiegel der Sonnenblende. »Findest du?«

Anstelle einer Antwort quietschten die Reifen. Ein Traktor mit einer Ladung Heu hatte sich von rechts vor den Audi gezwängt.

»Setz dich!«, schrie der Bündner. Er riss am Lenkrad, bremste hart und gab wieder Vollgas.

Gemäß dem dritten Newton'schen Axiom *(actio et reactio)* schüttelte es den Kommissar wie in einem Tumbler.

»Gopferdammi!«

Unsanft knallte Eschenbach zurück in seinen Sitz. »Ich bin rekonvaleszent. Fahr bitte anständig!«

Eine Weile reduzierte sich die Unterhaltung auf das Röhren von vier zornigen Zylindern.

Eschenbach tupfte sich den Schweiß von der Stirn.

»Ich habe Clooney mit einem Bart gesehen ...«, murmelte er. »Bei dem sieht's cool aus.«

»Du bist nicht Clooney.«

»Bligg hat auch einen ... und Stefan Gubser.«

Die Bartdiskussion hielt sich bis hinunter auf die Autobahn. Dann öffnete Claudio das Fenster und schob das Blaulicht aufs Dach. »Wenn du jetzt noch Klamotten holen musst, dann müssen wir Gas geben.«

»Noch mehr Gas?«

Es war ein abrupter Wechsel von der Einsiedlerruhe mitten in eine Verfolgungsjagd. Auch wenn es nur die Zeit war, hinter der sie herfuhren. Eschenbach hatte ein mulmiges Gefühl in der Magengegend.

»Die Abdankungsfeier von Banz beginnt in zwanzig Minuten.«

»Ich kann dort unmöglich im Trainingsanzug hin. Setz mich bei mir zu Hause ab …« Eschenbach sah auf die Uhr. »Von mir zu Hause sind das nur ein paar Meter rüber ins Fraumünster.«

»Ich weiß«, sagte Jagmetti. »Der Dreck ist nur, Banz verabschiedet sich im Grossmünster.«

»Ehre, wem Ehre gebührt.«

Kapitel 17

Nessun dorma

Das Glockenspiel war noch nicht verklungen, als der Kommissar ins Mittelschiff schlich. Trotz aller Vorsicht bemerkten ihn einige Gäste und zogen bei seinem Anblick die Augenbrauen hoch.

Die Kirche war zum Bersten voll. Etwas anderes war auch nicht zu erwarten gewesen. In der hinteren Hälfte war kein leerer Sitz auszumachen. An den Wänden entlang standen dicht gedrängt weit über hundert Menschen. Eine schwarzbetuchte Gesellschaft, die andächtig zu Boden blickte oder mit ausdrucksloser Miene über die Köpfe hinweg nach vorne zum Altar starrte.

Eschenbach hielt Ausschau nach Jagmetti. Er entdeckte den Bündner, der gerade eine SMS tippte, neben einer Säule.

Der Pfarrer, der ein paar einleitende Worte gesagt hatte, hob die Hände zum Gebet.

Die Trauergäste standen auf.

Eine kleine Unruhe entstand: das übliche Hüsteln und der kurze, geflüsterte Wortwechsel mit dem Sitznachbarn.

Der Kommissar nutzte die Gelegenheit und huschte an ungefähr zwanzig Leuten vorbei. Ein paar von ihnen kannte er von der Bank. Zweimal musste er sich durchzwängen, weil kaum Platz war. Von einer eleganten Frau Anfang fünfzig erntete er missbilligende Blicke. Eschenbach glaubte in ihr Doris Röffler zu erkennen, eine Mitschülerin aus seiner Zeit am Gymnasium.

»Dein Reich komme«, murmelte Jagmetti, als Eschenbach

neben ihn trat. Der Kommissar stellte sich unauffällig neben seinen jüngeren Kollegen und bewegte die Lippen. Aber er fand die Worte nicht. Also tat er nur so, ohne einen Laut von sich zu geben. Wie schwierig es doch war, mitten im Gebet einzusteigen.

Kalter Schweiß stand ihm auf der Stirn. Es war wie mit den Klavierstücken, die er als Kind gespielt hatte. Wenn er an einer schwierigen Stelle rausflog, begann er von vorne. Immer wieder. Ganz zum Leidwesen seiner Klavierlehrerin, die ihn hieß, nur diese eine Stelle zu üben. Aber das konnte er nicht. Er brauchte einen Anfang, um zu einem Ende zu kommen.

»In Ewigkeit. Amen.«

Eschenbach hielt sich an Jagmetti fest.

»Warum hast du dich nicht umgezogen?«, flüsterte Claudio, während sich die Leute wieder setzten. »Du siehst aus wie die Typen, die an den Bahnhöfen herumlungern und rauchen. Hast du keine Kleider mehr?«

»Doch … Ich meine, nein.« Eschenbach zog den Schlüsselbund aus der Tasche seiner Trainingshose. »Mein Wohnungsschlüssel fehlt.«

»Bist du sicher?«

»Ich kenne doch meinen Wohnungsschlüssel.«

Der Pfarrer bat Alois Kaltenbach nach vorne.

»Kennst du den?«, fragte Jagmetti.

Eschenbach spürte, wie eine leichte Übelkeit in ihm hochkam. Seine Beine zitterten. »Der ist Partner bei der Banque Duprey … Ein enger Vertrauter von Banz.«

»Sein Nachfolger?«

»Könnte sein.«

Still und scheinbar emotionslos würdigte Kaltenbach das Leben und Wirken des Bankiers. »Jakob war ein Kämpfer für die Sache, er war, was wir alle sind: ein passionierter Streiter für die Freiheit.«

Die Worte erreichten Eschenbach wie durch Watte.

»Für welche Sache kämpfte Banz?«, fragte Jagmetti leise.

»Vermutlich fürs Geldverdienen.«

Jagmetti zuckte die Achseln und sah sich um. »Kennst du die Leute hier?«

»Ein paar Gesichter, mehr nicht.«

»Und Familie?«

»Seine Frau und er haben sich getrennt. Mehr weiß ich nicht.«

»Kinder?«

»Keine Ahnung.«

»Und Geschwister?«

»Auch nicht.«

»Freundinnen?«

Eschenbach atmete ein paarmal tief durch. »Ich weiß es nicht. Seit wir uns wieder getroffen haben … Er hat kaum über Privates gesprochen.«

Als zweiter Redner war der Präsident der Bankiervereinigung an der Reihe. Ein untersetzter, breitschultriger Mann mit Schnauzbart.

Wieder schaute Jagmetti Eschenbach fragend an. Der Kommissar schüttelte leicht den Kopf. Das Zittern seiner Knie hatte etwas nachgelassen.

»Nur aus den Medien … Die Schweizer Bankiervereinigung ist vielleicht die mächtigste Gruppierung in unserem Land. Eine Interessengemeinschaft, gegründet am Anfang des letzten Jahrhunderts. Seither stellen abwechselnd die Genfer und die Deutschschweizer Privatbankiers den Präsidenten. Auch Banz hatte diese Funktion einmal inne.«

Eine feurige Brandrede war im Gang: gegen die Feinde des Kapitalismus, gegen die inneren und die äußeren. »Auch wenn du tot bist, mein lieber Jakob – wir sind hier, und wir schlafen nicht!«

Nessun dorma kam als Nächstes. Vassily Borokowsky, ein Nachwuchstalent des von Banz gegründeten *Studio Opéra Zurichoise* schmetterte das Lied bis unter die Kuppel. Auf ihn folgte die Stadtpräsidentin mit verschmierter Wimperntusche (wegen *Nessun dorma*). Sie lobte Banz als Mäzen der Stadt, als Wohltäter und Querdenker.

Und so ging es weiter, wie auf der Delegiertenversammlung der SVP oder an einem fünfzigsten Geburtstag.

Jagmetti streckte den Hals: »Ist dir aufgefallen, dass die vorderen zwei Reihen leer sind?«

»Der Platz für die engsten Familienangehörigen.«

»Eben. Aber da sitzt keiner.«

»Ich hab's auch bemerkt.« Eschenbach konnte an Jagmettis Reaktion ablesen, dass der junge Mann nicht begreifen konnte, dass man am Ende allein war. Allein sein konnte, wenn der Teufel es wollte.

»Wem kondoliert man eigentlich, wenn keiner aus der Familie da ist?«

Eschenbach hob die Schultern. »Den Freunden?«

»Die sich selbst?«

»Oder dem Pfarrer?«

»Der Bank?«

Die Feier nahm kein Ende. Aber es war nicht die Andacht vor einem Toten. Je länger Eschenbach das Geschehen verfolgte, desto mehr spürte er die aufkeimende Wut und die Ohnmacht eines gebeutelten Berufsstandes. Banker zu sein war in diesen Tagen kein Zuckerschlecken: Man war anderes gewöhnt.

Bewunderung und Anerkennung.

Mindestens aber Respekt.

Und jetzt wurde man plötzlich für schuldig gehalten, über Nacht, an einer Finanzkrise, die den Namen verdient hatte; der ganze Weltenjammer war auf schmale, nadelgestreifte Schultern geladen worden, nun hatte man ihn zu tragen, ob man wollte oder nicht.

Geld, o Geld! Du Gott gewordener Zaster, wo bist du hin?

Asche zu Asche!

Nach über einer Stunde hatte Eschenbach genug gesehen und gehört. In seinem Kopf hämmerte es, sein Sweater war völlig durchgeschwitzt. Er musste raus, an die frische Luft.

»Gehen wir?«

Jagmetti nickte.

Als sie ins Freie traten, schnaufte der Kommissar laut auf: »Ich will wieder auf Hochzeiten ... nicht auf Beerdigungen.«

»Zu meiner bist du eingeladen«, sagte Jagmetti.

»Du heiratest?«

»Nein. Aber wenn's denn mal so weit ist ...«

»Ja, ja. Ich wär einfach froh, wenn ich dann noch gehen kann.«

An der Treppe, die hinunter zum Limmatquai führte, blieb der Kommissar stehen. Ihm war eingefallen, dass er am Vorabend vergessen hatte, John auch Rosas Nummer zu geben.

»Hast du eigentlich Rosa gesehen?«

Claudio schüttelte den Kopf.

»Das wundert mich eigentlich. Gerade Rosa ...« Eschenbach warf einen Blick zurück auf die mächtigen Doppeltürme des Münsters. »Das wär ihr Ding gewesen. Sie hat ein Flair fürs Große und Tragische.«

Sie schritten die Stufen hinunter. Auf halbem Weg kramte der Bündner ein paar zusammengefaltete A4-Blätter aus der Innentasche seines dunklen Vestons. Nach einem Seitenblick fragte er beiläufig: »Schläfst du eigentlich mit ihr?«

Eschenbach, der um ein Haar eine Stufe verfehlte, blieb stehen und hielt sich an der Mauer fest.

»Mit Rosa?«

»Nein, natürlich nicht mit Rosa.«

»Mit Corina?«

»Tu nicht so scheinheilig!« Jagmetti, ein paar Stufen weiter unten, hielt nun ebenfalls inne. Er drehte sich ganz zu Eschenbach um, fixierte ihn mit den Augen, wie ein Dompteur bei einer Raubtiernummer. »Ich meine Judith ... Judith Bill. Das kannst du dir doch auch denken, oder nicht?«

»Ich glaube, das ist eher dein Stil ... nicht meiner!«

Claudios Blick wurde finster. »Ich les dir jetzt mal etwas vor«, brachte er zwischen den Zähnen hervor. »Nur damit du's weißt, bevor du die Dame weiterhin deckst.« Er nahm mehrere zusammengefaltete Zettel aus seiner Jackentasche.

»Pah!«, machte Eschenbach und wollte weitergehen. Als er sah, dass Claudio es ernst meinte, setzte er sich auf eine Treppenstufe. »Also, mein Lieber ... Du hast etwas gefunden. Ich bin gespannt!«

Claudio faltete die Papiere auseinander und legte los:

»Sachbeschädigung, mehrere Teilnahmen an Demonstrationen ... Brandstiftung, Widerstand gegen die Staatsgewalt!« Wie 1.-August-Raketen feuerte er die Worte in Richtung Eschenbach.

»Zeig her!«

»Körperverletzung kommt hinzu ... und Diebstahl!«

»Schon gut.«

Jagmetti gab Eschenbach die zusammengehefteten Blätter. »Ich würd mich da ziemlich unwohl fühlen ... in deiner Haut.«

Schweigend ging Eschenbach die Seiten durch. Als er damit fertig war, gab er sie Jagmetti zurück. »Ist das alles?«

»Mord und Totschlag fehlt noch, wenn du das meinst.«

Der Kommissar erhob sich. »Das sind alles Jugendsünden.«

»Ach ja, findest du?«

»Hast du nicht die Jahreszahlen gesehen? Vierundneunzig ... Alles während eines einzigen Jahres. Judith war damals noch ein Kind.«

»Ich find's trotzdem happig.«

»Joschka Fischer ist mit so einem Palmarès Außenminister geworden.«

Sie stiegen weiter die Treppe hinab.

»Warum zeigst du mir das Zeug erst jetzt?«

Jagmetti zögerte. »Mit dir sollte ich darüber überhaupt nicht sprechen. Das ist dir sicher auch klar, oder?«

»Nein, das ist es nicht«, sagte der Kommissar. »Ich bin immer noch bei der Kripo ... Dort angestellt, wie du. Meine Auszeit läuft noch bis Ende des Monats, dann komme ich zurück.«

»Und deine Arbeit bei der Bank?«

»Eine Gefälligkeit ... Ein Ferienjob sozusagen.«

Jagmetti räusperte sich. »Hösli sieht das aber anders.«

»Ach, tatsächlich?« Eschenbach wurde wütend. »Hat er dir gesagt, dass du nicht mit mir sprechen sollst?«

Claudio schwieg.

Wie ein Ehepaar, das sich nichts mehr zu sagen hat, trotteten sie die Treppen hinunter. Auch entlang der Limmat herrschte eine beklemmende Stille zwischen den beiden. Einmal bat Eschenbach um Claudios Handy. Er versuchte seine Nachbarin zu erreichen, bei der er einen Wohnungsschlüssel hinterlegt hatte. Als sich niemand meldete, rief er Christian Pollack in dessen Anwaltskanzlei an und erklärte ihm die Lage. »Ich brauche dringend etwas Frisches zum Anziehen ... und ein Bad.«

Als beim Helmhaus der Vierer kam, stieg Eschenbach ein und fuhr in Richtung Bellevue davon.

»Rück das Mädchen raus!«, war das Erste, was Christian zu ihm sagte, gestresst, mit dunklen Ringen unter den Augen, als sie sich im Gang der Kanzlei begegneten.

»Ich hab keine Ahnung, wo sie ist.«

Christian biss sich auf die Unterlippe. »Claudio hat gerade angerufen.«

»Dann hat er dir bestimmt auch erzählt ... dass ich angefahren wurde, in der Nacht, als die Sache mit Banz passierte.«

Christian nickte.

»Eben. Und als ich aufwachte, im Kloster, da war dieses Mädchen in meinem Zimmer. *That's it.*«

»Dann versteckt dieser Klosterbruder sie irgendwo ...«

»Bruder John.«

»Genau. Claudio hat mir von dem erzählt. Er meint, du

brauchst vielleicht einen Anwalt. Das ist eine heikle Angelegenheit, in die du da hineingeschlittert bist. Judith Bill wird polizeilich gesucht: Geh aufs Präsidium und mach eine Aussage.«

»Hösli kann mich anrufen, wenn er will.«

»Du machst dich strafbar, wenn du sie deckst.«

»Das musst du mir nicht erzählen.«

Sie standen im Flur und stritten weiter, als eine der hinteren Türen aufging und eine große blonde Frau erschien. Auf Stilettos stakste sie direkt auf Christian zu. Eschenbach schätzte sie auf Ende zwanzig. Sie trug einen dunklen Hosenanzug. Die Haare hatte sie nach hinten gekämmt und zu einem Pferdeschwanz zusammengebunden.

Sie war Christians Typ.

»Ich brauch endlich etwas zum Anziehen.« Eschenbach musterte die große Blonde, die ihn schräg ansah, bevor sie Christian etwas ins Ohr hauchte.

»Zwei Minuten noch«, murmelte der Anwalt.

Eschenbach verfolgte, wie die Frau auf dem Absatz eine elegante Drehung vollführte und sich hüftschwingend in Richtung Sitzungszimmer wieder davonmachte.

»Meine Assistentin, Joëlle Dufournet«, sagte der Anwalt, während er ein Lederetui aus der Tasche zog und es Eschenbach hinstreckte. »Hier ist mein Wohnungsschlüssel. Anzüge hat's genug. Und wenn du wieder gehst, gib ihn bitte beim Portier ab.«

Eschenbach steckte das Etui in die ausgebeulte Tasche seiner Trainingshose. Mit einem Blick zum Sitzungszimmer fragte er: »Schläfst du mit ihr?«

»Täglich«, sagte Christian. »Hier in der Kanzlei.«

»*Carpe diem!*«

Der Kommissar grinste. Und weil es ihm gelungen war, Jagmettis saublöde Frage von vorhin wie einen Schwarzpeter wieder loszuwerden, drehte er dieselbe Pirouette, die er zuvor bei Christians Assistentin gesehen hatte. Danach schritt er in Vorfreude auf ein heißes Bad zum Ausgang.

In Christian Pollacks Zweihundert-Quadratmeter-Wohnung im Seefeld gab es nichts, was einer Badewanne ähnlich sah. Es war ein Umstand, der Eschenbach bisher noch nie aufgefallen war. Was der Kommissar fand, war eine Erlebnisdusche, ausgekleidet mit dunkelgrünen Schieferplatten, glänzenden Knöpfen, einer Menge spiegelblank polierter Hähne und einem Panel, auf dem man verschiedene Programme wählen konnte.

Splitternackt stand der Kommissar vor dem Touchscreen und drückte sich durch die Einstellungen: *Mangrove Forest, Mountain Rain, Over the Rainbow, Deluge, Fresh Morning, Hot Thunderstorm* und so weiter. Wem die Einstellungen des Herstellers nicht zusagten, der konnte über den Menüpunkt *Personalize* mit Düsenwahl, Licht-, Wärme- und Druckeinstellungen sein eigenes Gewitter programmieren.

Eschenbach speicherte seine eigene Kreation unter dem Namen *Surprise*. Er war so fasziniert von den Möglichkeiten, dass er beinahe zu duschen vergaß. Christian hatte ebenfalls ein Programm entworfen.

F*** w/Joelle stand da.

Also doch. Nur die Pünktchen auf dem e fehlten.

Eschenbach drückte auf *Start*, stellte sich zwischen die Sprühknöpfe und sang *Nessun dorma*.

Nach zehn Minuten, rot wie eine Languste, änderte er das Programm auf *Fresh Morning* und suchte etwas später im begehbaren Kleiderschrank nach passenden Kleidern. Weil Christians Leben zwischen Fastenkuren und Völlerei hin und her pendelte, fand Eschenbach Anzüge in den verschiedensten Größen. Er hatte keine Mühe, etwas Passendes zu finden.

Den Bart, der nach den sieben Tagen die perfekte Länge hatte, ließ er stehen. Nicht nur um Zeit zu gewinnen, sondern auch weil er ihm gefiel. Er stand vor dem leicht getönten Spiegel, der vom Boden bis zur Decke reichte, und betrachtete sich. Abgesehen von einer kleinen Schramme an der Stirn und einer Reihe dunkler Flecken am Körper – Eschenbach konnte sich nicht erinnern, jemals so gut ausgesehen zu haben. Bestimmt lag es am gedämpften Licht im Ankleidezimmer. Oder war es der Spiegel? Eine weitere technische Errungenschaft des Anwalts? Bei Christian war alles möglich.

Nachdem er sich in der Küche einen Espresso gemacht hatte, nahm Eschenbach das Telefon, setzte sich auf den Eames Chair am Fenster und rief Rosa an.

»*Dio mio*, Kommissario! Das ist Dr. Pollacks Privatnummer. Wo sind Sie denn?«

»Ebendort.«

»Geht es Ihnen gut?«

»Besser.«

»Claudio hat mich angerufen und mir alles erzählt. Sie waren ja mit ihm auf der Beerdigung. Ich konnte da nicht hin, weil ich ins Notfallteam eingeteilt wurde. Eine Weisung der Direktion. Zur Beerdigung durfte nur, wer länger als zwei Jahre bei Duprey arbeitet.«

»Es gab *Nessun dorma*.«

»Wussten Sie, dass es das am meisten gesungene Lied ist unter der Dusche? Ich habe das kürzlich in der Zeitung gelesen.«

»Wenn Sie's sagen, Frau Mazzoleni, wenn Sie's sagen.«

Eine kurze Pause entstand.

»Also, was brauchen Sie?«

Eschenbach räusperte sich. »Habe ich denn gesagt, dass ich etwas brauche?«

»Sie rufen immer nur an, wenn Sie etwas brauchen.«

»Ach so … Die Personalakte von Judith Bill. Können Sie mir die beschaffen, so bis in einer halben Stunde?«

Rosa zögerte. »Die Polizei hat vieles mitgenommen. Ich bin mir fast sicher, dass die Akte von Frau Bill dabei war. Kein Wunder, man sagt …«

»Ich weiß, was man sagt, Frau Mazzoleni.«

»Ist sie wirklich bei Ihnen?«

»Zum Donnerwetter, nein.«

»Es ist halt nur so ein Gerücht.«

»Und drum machen Sie dem Gerücht jetzt ein Ende, Frau Mazzoleni. Erzählen Sie Gott und der Welt, dass Frau Bill auf die Malediven geflohen ist. Mit dem Privatvermögen von Herrn Banz.«

»Aber das ist nicht wirklich wahr, oder?«

»Und zwar zusammen mit einem Mann aus der EDV-Abteilung der UBS. Der ist auch getürmt. Vermutlich ihr Liebhaber. Mehr kann man dazu nicht sagen.«

»Ein Liebesnest auf den Bahamas.« Rosa fing leise zu kichern an.

»Sagte ich nicht Malediven?«

»Doch, schon. Aber Kommissario, gestohlene Bankdaten, die UBS und so weiter ... Da sind die Bahamas einfach glaubwürdiger.«

»Wie recht Sie doch immer haben.«

»Und was die Akte angeht ... Ich schaue, was ich tun kann.«

»Vielleicht in meinem Büro«, sagte Eschenbach. »Ich habe eine Kopie gemacht ... Die haben mir doch die ganzen Personal-akten angeschleppt.«

»Kommen Sie in die Bank?«

»Ich habe gedacht, vielleicht könnten Sie ...«

»Schon gut«, sagte Rosa. »Ich melde mich gleich wieder.«

Eschenbach legte auf. Was sollte er dort? Sein Auftraggeber Jakob Banz war tot und die knappe Woche, die er bei Duprey verbracht hatte, nur eine Episode. Noch nicht einmal auf die interne Telefonliste hatte er es geschafft, weil diese erst Anfang des nächsten Monats neu gedruckt werden würde. Zumindest würde ihn niemand vermissen.

Er war ein Wochenkind.

Eine Eintagsfliege.

Zudem hatte er keine Lust zu erklären, weshalb er nach dem Tod von Banz gar nicht mehr in der Bank aufgetaucht war. Diese unsägliche Unfallgeschichte! Wenn er nur daran dachte, wurde ihm schwindlig: seine ersten Stunden im Kloster, als er nicht wusste, was mit ihm geschehen war … Momente zwischen Wachen und Träumen.

Es dauerte über eine halbe Stunde, bis Rosa endlich anrief.

»Kommissario? Ich habe das Personaldossier von Judith Bill nicht gefunden … Vermutlich hat es die Polizei mitgenommen. Aber wir haben ja noch ihre Bewerbungsunterlagen.«

»Sie waren in meinem Büro?«

»Wie Sie gesagt haben, und Bingo! Nicht unter B wie Bill – da hab ich zuerst geschaut. Aber unter den Bewerbungen.«

»In meinem Büro in der Banque Duprey?«

»Ja. Wo sonst? Wir haben doch gerade eben … Ist alles in Ordnung mit Ihnen?«

Einen Moment war es still in der Leitung.

»Sind Sie noch da, Kommissario?«

»Ich habe zu heiß geduscht, Frau Mazzoleni. Und etwas Kopfschmerzen, das ist alles … Vermutlich komme ich in die Wechseljahre – das gibt es auch bei Männern.«

»Andropause.«

»Sehen Sie, da haben wir's, das muss es sein. Drum treffen wir uns am besten unten beim Bellevue.«

»Im Café Odeon?«

»Okay.«

Kapitel 18

Freund der Familie und ein merkwürdiger Mensch

Rosa war schon da, als Eschenbach im Odeon eintraf. Er entdeckte sie an einem der Tischchen auf dem Gehsteig, wie sie ihr hell gepudertes Gesicht der Abendsonne entgegenstreckte. Als er näher kam, sah er, dass sie Mund und Augen geschlossen hielt.

Der Kommissar betrachtete eine Weile die Frau, mit der er schon eine kleine Ewigkeit zusammenarbeitete. Sie hatte ein beinahe makelloses Antlitz, an dem das Alter in einem seltenen Fall großzügiger Sanftmut kaum etwas verändert hatte.

Ihr Mund bewegte sich: »Warum sagen Sie nichts?«

»Sie haben mich gehört?«

»Nein, gesehen.«

»Mit geschlossenen Augen?«

»Ich kann das«, sagte Rosa im Tonfall einer schnurrenden Katze. »Schon als Mädchen hab ich das gekonnt ... Beim Küssen die Augen schließen und trotzdem sehen, mit wem ich es zu tun habe. Es ist ganz einfach.«

Eschenbach zwinkerte.

Rosas Lider blieben geschlossen, wie Fensterläden.

»Ich weiß nicht, ob ich Ihnen das schon einmal gesagt habe ...« Eschenbach hielt inne.

»Dann sagen Sie's.«

»Frau Mazzoleni ... Sie sehen keinen Tag älter aus als am Tag, als ich Sie eingestellt habe.«

»Ist das wirklich wahr?«

»Kein bisschen gelogen.«

Ein kurzer Moment verstrich, dann passierte etwas völlig Unerwartetes; als hätte ihr Stuhl Sprungfedern, schoss Rosa hoch. Der Bistrotisch, an dem sie gesessen hatte, kippte, und das Glas mit dem Martini Bianco, noch halb voll, zersprang klirrend auf den Boden.

Die Leute um sie herum brachen ihr Gespräch mitten im Satz ab.

Eschenbach machte einen kleinen Schritt zurück, denn Rosa fiel ihm um den Hals und umarmte ihn mit der Kraft eines Tsunamis. Eschenbach, der das Gleichgewicht wiedergefunden hatte, hielt sie fest. Es war wie in einem Liebesfilm, kurz bevor der Abspann kommt.

»Als Banz plötzlich tot war und Sie weg ...« Rosa flüsterte und stotterte.

Und wie so oft, wenn Rosas emotionaler Kern explodierte und ihre disziplinierte Fassade niederriss, schossen ihr die Tränen aus den dunklen Augen, wie Fontänen.

»Ich habe die ganze Zeit kein Auge zugetan, wo sind Sie denn gewesen?«

Zwei Kellner kamen mit Schaufel und Besen.

»Im Kloster.«

»Ja, ja ... Claudio hat mir das schon erzählt. Er hat mich angerufen. Heute Morgen. Dieser Bruder John hatte ihn benachrichtigt und ihm gesagt, wo Sie stecken. Und nach Ihrem Anruf von vorhin ... Also, da hab ich nochmals mit ihm gesprochen.«

Rosa löste sich von Eschenbach, strich über ihr zerknittertes, blasslila Leinenkleid und schniefte. »Ich habe Sie vorhin angeschwindelt, Kommissario, weil, ich soll Ihnen das nicht sagen ... Aber Claudio hat mir die Bewerbungsunterlagen von Frau Bill gefaxt. Denn in Ihrem Büro bei Duprey ist nichts mehr ... Alles weggeräumt. Es sieht aus, als hätten Sie nie dort gearbeitet.«

Eschenbach lächelte.

Rosa versuchte mit den Fingern die zerlaufene Wimperntusche aus ihrem Gesicht zu entfernen. »Ich hab noch Ihre Post dabei. Man hat sie mir gegeben, bevor man bei Ihnen aufgeräumt hat ... Und dann will Direktor Kaltenbach Sie sprechen, wegen des weiteren Vorgehens. Morgen um elf.«

»Morgen ist aber Samstag, Frau Mazzoleni.«

Sie zuckte mit den Schultern. »Ich richte nur aus, was Direktor Kaltenbach mir gesagt hat.«

»Wir werden das schon schaukeln«, meinte Eschenbach mit einem Augenzwinkern.

Nachdem sie sich gesetzt und beim Kellner zwei Drinks bestellt hatten, nahm Rosa ein großes Kuvert aus der Tasche.

»Dadrin ist alles?«

»*Sissi*. Die Unterlagen von Frau Bill und drei Briefe ...«

Eschenbach sah Rosa erwartungsvoll an.

»Da ich nicht wusste, wo Sie waren und ob Sie überhaupt ...« Rosa warf einen Blick zum Himmel. »Natürlich hab ich sie geöffnet.«

»Drum frag ich ja, was steht denn drin?« Eschenbach nahm den Umschlag an sich, öffnete ihn und zog die Briefe hervor. Der erste war eine Anfrage für eine Podiumsdiskussion zum Thema *Hat das Bankgeheimnis ausgedient?*.

»Das wirklich Interessante steht in diesem.« Rosa tippte mit dem Finger auf einen Umschlag.

»Tatsächlich?«

»Es ist ein Beteiligungsplan für die Kadermitarbeiter der Bank. Also mir ist es wirklich peinlich ... Dass da *persönlich* draufsteht, habe ich erst gesehen, als ich ihn schon geöffnet hatte. Gelesen habe ich ihn natürlich nicht.«

Eschenbach überflog das fünfseitige Schreiben, das mit Tabellen und Graphiken versehen war. »Nach dem Tod von Banz hat der Verwaltungsrat in einer außerordentlichen Sitzung Alois Kaltenbach zum neuen CEO ernannt. Zudem wurde entschieden, dass zehn Prozent des Aktienkapitals der Bank den Mitarbeitern zukommt, im Rahmen eines Beteiligungsplans.«

»Kadermitarbeitern«, betonte Rosa. »Ab Prokurist aufwärts. Der Rest geht leer aus.«

»Dann haben Sie's also doch gelesen?«

Rosa schüttelte energisch den Kopf. »Die Leute sprechen darüber, das ist doch logisch.«

»Auch wenn's ausdrücklich verboten ist?« Eschenbach suchte den entsprechenden Passus: »Hier steht, dass die Angelegenheit *vertraulich* zu behandeln ist.«

Rosa hob die Schultern. »Von mir aus kann Banz schenken, was und wem er will. Mitnehmen konnte er es ja nicht.«

»Wissen Sie, wie Banz' Beteiligung an der Bank insgesamt war?«

»Keine Ahnung.« Rosa blickte auf das Schreiben. »Steht das denn nicht dort drin?«

»Nein.« Eschenbach blätterte, ohne wirklich zu lesen. »Die Bank ist eine Aktiengesellschaft ... Da lässt sich das nicht ohne weiteres herausfinden.«

»Ich weiß.«

Eschenbach blickte auf und sah Rosa an. »Sie haben natürlich nachgesehen, im Handelsregister. Ich kenne Sie doch.«

Rosa nickte. »Aber Sie haben recht. Über die Eigentumsverhältnisse steht da nichts ... drum heißt die Aktiengesellschaft auf Französisch ja auch SA – Société Anonyme.«

»Eben.«

Der Kellner kam und servierte die Drinks.

Eschenbach bezahlte und wartete, bis die Bedienung außer Hörweite war.

»Auf der Beerdigung sah es nicht so aus, als hätte Banz direkte Erben. Ich denke, ein paar hundert Millionen hatte der mindestens.«

»Das steht eben auch nicht im Handelsregister.«

Eschenbach nahm sein Glas, prostete Rosa zu und stürzte den Whiskey in einem Mal hinunter. »Da wäre es schon interessant zu wissen, wer die bekommt.«

»Über eine Milliarde«, bemerkte Rosa. »Das ist die Bank wert. Ich habe mit unseren Analysten gesprochen.«

Nachdem sich Eschenbach von Rosa verabschiedet hatte, spazierte er den Limmatquai hinunter bis zum Hauptbahnhof. Auf dem Weg rief er wegen der Schlüsselgeschichte ein zweites Mal bei seiner Nachbarin an. Wieder ohne Erfolg.

Die andere Vertrauensperson, die ebenfalls einen Wohnungsschlüssel hatte, war seine Frau Corina. Sie war mit der dritten Schlüsselbesitzerin (seiner Tochter Kathrin) in Kanada. Auch dort rief Eschenbach an. Höchste Zeit, denn die beiden wussten noch nichts von seinem Unfall. John hatte Corina am Vorabend nicht erreichen können. Das hatte ihn der Bruder gleich am Morgen wissen lassen, als er Eschenbach das Handy wieder zurückgegeben hatte.

Als wieder nur die Combox ansprang, bat er Corina um einen Rückruf. Eschenbach sah auf die Uhr. Es war halb acht an einem Freitagabend. In Vancouver – neun Stunden früher – also halb elf. Um diese Zeit hatte Corina noch nie geschlafen.

Natürlich gab es bessere Geschichten, die erzählten, wie einsame Männer ihren Weg ins Kloster fanden. Der Verlust eines geliebten Menschen zum Beispiel, durch Krankheit und Tod. Schwere Schicksalsschläge, die einem den Boden unter den Füßen wegzogen. Eschenbach war weit davon entfernt, auch wenn er sich um seine beiden Frauen langsam Sorgen machte. *No news are good news*, sagte er sich. Bestimmt würde Corina ihn zurückrufen.

Es war ein anstrengender Tag gewesen. Das Rennen mit Claudio gleich nach dem Frühstück, die Abdankungsfeier von Jakob Banz. Der Kommissar empfand eine tiefe Müdigkeit, aber wirklich bedrückt war er nicht. Zu sehr wirkte Rosas herzliche Umarmung nach, und dass Christian ihm seine Luxuswohnung zur Verfügung gestellt hatte, war das Zeichen einer schönen Freundschaft gewesen.

In der Halle des Hauptbahnhofs kaufte Eschenbach sich eine Bratwurst, löste ein Ticket und setzte sich in die S2. Er fuhr bis Wädenswil; dort verließ er den Zug, stieg um in die Südostbahn, die ihn weiter bis nach Einsiedeln brachte.

Bestimmt hätte er auch bei Christian übernachten können. Aber das wollte Eschenbach nicht. Die Abgeschiedenheit im Kloster hatte ihm gutgetan. Er sehnte sich geradezu nach dieser friedlichen Stille. Er musste Kräfte sammeln und einmal in aller Ruhe über alles nachdenken.

Als er von unterwegs in der Benediktinerabtei anrief, um seine Rückkehr anzukündigen, war er überrascht. Keine Combox und auch kein Band! Eine sonore Männerstimme meldete sich, freundlich und *in personam*.

»Selbstverständlich, und reisen Sie gut. Ich werde Bruder John sofort benachrichtigen.«

Der Kommissar sah dieselbe Landschaft, durch die er mit Jagmetti gerast war, nochmals an sich vorbeiziehen. Langsam und beschaulich, im sanften Streulicht einer untergehenden Sonne. Einen kurzen Moment dachte er daran, wie es wohl wäre, wenn er sich der Bruderschaft in Einsiedeln anschließen würde. Rein hypothetisch natürlich: gedacht für jemanden, der keine Familie hatte (so wie er im Moment) und keine wirkliche Aufgabe (auch so wie er).

Arbeiten oder Beten waren keine schlechten Mittel gegen die Einsamkeit. Gegen den Hauch von Schwermut, den der Kommissar kannte, und gegen das Verlorensein in Großstädten und Zügen. Vielleicht würden die Herren der katholischen Kirche einmal bereit sein, über eine Berlusconi'sche Variante des Zölibats nachzudenken.

Während sich Eschenbachs Gedanken im Konjunktiv verloren, begann sein Handy zu klingeln und zu vibrieren.

»Ich bin sauer, einfach nur saumäßig sauer!« Es war Corina. So wie es schien, meinte sie tatsächlich, was sie sagte.

»Ich kann's dir erklären.«

»Du kannst immer alles erklären. Das ist es ja, was mich rasend macht. Tagelang versuche ich dich zu erreichen ... flöte dir Gedichte von Rilke auf die Combox. Von Rilke, hörst du? Ich weiß nicht, wann ich so etwas Idiotisches zum letzten Mal gemacht hab. Und was passiert? Nichts ... rein überhaupt gar nichts. Wenn ich dich nicht besser kennen würde, ich hätte mir vielleicht Sorgen gemacht. Aber ich weiß ja, wie's läuft. Es ist immer dasselbe. Wieder genauso wie früher, als du bei der Kripo warst: Ich höre nichts und weiß nichts ... Ein Scheißgefühl ist das.«

»Corina, Corina!«

Aber seine Frau hatte bereits aufgelegt.

Im Kloster empfing ihn Bruder Pius, ein Mönch, den Eschenbach noch nie gesehen hatte. Er überreichte ihm eine Notiz von John und begleitete ihn auf sein Zimmer.

Ich melde mich morgen früh, stand auf dem Zettel.

Eschenbach zog seine Kleider aus und legte sich aufs schmale Bett. Er hätte gerne auf seiner Combox das Gedicht von Rilke abgehört. Während er versuchte, sich an den Zugangscode zu erinnern, schlief er ein. Als er wieder aufwachte, schien die Sonne durchs Fenster. Er stand auf, trat in den schmalen Lichtkegel und blinzelte. Es war kurz vor acht Uhr. Eschenbach las die Zeit vom Display seines Handys.

Über Nacht war eine SMS von Corina eingegangen:

Geht es dir eigentlich gut?

Gut oder *noch* gut?

Die Zeile wandelte auf dem schmalen Grat zwischen Besorgnis und Empörung.

Eschenbach fand Bruder John im Büro der Bibliothek. Der kleine, beleibte Mann saß vor einer großen Kiste wie vor einem Weihnachtsgeschenk. Er strahlte: »Ein paar wunderschöne lateinische Schriften haben wir heute bekommen.«

»Ich muss mit Judith sprechen.«

»*Salve!*«

»Wo ist sie? Und kommen Sie mir nicht wieder mit irgendwelchen Geschichten. Raus mit der Sprache!«

Mit einem tiefen Seufzer klappte John die Kartondeckel zu und erhob sich. »Ich weiß es nicht.«

»Sie wissen es nicht?«

»Erinnern Sie sich, was ich Ihnen gesagt habe ... Ich meine, bevor Sie der junge Rennfahrer mitgenommen hat?«

Eschenbach überlegte. Er setzte sich auf den mächtigen Tisch, auf dem eine Menge Kisten und Bücher gestapelt waren. »Sie haben gesagt, dass Judith auf eigene Faust ermitteln würde.«

»*Haec, quemadmodum exposui, ita gesta sunt.*«*

Der Kommissar musterte die hellen kleinen Augen hinter der Nickelbrille. »Sie testen mich, nicht wahr?«

»Ihr Latein?«

Eschenbach schüttelte den Kopf, halb lachend, halb weil es ihm bitterernst war: »Mein Latein ist miserabel, um das geht es nicht. Sie wollen wissen, ob ich mich an Judith erinnere. Da kann ich Sie beruhigen.«

»Umso besser.«

»Gegen Judith besteht ein Haftbefehl. Zudem hat die Frau ein paar Jugendsünden auf dem Kerbholz ... ein Vorstrafenregister, das sich gewaschen hat. Das macht die Sache nur noch schlimmer.«

»Ich weiß, ich weiß.«

»Mein lieber Bruder John«, begann der Kommissar mit ausgesuchter Höflichkeit. »Es ist schon sehr merkwürdig. Wenn ich Sie etwas frage, dann sagen Sie, Sie wissen's nicht. Und im Gegenzug, wenn ich Ihnen etwas erzähle, dann scheinen Sie über alles informiert zu sein. Ist das nicht paradox?«

»So ist es«, sagte der Mönch. »Aber es ist nicht wirklich ein Paradoxon. Es lässt sich erklären: Sie sind Polizist ... Ganz be-

---

* Es ist so geschehen, wie ich es dargelegt habe.

stimmt ein guter. Ich hingegen bin Lehrer. Wenn ich meinen Schülern eine Frage stelle, dann kenne ich die Antwort bereits im Voraus. Das ist ein wichtiger Unterschied. Das Leben wird um vieles einfacher, wenn man die Antworten auf die eigenen Fragen kennt.«

»O Gott!«

»O ja, der ... der kennt sowieso alle Antworten.«

Die beiden unterschiedlichen Männer sahen sich eine Weile an.

»Judith ist eine ehemalige Schülerin von Ihnen«, begann Eschenbach von neuem. »Sie fühlen sich noch immer für Sie verantwortlich ... Sie mögen sie, das ist verständlich.«

»Genau.«

»Aber wir kommen keinen Schritt weiter so. Helfen Sie mir, bitte!«

»Ich versuche es.«

»Ich habe mir Judiths Bewerbungsunterlagen angesehen. Sie ist hier in die Stiftsschule gegangen. Die Jahreszahlen habe ich nicht mehr im Kopf ...«

»Judith war dreizehn, als sie zu uns kam.«

»Und in den Unterlagen steht, dass sie hier die Matura gemacht hat.«

»Mit Bestnoten.«

»Danach Studium der Nationalökonomie in Zürich. Summa cum laude und so weiter ... Das hab ich alles. Mich interessiert, was vorher war. Irland.«

»Ich bin Schotte.«

»Irland, John. Was wissen Sie über ihre Zeit dort? In den Unterlagen steht nichts darüber. Aber wenn ich das Strafregister der jungen Dame ansehe, dann steht dort eine ganze Menge.«

»Ja.«

»Wer sind ihre Eltern? Wenn man hier an die Stiftsschule will, dann kommt man nicht wie ein Meteorit einfach durchs Dach geschossen.«

John räusperte sich. »Judith schon ... Ich meine, sie hat das

Fenster zur Bibliothek eingeschlagen, ich kann mich noch gut erinnern. Zuerst dachten wir, sie wolle nur etwas zu essen.«

Der Mönch erzählte Eschenbach, wie alles angefangen hatte und wie es ihm später gelungen war, Judiths Ziehvater in Irland ausfindig zu machen. »Sie ist Vollwaise, ihre Eltern sind noch an der Unfallstelle verstorben. Judith hat wie durch ein Wunder überlebt.«

»Und aufgewachsen ist sie dann bei diesem …«

»Ernest Bill – ein Freund der Familie. Übrigens ein recht merkwürdiger Mensch. Das habe ich schon nach den ersten Briefen gemerkt. Wissen Sie, Herr Kommissar, es gibt Eltern, die rufen mich alle zwei Wochen an und erkundigen sich, wie es um ihr Kind steht. ›Klappt es denn mit Elodie?‹ – so als ob es mit Kindern klappen könnte. Früher habe ich mir noch die Mühe gemacht, mir dazu etwas aus den Fingern zu saugen. Als junger Lehrer tut man das, weil man denkt, die Eltern haben ein Anrecht auf eine Standortbestimmung. Aber das ist Unsinn.«

Eschenbach dachte an Kathrin und daran, dass er nicht einen blassen Schimmer hatte, wie es in Vancouver in der Schule lief.

»Ernest Bill war anders. In den fünf Jahren, die Judith bei uns in die Stiftsschule gegangen ist, haben Ernest und ich fünf Gespräche miteinander geführt. Pro Schuljahr eines. Immer am 1. August, am Schweizer Nationalfeiertag, gegen zwei Uhr am Nachmittag. Da hat er mich angerufen, Jahr für Jahr. Und jedes Mal hat er immer dieselbe Einstiegsfrage gestellt: ›Regnet es bei euch, John?‹ Also, ich habe mich gewundert, das sage ich Ihnen. Und dann wollte er wissen, ob wir im Kloster denn Feuerwerk hätten. Wieder so eine Frage!« John schüttelte den Kopf.

»Über Judith wollte er nichts wissen?«

»Das dachte ich zuerst auch. Dem ist das völlig egal … Ich meine, da muss man sich doch wundern, oder?«

Eschenbach nickte.

»Und ob wir Lampions hätten und Girlanden! Stellen Sie sich das vor, in einem Kloster!«

Wieder Kopfschütteln.

»Und als keine weiteren Fragen mehr kamen, ich meine, nach dem Wetter, dem Feuerwerk und den Girlanden ... Also, da habe ich dann halt von mir aus erzählt. Es gab ja auch nur Erfreuliches zu berichten. Judith war äußerst wissbegierig und lernte sehr schnell. Sie sog alles auf, wie ein Schwamm, der lange ausgetrocknet war. Das war dann der längere Teil unseres Gesprächs. Aber auch das war merkwürdig. Weil Ernest keine Fragen dazu gestellt hat. *No feedback at all!*«

»Und das ging immer so?«, wollte Eschenbach wissen.

»Genau. Allerdings ist im zweiten Jahr ein Kurier vorbeigekommen, zwei Tage bevor Ernest angerufen hat. Mit einem großen Paket mit Feuerwerk! Dazu Lampions und rote Kerzen mit Schweizer Kreuzen.«

»Und?« Eschenbach wusste nicht recht, was er von der Geschichte halten sollte.

»Nichts und«, sagte John. »Das zweite Gespräch verlief wie das erste, abgesehen davon, dass wir jetzt Feuerwerk hatten und dass ich ihn gleich am Anfang fragte, ob es ihn denn überhaupt interessiere, wenn ich über Judith spreche.«

»Was er natürlich bejahte.«

»Richtig. Es würde ihn sehr interessieren, hatte er gesagt. Und ich dachte mir, dass es schon merkwürdig ist, keine Fragen zu stellen, wenn einen etwas sehr interessiert.«

»Vielleicht hatte Judith Kontakt zu ihm?«

»Sehen Sie, Herr Kommissar, das ist es, was ich am wenigsten verstehe. Während ihrer ganzen Schulzeit hat sich Judith ausgeschwiegen, wenn es um Ernest ging. Sie hat so getan, als gäbe es ihn überhaupt nicht.«

»Und heute?«, wollte Eschenbach wissen.

»*Dominium generosa recusat*«*, bemerkte John mit einem Lächeln. »Kinder müssen sich emanzipieren. Und in dieser Hin-

---

* Die Stolze will keinen Herrn.

sicht hat es Judith auf die Spitze getrieben. Aber keine Sorge, die beiden haben sich wiedergefunden, bei der Maturafeier. An diesem Tag habe ich Ernest zum ersten Mal gesehen. Ich kann mich noch genau erinnern. Als ich Judith rufen wollte, hat er nur abgewinkt und gemeint, es brauche wohl etwas Zeit. Und wie recht er doch hatte: Den ganzen Abend habe ich beobachtet, wie Judith und Ernest ihre Kreise zogen. Wie zwei Planeten, jeder für sich allein ... Als wollte keiner in die Laufbahn des andern geraten. Und dann muss es passiert sein. Ich hatte eine kleine Ansprache gehalten, mich danach mit einigen der Eltern unterhalten und Judith eine Weile aus den Augen verloren. Und als ich sie wiedersah, saß sie mit Ernest an einem Tisch, und sie sprachen miteinander.«

»Sie trägt ja auch seinen Familiennamen.«

»Sie sagen es.« Der Bruder dachte lange nach, bevor er langsam mit dem Kopf nickte und weitersprach. »Ernest hat für Judith das Schulgeld entrichtet. Das kann ich Ihnen verraten ... Auch wenn es dazu überhaupt keine Belege gibt.«

»Geldüberweisungen hinterlassen immer Spuren«, sagte Eschenbach.

»Auch wenn der Betrag bar bezahlt wird?«

Nun horchte Eschenbach auf. »Dann wird es in der Buchhaltung einen Vermerk geben, nehme ich an.«

John schüttelte den Kopf. »Ernest wünschte, dass die Zahlungen anonym blieben. Immer am Tag vor Heiligabend ist ein Kurier gekommen, derselbe übrigens, der auch das Paket mit dem Feuerwerk gebracht hat. Und der hat mir dann auch das Kuvert mit dem Geld gegeben. Zusammen mit einer Weihnachtskarte, auf der die Pietà von Michelangelo abgebildet war. Jedes Mal.«

»Und was haben Sie Judith erzählt? Sie hat sich doch bestimmt gewundert, wer für ihre Schulkosten aufkommt.«

»Wir haben ein Spendenkonto«, sagte John. »Auf dieses Konto hat unser Schatzmeister das Geld verbucht. Im Gegenzug erhielt Judith ihr Schulgeld aus dem Stipendienfonds des Klosters ... Die rechte Hand gibt, was die Linke bekommt. Eine Art doppelte Buchhaltung oder so. Im Prinzip ist es ganz einfach. Und die Weihnachtskarte habe ich direkt an Judith weitergeleitet.«

»Und Sie fanden das nicht merkwürdig?«

»Irgendwie schon«, sagte John und zog die Schultern hoch. »Als ich Ernest fragte, weshalb ihm das so am Herzen liege, da hat er gemeint, dass es auf diese Weise niemanden gäbe, dem Judith zu Dank verpflichtet sei. Ich glaube, das war ihm wichtig ... dass es sich um Geld handelt, das keinen Schatten wirft. So hatte er es bezeichnet.«

»Keinen Schatten und keine Spur.« Eschenbach kamen plötzlich die zehn Milliarden Franken in den Sinn, die bei Duprey verschwunden waren und auch keinen Schatten mehr warfen. »Sie denken also nicht, dass Judith nach Irland zurückgeht?«

»Aber nein!« Die Antwort kam wie aus der Pistole geschossen. Viel zu schnell, was nun auch Bruder John bewusst wurde. Er lächelte. »Judith ist in Schwierigkeiten, ich weiß. Aber ans Messer liefern werde ich sie deshalb nicht.«

»Sie steht unter Mordverdacht.« Eschenbach schwang sich von der Tischkante, ging ein paar Schritte in Richtung Ausgang und sagte: »Dann werde ich mir mal für das Kloster hier einen Durchsuchungsbeschluss besorgen.«

Eschenbach hatte sich auf dünnes Eis gewagt. Genauso gut hätte er androhen können, dass er als Nächstes mit den Elefanten des Zirkus Knie vorbeikommen würde.

»Das dürfen Sie nicht!«

Aber es funktionierte.

Eschenbach hörte Johns Schritte. Er biss sich auf die Unterlippe und fuhr fort: »Es bleibt mir beim besten Willen nichts anderes übrig.«

»Um Gottes willen – nein, nein!«

»Um Gottes willen – aber ja!«

Es war Laientheater auf hohem Niveau.

Der Kommissar, der noch zwei energische Schritte nach vorne gemacht hatte, blieb stehen und drehte sich auf dem Absatz um. John, der bis auf einen halben Meter aufgerückt war, zuckte zusammen.

Wie zwei Eichen, umgeben von Gewitterwolken, standen die Männer da und musterten sich: finster der eine, sorgenvoll blickend der andere.

»Dann lassen Sie mich zu Judith.«

»Nur, wenn ich dabei sein darf.«

»Das müssen Sie wohl«, sagte Eschenbach. »Ich weiß ja nicht, wo ich sie finde.«

»Nicht so, meine ich.«

»Sondern?«

»Dabei sein, wenn Sie ermitteln. Als Ihr Deputy – so sagt man doch bei der Kriminalpolizei, oder?«

»Assistent ist besser.«

»Assistent Lieutenant … Mir ist jeder Titel recht.«

Eschenbach, dem wieder die Elefanten vom Zirkus Knie in den Sinn kamen, blickte zur Decke, ließ ein paar Sekunden verstreichen und sagte dann, breit und langgezogen: »Okaaay.«

»Yess!« John machte eine ungelenke Bewegung mit der Faust. »Zusammen werden wir den Fall lösen.«

Eschenbach hätte am liebsten laut herausgelacht. Zu drollig erschien ihm das Bild des kleinen, korpulenten Mannes, der plötzlich, gepackt von Abenteuerlust und blindem Eifer, ganz gisplig wurde.

»Also gut, fangen wir an.« Eschenbach war nun bereit, das Ganze auf die Spitze zu treiben. »Als Erstes benötigen wir eine Einsatzzentrale.«

»Haben Sie denn kein Büro?«

»Doch, doch … Aber wir brauchen einen Außenposten. Eine Feldzentrale sozusagen. Schließlich planen wir eine *undercover investigation*.«

»Ach wirklich?«

Das Niveau des Laientheaters drohte in den Keller zu rutschen.

»Zum Beispiel der Ort hier, das wäre ideal.« Der Kommissar deutete auf das Pult mit den Bücherkisten. »Telefon, Fax, Computer ... Es ist alles da.«

»*Tempestas surgit!*«* John tupfte sich mit dem Ärmel seiner Kutte den Schweiß von der Stirn.

»Es ist ja nur vorübergehend.«

»Also gut. Aber ich werde mit Bruder Pachomius sprechen müssen. Es ist nämlich sein Büro.«

Auch das noch, dachte Eschenbach.

John eilte trippelnd zur Tür. »Ich habe Judith in ihrem alten Internatszimmer in der Stiftsschule untergebracht. Es war zufälligerweise gerade frei. Bitte folgen Sie mir!«

---

* Ein Sturm kommt auf.

Kapitel 19

Die Ökonomie der alten Männer

Der Vogel war natürlich ausgeflogen.

»Wir können sie ja nicht einsperren«, sagte John mit einem Unterton der Erleichterung.

Eschenbach musterte das kleine Zimmer: Die Wände waren ockergelb gestrichen und leuchteten im einfallenden Morgenlicht. Ein Poster hing über dem Bett, sauber eingerahmt: *Pink Floyd – The Wall*. Bücherregal, Tisch und Stuhl waren aus hochwertigem Eichenholz gefertigt.

»Fürs nächste Mal, Dr. Watson«, sagte der Kommissar und blickte zu John. »Wenn wir bei der Polizei eine Verhaftung vornehmen, dann tun wir das immer früh am Morgen, so zwischen sechs und sieben Uhr.«

»*It's the early bird that catches the worm.*«

»So ist es.«

»Aber wir wollen Judith doch gar nicht verhaften, oder?«

»Nein, natürlich nicht.«

John atmete erleichtert auf.

»Haben Sie ein Auto?«

»Brauchen wir denn eins?«

Auf der Fahrt zurück nach Zürich war Eschenbach froh, dass er John für eine Weile los war. Es war nicht einfach gewesen, seinem neuen Assistenten klarzumachen, dass er, Eschenbach, der federführende Hauptkommissar in der Causa Banz, das Gespräch mit Alfred Kaltenbach allein führen wollte. Zudem brauchte er Zeit, um in aller Ruhe nachzudenken. Ob es John gelang, ein Treffen mit Ernest Bill zu arrangieren? Diesen Auftrag hatte er dem Ordensbruder noch erteilt, bevor er eilends zum Bahnhof gelaufen und in den Zug eingestiegen war. Vielleicht hatte John ja Talent und erwies sich als ein würdiger Assistent.

Der neue CEO der Banque Duprey war das pure Gegenteil seines Vorgängers Banz. Dies war Eschenbach bereits während der Abdankungsfeier im Grossmünster aufgefallen. Aber jetzt, da er Kaltenbach in dessen Büro gegenübersaß, war der Unterschied noch offensichtlicher. Kaltenbach war Anfang fünfzig, von schmächtiger Statur und bescheidenem Auftreten. Eschenbach glaubte bei ihm nicht einen Funken Humor zu erkennen; überhaupt hatten ihn offenbar die Lebensgeister verlassen oder hielten gerade noch ein Minimum der Grundfunktionen in Gang. Der große Kopf, der wie in Stein gehauen auf einem Hühnerhals saß, zitterte leicht, als Kaltenbach mit leiser Stimme das Gespräch eröffnete:
»Sie haben sich bestimmt Gedanken gemacht, wie es mit Ihrem Engagement bei uns weitergehen soll.«
»Ich habe einen Vertrag«, sagte Eschenbach. »Ich nehme an, Sie kennen die Vereinbarung.«
»In dieser Sache hat mich Herr Banz nicht um meine Meinung gefragt. Vermutlich wusste er, dass ich ihm davon abgeraten hätte. Sie sind Polizist, Herr Eschenbach. Es gibt Dinge, die passen einfach nicht zusammen.«
»Ich bin Jurist … Meine Frage war, ob Sie den Vertrag kennen.«
Der große Kopf auf dem dünnen Hals nickte. »Es gibt einen Punkt, dem Sie vielleicht bisher keine Beachtung geschenkt haben.«
»Ich bin gespannt.«
»Nun, Sie haben den erwähnten Vertrag bestimmt bei sich.«

»Nicht hier ... Er ist bei mir zu Hause.«

Eschenbach sah in Kaltenbachs dunkle Augen. Dieser verdammte Vertrag, dachte er, ist in meiner verdammten Wohnung, zu der ich verdammt noch mal keinen Schlüssel habe.

»Aber ich weiß, was drinsteht.«

»Dann ist ja gut«, sagte der Banker. »In diesem Fall wissen Sie so gut wie ich, dass der Vertrag zwischen Ihnen und Herrn Banz abgeschlossen wurde.«

»Zwischen wem denn sonst?«

»Mit Jakob Banz als Privatperson.«

Und Banz war tot, und damit war der Vertrag, den Eschenbach mit dem Verstorbenen eingegangen war, an dessen Erben übergegangen. Schlagartig war Eschenbach alles klar. Die Banque Duprey hatte keinerlei Verpflichtungen ihm gegenüber. Da ging sie hin, die Abfindung.

Kaltenbach erklärte diesen Sachverhalt weit ausführlicher, als es nötig gewesen wäre.

»Tja«, sagte Eschenbach mit dem Ausdruck eines Pokerspielers, dessen Bluff gerade aufgedeckt wurde.

»Tja!«, sagte auch Kaltenbach.

»Und Ihren Bemerkungen entnehme ich, dass meine Dienste bei der Banque Duprey nicht weiter gefragt sind.«

»Exakt, wie Sie's sagen, Herr Eschenbach. Genau genommen müsste man sogar festhalten, dass Sie nie in dieser Bank gearbeitet haben.«

»De facto aber schon.«

»De jure aber nicht.«

Wie es bei Fachsimpeleien gelegentlich vorkommt, blieben am Ende nur noch zwei abstrakte Worthülsen übrig: Gesetz und Wirklichkeit; von jeher zwei weit auseinanderliegende Ufer, zwischen denen ein Meer brandete. Und weil Eschenbach ein halbes Leben auf diesem Ozean herumgeschippert war, die Tiefen und Untiefen kannte wie kaum ein Zweiter, kam ihm die zündende Idee.

»Wenn ich bei Ihnen nie angestellt war ...«, begann er langsam, den Gedanken wie ein Schifflein hinter sich herziehend. »Dann kann ich unmöglich dem Bankgeheimnis unterstellt sein.«

»De facto aber schon.«

»Ich bin ja nie hier gewesen, kann also auch unmöglich wissen, dass über zehn Milliarden Schweizer Franken aus Ihrem System verschwunden sind. Einfach so, von Kunden mit klingenden Namen, die auf diese Beträge wohl nie einen Centime Steuern bezahlt haben.«

Eschenbach konnte keine einzige Regung in Kaltenbachs bleichem Gesicht feststellen. Scheinbar gelangweilt wandte sich der Bankier ab, stand auf und ging zu seinem Schreibtisch. Als er zurückkam, hielt er ein Papier in den Händen.

»Wir unterschätzen die Leute nie, mit denen wir zu tun haben, Herr Eschenbach. Das war schon immer eine Stärke unserer Bank.«

Kaltenbach setzte sich wieder.

»Wer andere unterschätzt, erlebt Überraschungen. Und Überraschungen mögen wir nicht.« Der Bankier schob Eschenbach das Papier zu.

Die Vereinbarung, die Eschenbach Satz für Satz durchging, reichte über den üblichen Punkt der Geheimhaltung hinaus. Eschenbach sollte sich dazu verpflichten, von seinem Wissen keinerlei Gebrauch zu machen und keinerlei weitere Nachforschungen zu betreiben. Was unter *keinerlei* zu verstehen war, wurde umfassend festgehalten.

Es bedeutete das Ende der Causa Banz.

Als Gegenleistung würde man ihm, Eschenbach, drei volle Monatsgehälter ausbezahlen und Rosa Mazzoleni auf unbestimmte Zeit weiter bei Duprey beschäftigen.

»Der Passus, der Frau Mazzoleni betrifft, ist doch auch in Ihrem Sinne, nicht wahr?«

»Da müssen Sie sie schon selbst fragen.« Eschenbach hob die

Schultern. »Sie ist eine tüchtige Frau ... Da kann sie arbeiten, wo sie will.«

»Eine fristlose Entlassung der Dame wäre Ihnen also auch recht«, meinte Kaltenbach. Und ohne Eschenbachs Antwort abzuwarten, fügte er hinzu: »Und was Sie betrifft ... wir haben uns über Ihren Kontostand informiert. Sie haben das Geld ja mehr als nötig. Zudem ist es ja keinesfalls sicher, ob Sie Ihre Stelle bei der Kantonspolizei behalten können.«

»Ich bestehe auf der Erfüllung meines alten Vertrages.«

»Das geht nicht.«

»Tja.«

Eine kurze Pause entstand.

Kaltenbach wackelte mit dem Kopf, zögerte und meinte dann: »Wir können über den Betrag diskutieren ...«

»Inklusive Bonus.«

»Einen Bonus? Sie haben doch überhaupt nichts geleistet.«

»Es gibt auch Boni für Dinge, die man nicht leistet. Fürs Nichtreden, zum Beispiel, und dafür, dass man nicht zur Konkurrenz geht. Und auch dafür, dass man's aushält, dass man wie ein Arschloch behandelt wird.«

»Also gut!«

Eschenbach, der sich auf eine längere Verhandlung eingestellt hatte, hielt inne. »Der volle Bonus, ohne Abzüge.«

Der Bankier erhob sich abermals, ging zum Schreibtisch und kam mit einem neuen Papier zurück. »Derselbe Vertrag, den Sie vorhin gelesen haben ... ergänzt um die von Herrn Banz zugesicherten Bezüge.«

»Insgesamt eine Million Schweizer Franken.«

Kaltenbach nickte. »Zu den genannten Bedingungen.«

»Haben Sie noch weitere Versionen?«, fragte Eschenbach, als er die Verträge miteinander verglich und feststellte, dass der ausgehandelte Betrag tatsächlich aufgeführt war. Er bemerkte auch, dass Kaltenbach und ein weiterer Partner der Bank das Dokument bereits unterzeichnet hatten.

»Der Betrag wird einem Sperrkonto zugeführt«, bemerkte der Bankier. »Lautend auf Ihren Namen. Diesen Passus haben wir noch hinzugefügt. Wenn wir das Gefühl haben, dass Sie sich an unsere Abmachungen halten, werden wir das Konto deblockieren. «

»Ich brauche das Geld für meine Miete.«

»Denken Sie daran, Eschenbach. Dies ist ein Entgegenkommen unsererseits. De jure haben wir Ihnen gegenüber keine Verpflichtungen.«

Eschenbach unterschrieb.

»Das zweite Exemplar ist für Sie.«

Der Kommissar faltete die Blätter zweimal, steckte sie in die Seitentasche seines Vestons und stand auf. »Sie haben damit gerechnet, dass ich unterschreiben würde?«

»Wir haben es gehofft«, sagte Kaltenbach, der sich nun ebenfalls erhob. »Aber mit der Hoffnung ist es so eine Sache. Wir sind beide in einem Alter, in dem wir uns keine Enttäuschungen mehr einhandeln wollen. Also erhoffen wir uns Dinge, die wir auch erreichen können. Ich nenne es die Ökonomie der alten Männer ... Wir tun manchmal etwas, das uns gegen den Strich geht, nur weil die Zeit, die uns am Ende bleibt, immer kostbarer wird.«

Eschenbach ging mit Kaltenbach die paar Schritte bis zur Tür. »Wenn ich ein Verhör führe, weiß ich nie, ob ich am Ende ein Geständnis bekomme oder nicht.«

»In der Tat, Monsieur Eschenbach. Darin unterscheidet sich unser Geschäft. In den Verhandlungen, die ich führe, steht am Ende immer ein Betrag. Eine kalkulierbare Summe.«

»Eine Million Schweizer Franken.«

»Ja, so ist es. Eine absehbare Entwicklung.«

Die beiden Männer verabschiedeten sich ohne Händedruck.

Anstelle des Aufzugs entschied sich der Kommissar für das Treppenhaus. Während er die Stufen hinabschritt, beschleunigte er das Tempo. Je schneller seine Schritte wurden, desto mehr überkam ihn das Gefühl, dass er die Kontrolle über seine Beine verlieren würde. Immer schneller zappelten sie unter seinen Hüften. Zu seinem eigenen Verwundern stürzte er nicht, sondern landete, geschüttelt wie eine Marionette, sicher in der fünften Etage.

Kaltenbach lag falsch, wenn er glaubte, dass er wegen des Betrags unterschrieben hätte.

Dieses arrogante Arschloch!

Es war Rosa gewesen.

Vor allem Rosa.

Und nur ein kleines Quäntchen das viele schöne Geld.

Eschenbach öffnete die Tür zu den Büros und ging, ohne nach links oder rechts zu blicken, direkt auf Rosas Arbeitsplatz zu. Die Tischlampe brannte, der PC war eingeschaltet (der Screensaver zeigte ihr Patenkind Stefano, als er noch ein kleiner Junge war), aber von Rosa fehlte jede Spur.

Der Kommissar schrieb einen Gruß auf einen gelben Post-it-Zettel und klebte diesen direkt auf Stefanos Schnuller am Bildschirm. Dann verließ er die Bank.

Als Eschenbach eine Stunde später zurück ins Kloster kam, fand er John, wie er vornübergebeugt am großen Tisch im Büro der Bibliothek saß und eine Fotografie begutachtete. Mit einer riesigen Lupe.

»Doktor Watson!«

Der Bruder zuckte zusammen, als hätte ihn ein Stromschlag getroffen.

»Jesus! Ich habe Sie überhaupt nicht kommen hören.« John stand auf, um sich gleich darauf wieder zu setzen.

»Sie haben etwas Interessantes gefunden?«

»Allerdings!«

Eschenbach durchschritt den Raum, blieb neben John stehen und blickte ihm über die Schulter. »Und, was ist es, wenn ich fragen darf?«

»Eine Fotografie.«

»Das sehe ich.«

»Ich bin gleich fertig, dann erkläre ich Ihnen alles.«

Konzentriert, mit zusammengekniffenen Augen linste der Bruder durch das Vergrößerungsglas, wobei er die Lupe immer näher ans Zielobjekt heranführte.

Eschenbach bemerkte neben der Fotografie einen Stapel mit Papieren und ein A4-Blatt, das komplett mit Buchstaben vollgekritzelt war.

Ein Seufzer erklang.

John legte die Lupe vorsichtig auf den Tisch, nahm die Nickelbrille von der Nase und rieb sich die Augen. »Die Inschrift ist nur noch sehr schwer zu erkennen. Sie lautet: *Annie & Ch. Stiner.*«

»Eine Inschrift?«

»Auf dem Grabstein von Judiths Eltern, in Irland.« John setzte die Brille wieder auf und blickte kurz zu Eschenbach hoch. »Laut den Angaben, die wir bisher hatten, waren sie bei einem Autounfall ums Leben gekommen. Vor vierundzwanzig Jahren. Judith war damals vier Jahre alt.«

»Und Sie überprüfen das jetzt?«

»Allerdings.«

»Mit dieser Lupe und einer alten Fotografie?«

»Sie lachen mich aus!«

Eschenbach verdrehte die Augen. »Nein, natürlich nicht. Ich habe mir nur gedacht … Unfall mit Todesfolge, dazu gibt es bestimmt einen Polizeibericht. In einem solchen Fall nimmt man das Telefon in die Hand und ruft an … die Kollegen in Irland! Vielleicht haben die ja eine Datenbank und finden etwas.«

Der Bruder strahlte nun, und eine freudige Erregung zeigte sich in seinem Gesicht, als er konzentriert die Lippen spitzte und fragte: »Das heißt, Sie würden das genau so machen, einfach dort anrufen und fragen?«

»Genau so«, sagte Eschenbach.

»Und Sie würden behaupten, Sie wären Polizist, obwohl Sie genau genommen ja gar keiner mehr sind?«

»Wie kommen Sie denn darauf?«

»Weil die ihre Berichte ja nicht ohne weiteres so herausgeben.«

»Ach so.«

»Sie würden also lügen?«

Eschenbach zögerte. »Sie sind doch katholisch, lieber John …«

Der Bruder nickte.

»Sehen Sie, und ich bin Polizist. Es gibt Dinge, die ändern sich nicht so schnell im Leben. Natürlich könnten wir Claudio Jagmetti damit beauftragen, das ginge dann aber länger … und am Ende würde dasselbe Resultat herauskommen. Also, was soll's. Und im Übrigen ist das eine rein hypothetische Diskussion. Sie bringt uns keinen Schritt weiter.«

»Lügen sind nie hypothetisch.«

»John, Sie übertreiben es!«

Der Bruder schluckte, dann griff er zu den fünf Seiten, die – zusammengeheftet mit einer großen Büroklammer – zuoberst auf dem Papierstapel lagen. John warf einen prüfenden Blick darauf, bevor er sie Eschenbach hinstreckte.

»Was ist das?«

»Lesen Sie's!«, sagte der Benediktiner nicht ohne Stolz. »Es ist der vollständige Polizeibericht zu besagtem Unfall aus dem Jahr 1986. Die irische Polizeibehörde hat ihn mir gefaxt.«

Eschenbachs Mund stand offen.

»Vor einer halben Stunde. Erstaunlich übrigens, was da drinsteht.«

»Sie haben …«

»Angerufen, so wie man's macht.« John schürzte die Lippen. »Und ich habe mir Mühe gegeben, das können Sie mir glauben … mit meinem Englisch. Weil, das ist ja meine Muttersprache, und weil ein Schweizer Polizeiassistent das nicht so kann … Ich meine, so wie ich mich ausdrücken könnte.«

Eschenbach schwieg; er war bereits mit dem Lesen des Berichtes beschäftigt.

»Dann habe ich die Korrespondenz mit Ernest hervorgeholt ... den Brief, in dem er das Grab von Judiths Eltern erwähnt. Die Inschrift auf dem Stein: *Annie & Ch. Stiner – rasten hic inne.*«

John machte eine kurze Pause. Als er sah, dass Eschenbach noch immer nicht ansprechbar war, las er den zweiten Teil des Textes nochmals vor.

»*Rasten hic inne.* Das ist mir gar nicht aufgefallen, damals, als ich den Brief gelesen habe. Weil der ja handgeschrieben ist – und dann liest man ganz automatisch richtig, nämlich so, wie es heißen müsste: *hier inne.* Aber jetzt, wo wir diesen Polizeibericht haben ... Also, da habe ich nochmals nachgesehen.«

Eschenbach, der den Bericht fertiggelesen hatte, nahm sich einen Stuhl und setzte sich. Er war blass im Gesicht und starrte an die gegenüberliegende Wand.

»Und auf diesem Foto, es steckte in einem Gedichtband von Yeats, den mir Judith zum Abschied geschenkt hat ... Also hier ist der Stein abgebildet, und die Schrift ist deutlich erkennbar: *rasten hic inne.*«

»Ihr Vater ist beim Unfall gar nicht umgekommen«, murmelte Eschenbach. Ungläubig nahm er sich nochmals die entsprechende Seite der Faxnachricht vor.

»*Rasten hic inne* ist ein Anagramm«, sagte John. Er nahm das vollgekritzelte Blatt Papier zur Hand. »Es sind dieselben Buchstaben, die auch in *Annie & Ch. Stiner* vorkommen. Und wenn man sie anders zusammensetzt ... Also dann stimmen sie exakt mit dem Namen des Unfallopfers überein. Dem Namen der Frau, die im Rapport der irischen Polizei genannt wird.«

»Ich sehe es«, sagte Eschenbach leise. Er saß noch immer da, mit dem Bericht in den Händen, fassungslos. »Anne-Christine Duprey ... So hieß sie ledig, bevor sie Jakob Banz geheiratet hat.«

»Banz, tatsächlich ... Das ist doch der Name dieses Bankers.« Der Kommissar nickte.

Auch John schien nun langsam zu begreifen: »Und wenn die

verheiratet gewesen sind, also wenn diese Frau die Mutter von Judith ist …«

»Dann ist Jakob Banz ihr Vater«, vollendete Eschenbach den Satz.

Einen Moment schwiegen beide.

»Das ist ja unglaublich«, begann John zögerlich. »Das würde ja bedeuten, dass Judith beschuldigt wird, ihren eigenen Vater …«

Wieder legte sich eine dumpfe Stille über die beiden.

»Sie haben das alles nicht gewusst, nehme ich an.« Eschenbach sah John in die Augen. »Ich meine, wer die wahren Eltern von Judith sind.«

»Aber nein!« Der Mönch schüttelte den Kopf und griff zu einem Stapel mit Briefen. »Die hat mir Ernest geschrieben, im Laufe der Zeit. Er hat mir nie etwas davon erzählt. Im Gegenteil … Jetzt muss ich sogar annehmen, dass er es mir bewusst verschwiegen hat.«

»Dann bleibt die Frage, ob Judith es weiß.«

»Wir können sie ja fragen.«

»Nicht jetzt.« Eschenbach winkte ab. »Ich wäre froh, wenn Sie dieses Geheimnis vorläufig für sich behalten würden.«

Kapitel 20

Person A muss Hawaladar X vertrauen

Das Taxi schlich entlang des Strandwegs in Thalwil und hielt vor einem großen, massiven Eisentor.

»Hier müsste es sein«, sagte der Fahrer.

»Sind Sie sicher?« Skeptisch musterte Judith die über zwei Meter hohe Thujahecke, die wie ein mächtiger Schutzwall das Anwesen gegen neugierige Blicke abschirmte.

»Hier unten am See haben die Häuser keine Nummern. Entweder man weiß, wohin man will, oder man hat hier nichts verloren.«

»Das geht schon in Ordnung.«

Der Taxifahrer nahm den Betrag entgegen, den sie für die Fahrt ausgemacht hatten. »Vielleicht ist es besser, ich warte noch einen Moment … Ich meine, falls man Sie hier nicht hineinlässt.«

Judith schüttelte den Kopf. »Fahren Sie, ich komme schon zurecht.«

Sie stieg aus und wartete. Als der Wagen außer Sichtweite war, drückte sie auf den Knopf der Überwachungsanlage.

Eine Stimme meldete sich.

»Ich möchte zu Herrn Walther.«

»Wen darf ich melden?«

Judith zögerte einen Moment, bevor sie den Namen sagte:

»Habakuk.«

»Wie bitte?«

Judith nannte drei weitere Namen:

»Daniel, Joel, Jona …«

»Sie hätten sich anmelden müssen. Ich kenne keinen von Ihnen.«

Judith lächelte. »Herr Walther kennt uns. Haben Sie etwas zum Schreiben?«

»Ja.«

»Dann notieren Sie.«

Judith zog den Zettel aus ihrer Jeans und las der Reihe nach alle Namen vor, die sie notiert hatte. Sie sprach langsam, als handelte es sich dabei um ein Diktat für Drittklässler. Angefangen mit den vier Großen: Daniel, Ezechiel, Jeremias und Jesaja – gefolgt von den zwölf Kleinen.

So wie sie die Namen laut vor sich hin sagte, merkte Judith, wie vertraut sie noch klangen. Es war unnötig gewesen, sie aufzuschreiben. Judith faltete den Zettel und sprach die letzten vier auswendig: »… Nahum, Obadja, Sacharja, Zephanja.«

Stille.

»Haben Sie's?«

»Das sind ja die Namen der Propheten«, sagte die Stimme aus dem Lautsprecher.

Judith schwieg. Es hatte Vorteile, wenn man fünf Jahre eine katholische Stiftsschule besucht hatte. Man kannte danach die Bibel. In- und auswendig. Das Alte und das Neue Testament. Als sie an jenem verhängnisvollen Abend die Files in Jakob Banz' Laptop entdeckt hatte, da waren ihr diese Namen aufgefallen. Sie passten einfach nicht zu den Finanzbegriffen, stachen heraus wie Albinomäuse in einem Käfig voller Ratten.

Dass ein Diener, ein Hausangestellter, Butler … oder wer immer es war, mit dem sie gerade sprach, die Propheten des Alten Testaments ebenso kannte wie sie, irritierte Judith.

»Wir kaufen keine Bibeln.«

»Sprechen Sie darüber mit Herrn Walther. Ich werde warten.«

Eine Viertelstunde war vergangen, dann öffnete sich das Tor. Eine zierliche Frau Mitte sechzig empfing Judith.

»Kommen Sie mit.«

Sie folgten dem breiten Kiesweg, der durch einen parkähnlichen Garten führte. Zwischen Rosensträuchern und großzügig angelegten Rhododendronbeeten erstreckte sich eine Rasenfläche aus dunklem Grün. Mittendrin, wie bunte Hunde, standen Plastiken berühmter zeitgenössischer Künstler.

Der Kies unter Judiths Turnschuhen knirschte, während sie einen Schritt vor den anderen setzte. In ihrem Gesicht spürte sie den kühlen Wind vom See.

Was wusste Walther wirklich über Hawala?

Judith hatte über das geheimnisvolle Bankensystem nachgeforscht, das bis vor ein paar Jahren nur wenigen Menschen der westlichen Welt bekannt gewesen war. Eine Gruppe von Staatsanwälten hatte es damals mit den Anschlägen auf das World Trade Center in Verbindung gebracht. Seither gab es einige Beiträge im Internet und ein paar Zeitungsartikel von findigen Journalisten. Allerdings war das Thema wieder von der Bildfläche verschwunden. Vielleicht auch deshalb, weil der gewaltige Zusammenbruch des traditionellen Bankenwesens wie ein Feuerball alle Blicke auf sich gezogen hatte.

Im Vergleich zur Finanzindustrie, die im Namen der Transparenz das Firmament der kapitalistischen Welt hell erleuchtet hatte, blieb Hawala im Dunkel anonymer Netzwerke verborgen. Ein gigantischer, unterirdischer Pilz, von dem nur hie und da kleine Auswüchse sichtbar wurden.

Und während sich die Gemeinschaft der Finanzinstitute damit abmühte, Betrug und Missbrauch durch eine Flut von Gesetzen und Regelungen einzudämmen, florierte mit Hawala ein System, das einzig und allein auf Vertrauen basierte. Nicht ein einziger schriftlicher Vertrag war nötig, keine Quittungen, keine Unterschrift.

Ein grotesker Gedanke, fand Judith.

Hawala war perfekt dafür ausgelegt, Geld von A nach B zu verschieben, ohne in den gängigen Zahlungssystemen – weder in den Computern noch auf Papier – eine einzige Spur zu hinterlassen.

Judith war sich des Risikos bewusst, das sie einging. Sie würde den Mann, den sie an der Spitze von Hawala vermutete, direkt darauf ansprechen.

Sie war für das bevorstehende Gespräch bereit.

* * *

Eschenbach hielt noch immer den Polizeibericht aus Irland in den Händen. Er versuchte John zu beruhigen, der ihm schon zum dritten Mal erklärte, dass er von der Vaterschaft des Bankiers Banz nichts gewusst hatte.

»Ich hab's doch gerade erst herausgefunden. Wegen des Anagramms hier. Und dass Anne-Christine, die ja im Polizeibericht mit ihrem ledigen Namen Duprey aufgeführt ist ... Ich meine, dass die mit diesem Banz verheiratet war ... Also, das haben Sie mir doch gesagt.«

»Schon gut.«

Es klopfte an der Tür.

Eschenbach blickte fragend zu John.

»Herein!«, rief dieser in ungewohnt lautem Tonfall.

Es war Bruder Pachomius. Der alte Mönch streckte zuerst nur den Kopf durch den Türspalt. Als weder Eschenbach noch John etwas sagte, zögerte er.

»Es ist alles in bester Ordnung. Komm herein«, rief John.

Der über siebzigjährige Mann näherte sich den beiden schwankend. Auf halbem Weg blieb er stehen und sagte: »Darf ich mh ... meinen Bruder bitten, mein Büro wieder herzurichten. So wie es wwhar, bevor der Fremde alles drcheinandergebracht hat.«

Mit glasigen Augen blickte der alte Mann in Eschenbachs Richtung.

Der Kommissar merkte sofort, dass der Bruder getrunken hatte. Er legte die Faxnachricht auf den Tisch und ging auf Bruder Pachomius zu.

Auch John eilte herbei. Gemeinsam stützten sie den Bibliothekar und geleiteten ihn Schritt für Schritt zu einer Chaiselongue, die in einem kleinen Erker im hinteren Teil des geräumigen Büros stand.

»Das ist sein Platz«, sagte John.

Mit einem leisen Seufzer legte sich Pachomius auf das Polster.

»Und die Bibliothek ist seine Aufgabe ... Wir dürfen sie ihm nicht wegnehmen.«

»Natürlich nicht«, erwiderte Eschenbach. Dann bemerkte er, dass Pachomius bereits eingeschlummert war.

»Und jetzt?«

»Jetzt machen wir weiter«, sagte John. »Wir gehen in Judiths Zimmer. Ich möchte Ihnen da nämlich etwas zeigen.«

Ein heilloses Durcheinander empfing sie im kleinen Studio im Nordflügel des Gebäudes. Der kleine Schreibtisch war überhäuft mit Notizen, und auf dem kleinen Nachttisch neben dem Bett lag ein silberner Laptop.

»Was wissen Sie über Hawala, Herr Kommissar?«

»Ein informelles Bankensystem«, sagte Eschenbach. »Es wird häufig von Migranten in Anspruch genommen, um Geld in die Heimat zu schicken. Zudem halten sich hartnäckig Gerüchte, dass der internationale Terrorismus seine Kapitaltransaktionen auf eine ähnliche Weise abwickelt. Warum fragen Sie?«

John nickte eifrig. »Ich bin erstaunt, dass Sie dieses System kennen. Mir war es völlig unbekannt, bevor Ernest es mir erklärt hat.«

»Ernest Bill?«

»Ja. Ich habe Ihnen doch erzählt, dass Judiths Schulgeld immer bar bezahlt wurde. Durch einen Kurier. Ich habe das seltsam gefunden, weil doch Ernest die besten Beziehungen hat.«

Eschenbach stutzte. »Von welchen Beziehungen reden Sie?«

»Von der Bank, in der auch Judith arbeitet.«

»Duprey?«

»Und Sie doch auch!« Etwas erstaunt blickten Johns wache Augen über den schmalen Rand seiner Brille. »Sie arbeiten doch ebenfalls dort. Also müssten Sie ihn kennen, Ernest ist Verwaltungsrat.«

»Bei Duprey?«

»Aber wir sprechen doch von keiner anderen Bank.«

Etwas verwirrt fuhr sich Eschenbach durchs Haar. »Ich bin keine sieben Tage dort gewesen, da kann man nicht alles wissen.«

»Heinrich Harrer war sieben Jahre in Tibet.«

»Das tut doch jetzt überhaupt nichts zur Sache.«

»Sieben ist eine heilige Zahl.«

»Dann stecken Sie sich die sonst wohin.« Genervt nahm Eschenbach einige der A4-Blätter vom Tisch und sah sie sich an.

»Also, ich hab das seltsam gefunden, dass ein Verwaltungsrat einer Privatbank das Schulgeld durch einen Boten überbringen lässt«, fuhr John ungerührt fort. »Darum habe ich ihn gefragt, weshalb er das tut.«

»Weil er anonym bleiben wollte«, grummelte Eschenbach. »Geld ohne Schatten ... Diese Geschichte haben Sie mir schon einmal erzählt.«

»Aber wie das genau funktioniert ... Also, das weiß ich, weil Ernest es mir erklärt hat.«

»Hier ist eine Zeichnung.« Eschenbach legte eines der Blätter wieder auf den Tisch.

»Und dann ist Judith mit diesem Hawala gekommen und hat mich gelöchert. Sie beschäftigt sich damit, seit sie mit Ihnen hier ins Kloster gekommen ist. Ich frage mich, weshalb ein solch altertümliches System so wichtig für sie ist.«

»Und ich frage mich«, sagte Eschenbach und sah John an,

»weshalb kommt Judith mit einem solchen Thema überhaupt zu Ihnen? Sie unterrichten Latein und Englisch.«

»Biologie und Menschenkunde ebenfalls.«

»Aber damit hat das hier doch überhaupt nichts zu tun.« Eschenbach tippte mit dem Finger auf die Graphik.

»Vermutlich hat Ernest ihr gesagt, dass sie mich fragen soll. Judith ist mit allem immer zu mir gekommen.«

»Sehen sich die beiden denn oft?«

Der Mönch nestelte an seiner Brille. »Judith ist immer wieder dort gewesen ... in Irland, meine ich. Sie hat mir Ansichtskarten geschrieben. Deshalb weiß ich das.«

Eschenbach seufzte. »Also los, erklären Sie's.«

John nickte. »Heute ist Hawala vor allem im Nahen Osten, in Afrika und Südostasien verbreitet. Aber wenn wir die Sache zurückverfolgen, dann finden wir seinen Ursprung im frühen Mittelalter des Vorderen und Mittleren Orients ...«

»Keinen Geschichtsunterricht, bitte, John!«, unterbrach der Kommissar. »Ich will einfach nur wissen, wie's funktioniert.«

»Aber die Geschichte ist wichtig, das habe ich auch schon Judith gesagt: Hawala ist zu einer Zeit entstanden, als das Wort noch ein Wort war.«

»Am Anfang war das Wort.«

»Sie machen sich lustig über Dinge, die Sie nicht verstehen.« John hielt einen Moment inne. »Aber das System funktioniert halt einmal so ... einzig und allein nur auf Vertrauen.«

Eschenbach setzte sich auf den Stuhl am Schreibtisch und betrachtete mürrisch das Blatt Papier. »Von mir aus, John ... Hier steht A und B.«

John seufzte. »Die Zeichnung hat Judith angefertigt. Sie ist wie Sie ... will immer alles jetzt und sofort. Aber es braucht Zeit. Ich bin ein langsamer Mensch, verstehen Sie? Langsam – dafür aber sehr genau.«

»Ich höre.«

»Gut.«

John bückte sich über die Graphik und spitzte den Mund. »Judith hat das ziemlich gut hingekriegt, finde ich.«

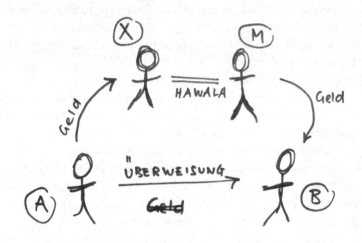

»Wir beginnen bei Person A: Sie will einer Person B Geld geben. Dafür muss Sie dem ›Hawaladar‹ X, dem sie das Geld bar aushändigt, vertrauen.«

Eine Pause entstand.

»Ich bin so weit, John. Ein Hawaladar ist so eine Art Agent. Bis jetzt habe ich alles begriffen.«

»Person B bekommt das Geld dann von Hawaladar M zugestellt, ebenfalls in bar. Damit das funktioniert, wird zwischen A und B ein Code vereinbart, zur Authentifizierung gegenüber ihrem jeweiligen Hawaladar. Bei diesem Code kann es sich um ein Wort oder um Zahlen handeln.«

»Wie wäre es mit einem Beispiel?«, fragte Eschenbach.

»Also gut: Person A gibt seinem Hawaladar X in Zürich 10 000 Franken. Dieser ist im Kontakt mit Hawaladar M in Karatschi, der an Person B dort den gewechselten Gegenwert in Rupien auszahlt – häufig nicht zum offiziellen Wechselkurs, sondern erheblich günstiger, da keine Bankgebühren oder Steuern anfallen. Ein weiterer Vorteil ist die Schnelligkeit der Transaktion. Wenn sich A und B gleichzeitig bei ihren Hawaladaren (X und M) aufhalten, wird sie innerhalb weniger Minuten abgewickelt, was in der Regel sehr viel schneller ist als eine normale Auslandsüberweisung. In diesem Punkt ähnelt das System stark den auf Geschwindigkeit ausgelegten Auslandsüberweisungssystemen von Western Union und MoneyGram. Der entscheidende Unterschied ist, dass bei Hawala X und M voneinander unabhängig handelnde Personen sind, wohingegen bei den Banksystemen jeweils die Bank sowohl die Rolle von X als auch von M übernimmt. Der Geldfluss innerhalb des Bankensystems ist transparent, der bei Hawala nicht. Hinzu kommt, dass sich A und B normalerweise weder identifizieren noch die Herkunft des Geldes nachweisen müssen. Und das kann je nach Situation äußerst komfortabel sein.« John machte eine Pause und grinste. »Kennen Sie die drei Affen, Kommissar?« Er sah zu Eschenbach hoch. »Der erste sieht nichts, der zweite hört nichts, und der dritte sagt nichts.« Der Mönch legte seine Hände abwechselnd auf Augen, Ohren und Mund. »So ein System ist das. Außerdem können bei Hawala A und B das Codewort bereits vorher absprechen, anstatt von X eine Referenznummer zugewiesen zu bekommen.«

»Nicht einmal Referenznummern gibt es«, murmelte Eschenbach. Sprachlos saß er vor der Graphik und versuchte das eben Gehörte nachzuvollziehen. Dabei ertappte er sich ein weiteres Mal dabei, dass er den Bruder unterschätzt hatte.

»Es ist ganz einfach«, sagte John. »Jetzt hat der Hawaladar X 10 000 Franken Schulden bei Hawaladar M in Karatschi. Diese Schulden werden mit den nächsten Transaktionen, die mit den Personen A und B nichts zu tun haben müssen, wieder beglichen. Diese ›Verrechnung‹ wird häufig auch im Rahmen gegenseitiger Warenlieferungen, Dienstleistungen oder durch Schmuck, Gold oder andere Wertgegenstände vorgenommen.«

»Das hat Ihnen dieser Ernest Bill beigebracht?«

John nickte. »Das Büro eines Hawala-Händlers befindet sich häufig innerhalb eines regulären Geschäftes. Zum Beispiel in einem Einzelhandelsgeschäft, einem Import-Export-Unternehmen oder einer religiösen oder sozialen Einrichtung. Es ist aber auch möglich, die Geschäfte in einem Café oder auf der Parkbank abzuwickeln. Es steht dazu auch einiges im Internet.«

»Im Internet?«

»Manchmal habe ich den Eindruck, Sie unterschätzen mich, Herr Kommissar.«

»Wie kommen Sie denn darauf?« Eschenbach senkte den Blick und betrachtete ein weiteres Mal die Zeichnung. »Ich frage mich nur, weshalb sich gerade Judith so brennend dafür interessiert.«

Der Bruder hob die Schultern. »Sie wollte wissen, was passiert, wenn ein Hawaladar betrügt oder sich mit kriminellen Organisationen einlässt.«

»Das wollte ich Sie auch gerade fragen.«

»Er wird früher oder später von seinen nationalen und internationalen Kollegen geächtet und meist mit Berufsverbot belegt.«

»Oder man bringt ihn einfach um.«

Der Bruder lächelte. »Da merkt man wieder, dass Sie Polizist sind. Aber Sie müssen bedenken, dass die Leute mit den Transaktionen Geld verdienen. Provisionen, je nach Höhe und Art des Geschäftes. Da reicht es in der Regel, dass einer keine Aufträge mehr bekommt.«

»Wie bei eBay also.«

»Mehr als das«, bemerkte John. »Der Bestrafte verliert nicht nur seine Einlage, sein Geschäft … Er verliert auch die Reputation in seiner religiösen oder ethnischen Gemeinschaft.«

»Seiner religiösen Gemein…«

»Das ist das Allerschlimmste überhaupt!«

»John, Sie sind ein hoffnungsloser Idealist.«

Kapitel 21

Keine Farben in diesem Haus

Judith folgte der Frau, die in kleinen Schritten über den knirschenden Kies eilte.

Das Haus, auf das sie zusteuerten, lag direkt am Ufer des Sees. Es war ein riesiger, heller Kubus, der alabasterfarben in der Mittagssonne glänzte. Es schien ihr, als näherten sie sich einem überdimensionalen Grabstein, der weder Fenster noch Türen hatte.

Als sie noch zwei Schritte von der Hauswand entfernt waren, öffnete sich in der Mauer ein Spalt.

Sie traten in eine mächtige Eingangshalle aus hell schimmerndem Marmor. Durch ein großes Oberlicht fiel die Sonne ein und verbreitete ein gleißendes Licht. Weil es weder Teppiche noch Bilder gab und Judith auch sonst kein einziges Möbelstück entdecken konnte, verloren sich die Dimensionen in einem grell leuchtenden Weiß.

»Hier warten wir«, sagte die Frau, senkte den Blick und schwieg, so wie sie während des ganzen Weges schon geschwiegen hatte.

Judith sah sich um. Aber weil es überhaupt nichts gab, worauf sie ihr Augenmerk hätte richten können, glitt auch ihr Blick zu Boden, und ein plötzliches Gefühl der Demut erfasste sie.

Ein Moment verging, dann erschien wie aus dem Nichts ein Mann, so als träte er direkt aus der Wand. Er war ganz in Schwarz gekleidet und von schlanker Statur. Judith schätzte ihn auf Mitte fünfzig.

Verblüfft trat sie einen Schritt zurück.

Aber der Mann lächelte: »Es ist der Stein«, sagte er leise, in einem tiefen, sonoren Bass. »Laaser Marmor, Sie haben ihn bestimmt schon irgendwo gesehen. Die meisten bedeutenden Bauwerke zwischen 1850 und 1910 sind aus ihm gefertigt. Die Königin-Victoria-Statue vor dem Buckingham Palace zum Beispiel. Und die Soldatengräber der Alliierten.«

Der Mann kam auf Judith zu und streckte seine Hand aus.

»Ich bin Jeremy Walther.«

Judith hob ihren Blick. Walther überragte sie um mindestens zwei Köpfe; ein Riese mit einem hellen Bart und langem, angegrautem Haar, das ihm bis auf die Schultern fiel. Sie sah ihm direkt in die dunklen Augen.

»Ich bin Judith Bill.« Sie fühlte den kräftigen Druck seiner warmen, großen Hand.

»Das ganze Haus ist aus Laaser Marmor«, fuhr er fort. »Ich habe die meisten Steinbrüche, in denen er noch geschlagen wird, gekauft. Ich mag seinen bleichen Körper, den Geruch ... Für ein Haus wie dieses, in dem es keine einzige Türe gibt, ist er der ideale Baustoff.«

Walther bat Judith, ihm zu folgen.

Sie verließen die Halle durch eine schmale Öffnung in der Wand, die Judith erst jetzt entdeckte. Nun war ihr auch klargeworden, weshalb Walther vorher so plötzlich vor ihr gestanden hatte.

Die Räume und Flure, die sie durchschritten, waren auf dieselbe geheimnisvolle Weise durch Lücken und Zwischenräume miteinander verbunden. Abgesehen vom hellen Stein der Böden, Wände und Decken gab es nichts zu sehen.

Walthers Haus war eine Katakombe in Weiß; ein Labyrinth, bewusst darauf ausgerichtet, dass der Besucher die Orientierung verlor. So jedenfalls kam es Judith vor.

»Ich habe mein Leben darauf verwendet, Schließsysteme zu entwickeln«, sagte Walther, während er um die nächste Ecke bog. »Ein Vermögen habe ich damit verdient, mit der Angst der Menschen, dass ihnen etwas abhandenkommt. Hier ist alles offen.«

Unvermittelt traten sie in einen Wohnbereich. Wie schon die Eingangshalle war auch dieser Raum von imposanter Größe. Judith atmete auf. Eine breite Glasfront lenkte ihren Blick auf den Zürichsee; es schien, als ströme das tiefe Blau des Wassers direkt in das von Licht durchflutete Zimmer.

Sämtliche Möbelstücke, Sitzpolster, Tische, Stühle – auch der Konzertflügel von Steinway, der in der Mitte des Raums stand –, alles, was Judith erblickte, war im selben Weiß wie der Laaser Marmor gehalten.

Walther bot Judith einen Platz auf der Couch an und setzte sich ihr gegenüber auf einen Stuhl.

»Es existieren keine Farben in diesem Haus. Jedenfalls keine, die von Menschenhand gemacht sind. Das haben Sie sicher bemerkt. Keine Bilder an den Wänden … Nichts von all den Dingen, für die Freunde von mir einen Haufen Geld ausgeben. Es ist ein Jammer. Denn die wirklichen Farben schenkt uns die Natur.«

»Dieses Blau …« Judith hatte Mühe, ihren Blick dem Wasser zu entziehen.

»In Wirklichkeit ist es nur gebrochenes Licht.« Walther erhob sich und ging ein paar Schritte in Richtung Fenster. »Wenn Sie den Zürichsee ausschöpfen, wird nichts von diesem wundervollen Blau übrig bleiben. Sie können es nicht besitzen, das ist phantastisch. Ein Geschenk! Verglichen damit, ist Picasso nur ein Schmierfink.«

Judith beobachtete Walther. Trotz seines fortgeschrittenen Alters und der stattlichen Größe lag etwas Katzenähnliches in der Art, wie er sich bewegte.

»Die meisten Menschen sind nämlich farbenblind.«

Judith betrachtete die hünenhafte Silhouette Walthers vor dem Fenster. »Wie meinen Sie das?«

»Ich spreche nicht von dieser lächerlichen Rot-Grün-Geschichte … sondern ganz generell. Die Leute sehen die Farben zwar, aber sie verstehen sie nicht.«

Judith, die keinen blassen Schimmer hatte, worauf Walther hinauswollte, lächelte.

»Wenn Sie auf den See schauen, was sehen Sie?«

»Blau«, sagte Judith.

»Fixieren Sie dieses Blau eine Weile, und dann schließen Sie die Augen.«

Judith gehorchte.

»Nun drehen Sie den Kopf zur Seite und öffnen die Augen wieder.«

Judith tat wie geheißen.

»Und jetzt, was sehen Sie?«

Etwas Seltsames geschah. Vor dem Hintergrund der weißen Möbel und Wände sah Judith den Zürichsee rot.

»Ich sehe Rot«, sagte sie.

»Da staunen Sie, was?« Walther kam vom Fenster zurück zur Sitzgruppe. »Dieses Phänomen hat Goethe entdeckt, im Schnee, als er im Dezember 1777 auf den Brocken im Harzgebirge gestiegen war. Ein äußerst mühsames Unterfangen damals ...«

»Die Komplementärfarbe«, bemerkte Judith.

»Es gibt eine Innenwelt der Außenwelt.«

Judith schloss die Augen, um sie gleich darauf wieder zu öffnen. Aber der rote Fleck verschwand nicht.

»Ist es das Blut an Ihren Händen, Judith? Haben Sie Jakob Banz umgebracht?«

Judith setzte ihr Pokerface auf. »Es war eine Frage der Zeit, bis Sie hier auftauchen. Das hat der Ernest schon gemeint. Und jetzt, da Sie wissen, wie es um die Bank steht ...«

Walther setzte sich wieder. Er gab dabei einen tiefen Laut von sich, wie das Brummen eines Bären. »Jetzt wollen Sie wissen, wie die Geschichte ausgeht.«

»So ist es.« Judith zögerte keine Sekunde. »Ich habe mir die Zusammensetzung des Verwaltungsrats von Duprey angesehen: Ernest, Banz, Sie und Andreas Holdener. Vier gestandene Männer, hohe Milizoffiziere der Schweizer Armee, die obendrein dem Zürcher Freisinn angehören und die sich – abgesehen von Banz – aus dem aktiven Geschäftsleben zurückgezogen haben.«

»Der Zürcher Freisinn ist tot«, sagte Walther. »Das wissen Sie so gut wie ich. Und dass es mit Jakob so enden musste, tut mir leid. Es ist tragisch.«

»Sie weichen mir aus«, sagte Judith.

»Na gut, was wollen Sie?«

»Die Banque Duprey blutet aus«, sagte sie in klarem, sachlichem Ton. »Während der letzten fünf Jahre sind dort über zehn Milliarden Franken verschwunden. Spurlos. Ich habe mir die Transaktionen angesehen. Es sind Barbezüge, die über längere Zeit erfolgt waren. Über die gleiche Zeitspanne übrigens hat Duprey größere Mengen an Goldbarren gekauft. Dies lässt mich vermuten, dass die Summe in Form von physischem Gold die Bank verlassen hat.«

»Gold ist eine gute Investition, gerade heutzutage«, sagte Walther. »Die Preise haben sich vervielfacht.«

»Wenn das noch ein oder zwei Jahre so weitergeht und bei Duprey in diesem Stil Geld abfließt, dann sind wir bald unter der kritischen Grenze von vier Milliarden Kundenvermögen. Darunter rentiert sich eine Bank langfristig nicht.«

»Sie sind intelligent und können rechnen.« Walther zündete sich eine Zigarette an. »Wir werden Duprey schließen – ein geordneter Rückzug. Das haben wir schon vor ein paar Jahren so beschlossen, als sich die bedrohliche Situation abzeichnete.«

»Wusste Banz davon?«

»Er war der Erste, zusammen mit Ernest. Die beiden haben dem Verwaltungsrat damals den Vorschlag gemacht, eine neue Art von Banking ins Leben zu rufen.«

»Ein System, das keine Spuren hinterlässt.« Judith nickte. »Hawala! Inzwischen bin ich da selbst draufgekommen. Auf das läuft es doch hinaus, nicht wahr?«

So wie es Judith ausgesprochen hatte, lächelte Walther. »Hawala ist etwas für Migranten und Terroristen«, begann er. »Ein nettes System. Allerdings ausgerichtet auf Leute, die an etwas glauben; an Gott oder an ihre Sache. An Allah und seine Propheten, was weiß ich. Aber die westliche Welt glaubt an nichts, nicht einmal mehr an sich selbst, wenn Sie mich fragen: außer an Geld.

Früher haben die Marmorpaläste der Banken Vertrauen erweckt. Die Leute glaubten, dass die Institute, die sich dahinter verbergen, reich und mächtig wären. Heute sind wir klüger. Wir wissen, dass es Kartenhäuser sind, die zusammenfallen, wenn ihnen der Staat nicht unter die Arme greift.«

Walther drückte die Zigarette in ein weißes Marmorgefäß, zündete sich eine neue an und fuhr in aller Ruhe fort:

»Nach dieser gigantischen Rettungsaktion sind anstelle der Banken nun die Staaten pleite. Wenn man von Deutschland einmal absieht, dann ist die Schweiz heute von zwei großen Armenhäusern umgeben. Sie können sich vorstellen, dass eine solche Situation Begehrlichkeiten weckt.«

»Die Schweiz ist ein freies Land«, warf Judith ein. »Wir können uns wehren.«

»Pah!«, machte Walther und stieß Rauch aus der Nase. »Ich erzähle Ihnen eine Geschichte. Sie handelt von meinem Vater … Er hat sie mir erzählt. Immer wieder. Als er noch zur Schule ging, während des Kriegs, da war mein Vater ein armer Schlucker. Arm wie die meisten seiner Kollegen. Ihre Väter standen an den Grenzen, im Aktivdienst … und die Mütter waren damit beschäftigt, ihre gefräßigen Bälger über die Runden zu bringen. Aber da war einer bei ihm in der Klasse, der kannte diese Sorgen nicht. Sein Vater war reich, Direktor bei Bührle, einer Firma also, von der wir heute wissen, dass sie damals munter nach links und rechts Waffen verkauft hat.

Dem Kleinen ging's richtig gut. Der hatte Schokolade und Kekse und zu Hause eine elektrische Eisenbahn, mit der mein Vater spielen durfte, wenn er bei ihm eingeladen war.«

»Es wird immer Reiche und Arme geben«, sagte Judith.

»Das ist nicht der entscheidende Punkt.«

»Sondern?«

»Entscheidend war, dass er seinen Schulkameraden Spielsachen gab und sie teilhaben ließ an seinem Wohlstand. Vielleicht tat er es, weil er der Kleinste von allen war und obendrein kurzsichtig, sodass er ständig eine Brille tragen musste.«

Eine kurze Pause entstand.

»Wer nicht verprügelt werden will, muss teilen.«

Walther lachte: »Und wer zu viel gibt, der verarmt. Es ist ein Dilemma. Die Kunst besteht darin, gerade so viel zu geben, dass man in Ruhe gelassen wird. Keinen Cent mehr. Wir machen das gar nicht so schlecht, finde ich. Wenn ich mir die neuere Geschichte der Schweiz ansehe, dann muss ich sogar sagen, dass uns das ganz hervorragend gelungen ist.«

Judith dämmerte es: die Befehlsausgabe von General Guisan, die sie auf Banz' Laptop gefunden hatte, ergab in diesem Kontext plötzlich einen Sinn.

»Der Rütlirapport«, sagte sie.

Jeremy Walther hob den Finger. »Ich wusste, dass Sie auch diesen Zusammenhang erkennen. Es wurde zwar nie schriftlich festgehalten, was Guisan seinen Hauptleuten damals auf dem Rütli wirklich erzählt hat. Es gibt Meldungen, die sagen, der General sprach bei schönstem Wetter. Nun schauen Sie sich aber den Wetterbericht an. Am Donnerstag, dem 25. Juli 1940, hat es in der Innerschweiz geregnet, und zwar gehörig. Wie auch immer … Es ist und bleibt ein Mythos. Aber nach der Aufarbeitung der späteren Befehle müssen wir annehmen, dass an diesem notabene regnerischen Tag beschlossen wurde, im Kriegsfall das gesamte Mittelland beinahe kampflos dem Gegner zu überlassen. Eine strategische Maßnahme, die in einem weiteren Schritt dazu führen würde, dass man das Gros der Kampftruppen in die Alpen schickte, um Steine zu verteidigen.«

»Sie glauben nicht an die Wehrtüchtigkeit unseres Landes?«

»Ach, hören Sie auf!« Walther winkte ab. »Das hat man das Volk damals glauben lassen. Eine geschickte Propaganda, damit niemand die Nerven verlor. Aber der wirkliche Grund, dass wir nicht angegriffen wurden, war ein ganz anderer.«

»Und der wäre?«

»Wir machten weiter mit Hitler Geschäfte. Erst als sich das Blatt gewendet hatte, lieferten wir an die Alliierten. Und das war auch vernünftig so. Geben, um behalten zu dürfen ...« Walther drückte die Zigarette aus. »Guisan war ein großer, stattlicher Mann, so wie es sich für einen General gehört. Aber er hat sich hineinversetzt in die Position des kleinen Jungen mit dem großen Portemonnaie und der Brille.«

Die Frau, die Judith am Tor empfangen hatte, erschien. Sie trug ein Tablett mit weißem Porzellangeschirr, das sie auf einen kleinen Marmorhocker stellte.

»Die Herren sind gleich da«, sagte sie zu Walther.

Walther nickte. »Das macht nichts. Ich unterhalte mich gerade so prächtig mit dieser Dame hier. Und etwas Zeit für einen Tee sollten wir uns schon noch nehmen.«

Judith beschlich ein ungutes Gefühl. Von welchen Männern war die Rede?

»Keine Sorge«, sagte Walther.

Judith sah zu, wie die Frau den Raum wieder verließ.

»Ich fertige diesen Tee übrigens selbst an. Er wird aus den Blüten des weißen Holunders gewonnen.«

Nachdem beide einen Schluck getrunken hatten, sah Walther kurz auf die Uhr und meinte:

»Die Geschichte wiederholt sich, das war schon immer so. Aber im Gegensatz zu früher finden die Auseinandersetzungen immer weniger auf dem Feld statt. Es treten keine Panzer- und Infanterieregimenter mehr gegeneinander an.«

»Sondern?«

»Der moderne Krieg findet auf den Finanzplätzen statt. Dabei kommt der Währungspolitik die Bedeutung der Luftwaffe zu, während Zins- und Fiskalpolitik in gewisser Weise die Marine- und Bodentruppen bilden. Über Importzölle werden Landesgrenzen geschlossen und mit Handelsabkommen und -embargos Allianzen geschmiedet. Natürlich ist alles viel komplexer. Aber die Absichten sind dieselben geblieben. Es geht um Hoheiten, um Produktions- und Standortvorteile. Es geht um gefräßige Mäuler, die gestopft werden müssen – gerade was China betrifft. Und es geht um die Erhaltung der eigenen Kultur und Religion, ebenso wie um den Fortbestand des eigenen Volkes.

Und den Generälen, die diese Art von Krieg führen, ist klargeworden: Sie müssen keine Kuh besitzen, wenn sie Milch trinken wollen.«

Judith dachte nach. Das Gespräch hatte einen seltsamen Verlauf genommen. Nun musste sie es zurück auf die Banque Duprey führen. »Zehn Milliarden sind kein Pappenstiel«, hakte sie ein. »Wohin sind diese Gelder geflossen?«

Walther lächelte. »Sie sind eine hartnäckige junge Frau. Es geht Ihnen um die Bank, nicht wahr? Sie glauben, dass sie Ihnen zukommt, so ist es doch. Wir wissen beide, wie der Fall liegt: Sie sind Jakob Banz' Tochter ... die einzige Erbin. Und jetzt wollen Sie nicht zusehen, wie es mit dem traditionsreichen Geldhaus den Bach runtergeht. So ist es doch, oder!«

In diesem Moment wurde Judith bewusst, dass ihr Vorhaben aussichtslos und sie in eine Falle getappt war.

»Und mit dem Mord an Jakob wollten Sie das Ganze stoppen.«

»Nein, so war es nicht!«

Jeremy Walther erhob sich. »Sie hätten auf Ernest hören und mit uns kooperieren sollen. Aber Sie wollten ja nicht. Jetzt ist es zu spät.«

»Es gibt ein Testament«, sagt Judith.

»Das ist richtig. Aber freuen Sie sich nicht zu früh!«

Ein Gong erklang.

Seufzend ging Walther zum Fenster, blickte gegen den Himmel und meinte: »Es wird Regen geben, ein Gewitter. Sie können es daran erkennen, wie der See seine Farbe ändert.«

Judith schwieg. Sie wusste, dass sie Walther ausgeliefert war. Es hatte keinen Sinn, irgendwohin zu flüchten. Nicht in diesem Haus.

»In Krisenzeiten muss man wissen, was man behalten will«, sagte Walther. Er hatte mit dem Fuß einen Knopf betätigt und sah nun zu, wie sich die riesige Fensterfront langsam öffnete.

»Die Vermögen ausländischer Kunden in der Schweiz belaufen sich auf knapp tausend Milliarden Franken. Das sind rund zehnmal weniger als die Staatsschulden der Vereinigten Staaten von Amerika. Aber es ist immerhin noch ein stolzer Betrag.

Man wird uns Scheibe für Scheibe davon abschneiden. Der Beschluss über die Abgeltungssteuer mit Deutschland ist erst der Anfang. Frankreich wird kommen, Spanien, Italien … Und es ist so zuverlässig wie Federers Rückhand, dass auch den Amerikanern wieder etwas Neues einfallen wird. Ruhe wird erst einkehren, wenn der ganze Kuchen vom Tisch ist.«

Judith sah, wie sich auf dem gekräuselten Wasser zwei Polizeiboote näherten.

»Aber so weit wird es nicht kommen«, fuhr Walther fort. »Es gibt Menschen, die uns vertrauen und die uns für unsere Verschwiegenheit und Integrität schätzen.«

Der große Mann kam langsam auf Judith zu:

»Was wollen Sie mit einer Bank? Ständig werden Ihnen neue Richtlinien aufs Auge gedrückt: Auflagen von irgendwelchen Bankenkommissionen, vom Fed oder von sonst einer Erbsenzähler-Institution. Sie zahlen Millionen für Computersysteme und Apparate, die alles nur schwerfällig machen und verkomplizieren. Es ist bald wie bei den Katholiken: Alles, was Spaß macht, ist verboten.«

Kapitel 22

Verschlungene Wege der Information

Die Art, wie Eschenbach von der Verhaftung Judith Bills erfuhr, ist bemerkenswert. Sie zeigt, wie das Prinzip des Buschtelefons auch im Zeitalter modernster Kommunikationstechnologie noch immer seinen Dienst tut und dass die Übertragung von Information im Laufe der Millionen von Jahren menschlicher Evolution nichts von ihrem Charme verloren hat.

Der entscheidende Anruf kam um exakt 12 : 32.36.

Das neue Softwaresystem bei der Kantonspolizei Zürich registrierte den Anruf sekundengenau. Die Nummer des Anrufers war die von Jeremy Walther, die Leitung, auf der angerufen wurde, jene von Exkommissar Eschenbach.

Das *Systema Automatica Porcamiseria*, wie es Rosa nannte, wusste genau Bescheid und mehr noch: Weil Jeremy Walther seit Jahren beratend für die Fachstelle Sicherheit der kantonalen Polizeibehörde tätig war, fanden unsichtbare Schaltkreise sofort den Link zu folgendem Eintrag:

Jeremy Walther, Sicherheitsexperte. Inhaber der Firma KABIX mit über Tausend Angestellten. Stehlen die komplexesten Schließsysteme her für Schlösser weltweit. Padentinhaber wichtiger Padente. Von der Bilanz bei den 100 reichsten Schweizer aufgelistet. Kontakt seit 1982 zu Hauptmann Eschenbach.

Ebenso waren diverse Adressen und Telefonnummern vermerkt sowie Angaben zu Zivilstand, Haarfarbe und der ungefähren

Körpergröße Walthers. Alles stand da, genau so, wie es eine der zwölf von Max Hösli temporär eingestellten Datatypistinnen eingegeben hatte.

Weil alle Anrufe, die seit Eschenbachs Abwesenheit auf dessen Leitung eingingen, direkt zu Claudio Jagmetti weitergeleitet wurden, reagierte der Telefonapparat des Bündners sofort: Es läutete – aufgrund der digitalen Technologie für Datenübertragung sogar ohne zeitliche Verzögerung.

So weit, so gut.

Exakt zu diesem Zeitpunkt befand sich Claudio Jagmetti beim Mittagessen. Er saß zusammen mit einer höchst attraktiven Kollegin von der Stadtpolizei im Café Wühre, einem hübschen Restaurant an der Limmat, unter einem kleinen Sonnenschirm,

Aus lauter Vorfreude auf dieses Treffen (und aufgrund der damit zusammenhängenden leichten Nervosität) hatte der Polizist vergessen, die amtliche Nummer auf sein Handy umzuprogrammieren. Möglicherweise war er noch daran gewöhnt, dass es bei der Kantonspolizei Telefonistinnen gab, krisenerprobte Damen, die in einem solchen Fall einspringen würden. So wie früher. Aber diese gab es nicht mehr, weil die Stellenprozente für Telefonistinnen nun alle für die Datatypistinnen draufgingen.

Der Telefonapparat auf Jagmettis Pult läutete also ins Leere, bis nach fünf Impulsen das Band einsetzte und Jeremy Walthers tiefer Bass aus den Lautsprecherboxen dröhnte.

»Nimmt in diesem Scheißladen eigentlich niemand das Telefon ab ...«

Jacqueline Bindler, seit drei Tagen Claudios Assistentin, zuckte zusammen, als sie die wütende Stimme hörte. Mit Schrecken wurde ihr bewusst, dass sie ganz allein war, allein im neu bezogenen Büro (mit insgesamt acht Arbeitsplätzen).

Kein Wunder! Draußen schien die Sonne bei angenehmen 23 Grad.

Es hatte sie niemand gebeten hierzubleiben, obwohl es eigentlich Vorschrift gewesen wäre. Schließlich musste jemand erreichbar sein. Hätte sie jemand gefragt, sie hätte gerne und ohne zu zögern ja gesagt, denn sie wollte auf eBay die letzten Minuten verfolgen, in denen eine ihrer Handtaschen versteigert wurde. Und das ging am besten, wenn man allein im Büro war. Zudem brachte sie aus Mangel an Geld ihr Mittagessen immer selbst mit, oder sie ließ sich von Claudio einladen, was allerdings bisher nur einmal vorgekommen war.

Aber jetzt war dieser wütende Mensch am Telefon. Ein gewisser Jeremy Walther. Darauf war sie nicht vorbereitet. Warum auch? Sie war neu hier und hätte die Situation keineswegs entschärfen können.

»Es ist mir lieber, du fragst einmal zu viel, als dass dann irgendwas im Argen liegt.« Diesen Satz hatte Claudio ihr mehrmals ans Herz gelegt.

Also rief Jacqueline ihren Chef auf dessen Handy an. Die Nummer kannte sie auswendig. In den letzten drei Tagen hatte sie ihn schon mindestens fünfzehn Mal angerufen: wegen der Bleistifte, des Papiers für den Drucker und der Bezugsquelle für die Kaffeekapseln. Wegen des Ein- und Ausstempelns und des Codeworts für den Zugang zum *Systema Automatica Porcamiseria*.

Jagmetti stöhnte kurz auf, als er auf dem Display sah, wer ihn gerade anrief. »Die kann mich mal«, murmelte er und schaltete den Apparat aus.

Sein Gegenüber schien beeindruckt. »Musst du denn nicht erreichbar sein?«

»Nicht für jeden Mist.«

Das Abschalten des Handys, der Satz, den er gerade aussprach … Jagmetti hatte sich das alles bei Eschenbach abgekupfert. Diese Souveränität, mit der sein alter Chef sich die unwichtigen Dinge vom Leibe hielt.

»Ich könnte das nicht«, sagte seine Kollegin. Sie hatte in der Zwischenzeit auf ihr neues iPhone geschaut und festgestellt, dass bei ihr kein Anruf eingegangen war.

Der Mist, von dem Jagmetti sprach, war noch lange nicht ausgestanden. Eigentlich fing er erst richtig zu gären an: mit einem Telefonanruf an die Notfallzentrale der Kantonspolizei, von einer Frau, die sich erst gar nicht die Mühe machte, ihren Namen zu nennen.

»Ich bin die Sekretärin von Herrn Walther – Walther mit Teha, in Thalwil. Mein Chef versuchte Ihren Chef zu erreichen. Aber da nimmt niemand ab.«

»Und jetzt?«

Der Korporal, der die letzten sechs Monate vor seiner Pensionierung in der Zentrale absaß, notierte die Tehas auf dem Standardblock für eingehende Notrufe.

»Jetzt spreche ich mit Ihnen, weil mein Chef gerade mit jemandem spricht, der von Ihrem Chef dringend gesucht wird.«

»Eine Chefsache also.«

»Werden Sie nicht albern, schreiben Sie auf: Judith Bill – es stand in allen Zeitungen. Die dringend Tatverdächtige im Mordfall Banz ... Sie müssen doch so etwas im Kopf haben, oder?«

Der Korporal wurde hellhörig. Er legte seinen Stift beiseite, stellte noch zwei Fragen, dann war er endgültig überzeugt, dass sie keine Spinnerin war, die ihre Nachbarin anzeigen wollte.

»Ich weiß nicht, wie lange Herr Walther die Flüchtige noch aufhalten kann«, sagte die Frau am Telefon. »Also unternehmen Sie etwas!«

Der Mist, die Bagatelle ... was immer es bis zu diesem Zeitpunkt für Claudio gewesen war – es flog dem jungen Polizisten gehörig um die Ohren, als er auf dem Weg ins Büro sein Handy wieder einschaltete und die Mitteilungen auf seiner Combox abhörte.

Beat Kollreuter, Einsatzleiter des für Judiths Festnahme abkommandierten fünfköpfigen Teams, informierte ihn kurz und giftig, in vorwurfsvollem Ton. Und Max Höslis kurze Bitte um Rückruf war eingebettet in eine Reihe übler Flüche.

Wie ein geprügelter Hund hockte Jagmetti im hintersten Wagen des Zweiers, stieg bei der Tramhaltestelle Stauffacher aus und trottete zum Werdhaus in böser Vorahnung einer Inquisition.

Er sah Hösli bereits vor sich, wie er dastand, flankiert von zwei ranghohen Offizieren, und er stellte sich vor, wie er ihn, Jagmetti, anlächelte. Aber das Lächeln war nur die Fratze eines Sadisten. Claudio spürte es, sowie er Hösli in die Augen sah: in zwei eisgraue Schlitze, so wie man sie normalerweise nur in Filmen sah, wenn jemand einen Gestapo-Obersten spielen musste.

Hösli, der langsam auf ihn zukam, wurde größer und größer. Der kleine Hösli war nun zu einem Riesen angewachsen. Und er würde ihn, Jagmetti, zertreten wie einen wehrlosen Käfer. Zermalmen, nachdem er ihm, Jagmetti, vorher noch die Eier gequetscht und mit einer Nadel das Zahnfleisch malträtiert hatte.

Jagmetti biss die Zähne zusammen, stieg in den Lift und drückte auf die Dreizehn. Kein Wunder! Schon das Stockwerk, in dem er sein Büro hatte, sagte alles. Dreizehn!

Als der Lift nach oben schoss, spürte der Polizist, wie ihm seine Eingeweide bis zum Hals rutschten. Er würde jetzt durch dieses Fegefeuer gehen müssen. Kein Zweifel. So war das nun einmal. Da gab es nichts dran zu rütteln.

Das Gute an Fegefeuern war, dass, wenn man einmal hindurchgegangen war, später alles ausgestanden sein würde. Alles würde wieder gut sein. Gesühnt und vorbei.

Claudio dachte daran, wie genüsslich es sich anfühlte, nach einem reinigenden Gewitter wieder richtig durchatmen zu können, weil der ganze Dreck aus der Luft gewaschen war. Er würde sich fühlen wie neugeboren. Und diese Aussicht auf die abgetragene Schuld und sein neues Leben ließ ihn erhobenen Hauptes durch zwei Türen hindurch zu seinem Schreibtisch gehen. Denn schließlich hatte er sich diese Scheiße selbst eingebrockt, mit seiner Überheblichkeit.

Und Eitelkeit!

Aber das Exekutionskommando stand nicht dort. Keine wippenden Fersen und keine Uniformen weit und breit. Als Claudio Höslis Nummer wählte, wurde er von dessen Sekretärin einsilbig abgespeist. Er kam sich vor wie ein lästiger Hund, dem man einen Tritt verpasste, damit er verschwände.

»Herr Hösli hat keine Zeit.«

»Aber er wollte doch, dass ich …«

»Ich richte Ihnen nur aus, was er mir gesagt hat. Mehr gibt es dazu nicht zu sagen.«

Stille.

Jagmetti hielt diese Stille nicht lange aus, denn sie war schlimmer als die erwarteten Höllenfeuer. Es war niemand in Sicht, der das Damoklesschwert, das über ihm hing, hinuntersausen ließ. Claudio biss sich auf die Unterlippe und wählte Rosas Nummer bei Duprey. Er erzählte ihr, was sich ereignet hatte.

Warum tat er das? Rosa hatte mit dem Fall überhaupt nichts zu tun. Sie war längst nicht mehr Teil des *Systema Automatica*.

»Ich habe mich aufs Fegefeuer eingestellt, und jetzt geschieht einfach nichts.«

Während Claudio am Telefon einen Satz an den anderen reihte, meldete sich sein Handy. Eine SMS war eingegangen.

Der Fall Banz ist Ihnen entzogen. M.H.

»Und jetzt?«, fragte Rosa. Sie hatte bemerkt, dass Claudios Redefluss plötzlich verstummt war.

»Jetzt hat mir Hösli gerade eine SMS geschickt. Der Fall ist mir entzogen.«

»Entzogen worden«, korrigierte Rosa mit einem Seufzer der Bestürzung. Sie hasste unfertige Sätze wie die Pest.

Es folgte eine Reihe weiterer Telefonate und SMS:

Rosa, nachdem sie sich alle Mühe gegeben hatte, Jagmetti von dummen Kurzschlusshandlungen wie einer sofortigen Kündigung abzubringen, versuchte Ewald Lenz zu erreichen, auf dessen Handy. Rosa war die Einzige, die wusste, dass der Alte eines besaß, weil sie selbst es ihm geschenkt hatte, bevor er nach Florenz gefahren war.

Und weil Lenz nie abnahm, sondern immer nur zurückrief, wenn Rosa ihm eine SMS geschrieben hatte, tippte sie:

lieber ewald,
es hat nun doch eine wendung gegeben im fall banz. sie haben sie verhaftet. irgendwie ist sie bei jeremy walther aufgetaucht, und der hat sie dann verpfiffen. keine ahnung, warum. die zusammenhänge kenne ich nicht. ironischerweise hat claudio das ding verschlafen und hat jetzt probleme mit hösli. eschi ist noch im kloster, er weiß noch nichts davon. sagst du es ihm?
baci, rosa

Es ging keine zwei Minuten, bis Lenz zurückrief.

»Rosa, *Cara*, ich hab's gelesen.«

»Wie geht es dir?«

»Ich packe jetzt gleich meine Sachen, bezahle die Rechnung, und dann nichts wie zurück.«

»Aber du hast doch die Prüfung … *domani*.«

»*Sissì. I freschi di Piero della Francesca …*«

An dieser Stelle wechselte Lenz in ein akzentfreies Italienisch.

»Dann bitte bleib doch.«

»Ich kann den ganzen Stoff auswendig, das ist ja nicht schwierig. Und ich hol das im nächsten Semester nach.«

»Und Eschi?«

»Ich denke, Claudio müsste es ihm sagen.«

»Okay.«

Rosa rief wieder Jagmetti an.

»Aber ich kann das nicht. Nicht jetzt. Ich hab schon genug Scheiße am Hals.«

»Okay.«

Rosa schrieb wieder an Lenz:

claudio non vuole. penso che dobbiamo diorlo noi a eschi. baci, rosa

»Claudio ist ein Feigling«, grummelte Lenz, als er drei Minuten später zurückrief. »Und ich habe schon seit Wochen nichts mehr von Eschi gehört. Der hat ja gar keine Ahnung, dass ich über alles informiert bin.«

Rosa, die in diesem Hin und Her schon über ein Dutzend Mal »okay« gesagt hatte, suchte ein anderes Wort:

»*Porca miseria* – bleibt denn immer alles an mir hängen?«

Bevor Lenz noch etwas sagen konnte, beendete sie das Gespräch. Wütend nahm sie ihre Tasse, ging zur Kaffeemaschine und nahm sich einen doppelten Espresso. Sie trank ihn schwarz, ohne Zucker, so wie ihn Eschenbach immer gemocht hatte.

»Weicheier«, zischte sie.

Als sie fertig war, ging sie zum Spülbecken und wusch das kleine Gefäß ab, aus dem sie getrunken hatte: Rosa stand drauf, in einem leuchtend blauen Schriftzug aus Emaille. Ewald hatte ihr die Tasse geschickt, vor drei Wochen. Handgefertigtes Steingut aus San Gimignano.

Zurück am Arbeitsplatz, nahm sie ihr Handy und tippte folgenden Satz:

scusami, ewald. und pass bitte auf, wenn du fährst. die italienischen autobahnen sind eine mördergrube. baci, rosa

Und an Eschenbach schrieb sie:

judith ist verhaftet worden. claudio kann nichts dafür. rufen sie mich bitte an. lg, rosa

Die zwischen Eschenbach, Lenz, Jagmetti und Rosa erfolgten SMS und Telefonate mit Bezug auf Judiths Verhaftung und alle weiteren Handlungen im Zusammenhang mit der Klärung des

Mordes an Jakob Banz wurden von Max Höslis vielgepriesenem System weder erfasst noch beeinflusst.

Das Schicksal nahm seinen Lauf.

Zu dieser gravierenden Erkenntnis würde ein halbes Jahr später auch eine Arbeitsgruppe von externen Spezialisten kommen. Sie würden in ihrem Schlussbericht an den Kantonsrat Folgendes festhalten:

»Die mit großem Aufwand eingespeisten Leitfäden und Anweisungen für Festnahmen und die damit zusammenhängenden, sorgfältig ausgearbeiteten Maßnahmen für die Nachbetreuung von Delinquenten gingen wie ein echoloser Ruf hinaus in den Nebel.«

Und der Kantonsrat seinerseits würde in seiner Sitzung vom 26. Januar die Verhaftung von Judith Banz als Auslöser einer Reihe unnötiger Fehlleistungen kritisieren. Im Protokoll der über zweistündigen Debatte würde später nachzulesen sein:

»Die tragischen Ereignisse auf der Schiller, von denen wir heute ausgehen müssen, dass sie zum Tod von Judith Banz geführt haben, hätten verhindert werden können, wenn sich die polizeilichen Behörden einerseits und die externen, mit dem Fall verstrickten Personen andererseits im Rahmen vorgegebener Systemanweisungen bewegt hätten. Es ist Sache externer und interner Fachgruppen, das System hinsichtlich möglicher Lücken zu überprüfen und zu verbessern. Der in diesem Zusammenhang gestellte Antrag des Polizeidepartements, den Budgetbetrag für systemische Anpassungen um zehn Millionen Franken zu erhöhen, wird mit nur zwei Gegenstimmen gutgeheißen.«

Kapitel 23

Kýrie eléison

Scheiße«, sagte Eschenbach. Und als er sah, dass die Nachricht von Rosa schon vor über zwei Stunden eingegangen war, sagte er es gleich noch einmal.

Bruder John blickte besorgt über den großen Tisch in der Bibliothek.

Die beiden hatten den ganzen Nachmittag damit verbracht, mit Hilfe der irischen Polizeibehörde mehr über den Unfall von Anne-Christine und Judith Banz herauszufinden.

Einen Unfall, der über vierundzwanzig Jahre zurücklag.

War Jakob Banz zu diesem Zeitpunkt in Irland gewesen? Weshalb wurde er in keinem der Protokolle erwähnt? Immerhin war er der Vater der Überlebenden und der Ehemann Anne-Christines. Es gab zwar einen weiteren Toten, offenbar Lenker des zweiten am Unfall beteiligten Wagens. Dieser schien aber in keiner Weise mit der Familie Banz bekannt oder familiär verbunden zu sein.

Was hatte Anne-Christine in Irland überhaupt zu tun? Woher kam sie, wohin fuhr sie? Alles Fragen, die sich John und Eschenbach notiert und im Laufe einer längeren Telefonkonferenz mit den Kollegen aus Dublin erörtert hatten. Man würde auf sie zurückkommen, hieß es.

»Mir ist aufgefallen«, sagte John, nachdem er den Kommissar eine Weile schweigend angesehen hatte, »Sie fluchen viel und reden wenig.«

»Judith ist verhaftet worden. Ich hab's soeben per SMS erfahren.«

John schloss für einen Moment die Augen. »Das ist schade«, sagte er. »Sehr schade.«

»Schade ist, wenn eine Weinflasche zu Boden fällt«, knurrte Eschenbach.

Bruder John erhob sich, ging ein paar Schritte auf und ab. »Es macht mich traurig, wenn ich das höre ... Aber wir können es nicht ändern. Wissen Sie, in welches Gefängnis man Judith gebracht hat?«

Eschenbach schüttelte den Kopf. »Aber ich kann's herausfinden.«

»Das wäre schön ... Ich bin mir nämlich sicher, dass man sie dort bald wieder entlässt. Judith ist unschuldig.«

Eschenbach wusste nicht, was er darauf hätte antworten sollen.

»Und dann noch die Zeit, bitte.«

»Die Zeit?« Eschenbach sah John verdutzt an.

Der Bruder streckte seinen linken Arm aus, an dessen Handgelenk eine Kette mit Bernsteinen hing.

Der Kommissar wunderte sich. Es war ihm bisher nie aufgefallen, dass der Bruder keine Uhr besaß. »Es ist kurz vor sechs.«

»Und ich hätte schwören können, dass die fünf noch nicht vorbei ist.« Der Bruder schüttelte den Kopf. »Es ist seltsam. Bevor wir mit den ganzen Recherchen angefangen haben ... Also, da habe ich die Zeit immer gewusst. Sie lag im Rhythmus meines Tages. Ich hatte das Gefühl, dass ich in diesem mächtigen Strom mitschwimme. Aber jetzt kommt es mir vor, als flösse er an mir vorbei.«

Eschenbach ging zum Telefon, rief die Auskunft an und ließ sich die Nummern jener kantonalen Zürcher Gefängnisse geben, von denen er wusste, dass sie über Frauenzellen verfügten.

»Um sechs singen wir«, rief John. »Wir müssen unbedingt Bruder Pachomius aufwecken.«

»Tun Sie das!«

Noch bevor der Gong das zweite Mal erklang, traten die drei Männer zu den anderen Mönchen der Choralschola, die sich im hinteren Teil des mächtigen Kirchenschiffes bereits versammelt hatten.

Bruder Pachomius seufzte laut auf. Er blickte abwechselnd zu John und Eschenbach, die ihn stützend durch die langen Gänge von der Bibliothek bis in die Kirche geschleift hatten.

»Ihr könnt mich jetzt wieder loslassen. Stehen und singen kann ich allein.«

»Wohin haben Sie Judith gebracht?«, keuchte John.

»Ins Gefängnis Zürich.« Der Kommissar wischte sich mit dem Ärmel den Schweiß von der Stirn. Jetzt, da er umgeben war von einer Bruderschaft in schwarzen Kutten, kam er sich komisch vor in Christians nadelgestreiftem Zweireiher.

»Gefängnis Zürich ... Das haben Sie mir schon zweimal gesagt. Aber wie heißt es denn?«

»Ebenso.«

»Echt?«

»Und ohne Komma«, sagte Eschenbach.

»Das ist ja verrückt.«

Der Choralmagister gab den Grundton vor. Die Bruderschaft übernahm ihn, summend, und entwickelte dann, der Aufforderung ihres Dirigenten folgend, einen Dreiklang. Der Kommissar brachte keinen Ton hervor. Wie ein gestreiftes Schaf inmitten einer schwarzen Herde kam er sich vor. Der Akkord schwoll mächtig an. Eschenbach spürte, wie jede Faser seines Körpers davon erfasst wurde. Dann plötzlich, auf ein erneutes Zeichen hin, verstummten die Mönche; der Klang brach ab, wie ein Felsblock, der sich aus Klippengestein löste und hinunter ins Meer stürzte.

Eine tiefe Stille erfasste den Raum.

Zuerst hatte Eschenbach den Eindruck, er verlöre den Boden unter den Füßen. Aber das war es nicht. Er fiel nicht, sondern das Gegenteil traf zu. Er begann zu schweben, wurde getragen von einer Gruppe Menschen, die ihn in ihrer Mitte aufgenommen hatten.

Dabei konnte er gar nicht singen. Nur in der Dusche, wenn ihn niemand hörte.

Aber das spielte hier keine Rolle. Er war Teil eines Ganzen geworden, ohne Wenn und Aber. Als der Kommissar über seine Schulter in Johns rundes Gesicht blickte, sah er, wie dieser ihm zublinzelte.

Das Singen der Bruderschaft dauerte knapp eine Stunde. Nach den anfänglichen Übungen wie Dreiklang, Tonleiter et cetera sang der Chor zuerst das *Kýrie eléison* und danach *Gloria in excelsis Deo*.

Einmal, als das Tutti der Chorstimmen sich zu einem Fortissimo steigerte, zuckte der Kommissar zusammen. Er hatte sich selbst singen gehört, in einem kräftigen Bariton. Was war nur in ihn gefahren, und woher kannte er Text und Tonfolge? Eschenbach konnte sich nicht erinnern, die Lieder je einmal gesungen zu haben.

Als er sich darauf konzentrierte, wieder in den Gesang der Mönche hineinzufinden, gelang es ihm nicht mehr. Also ließ er sich tragen, summte still mit und schloss langsam die Augen.

Am nächsten Morgen erschien Eschenbach bereits um sechs Uhr am Frühstückstisch. Er hatte bisher noch nie zusammen mit der Bruderschaft die erste Mahlzeit des Tages eingenommen. Für externe Gäste, und Eschenbach war schließlich ein solcher, war dies auch nicht vorgesehen.

Aber dies kümmerte den Kommissar an diesem Morgen nicht. Er setzte sich zu John, hörte andächtig zu, als das Tischgebet gesprochen wurde, und meinte, während er sich ein Brot strich:

»Es ist mir eingefallen, wie wir trotzdem mit Judith sprechen können. Ich habe Ihnen das ja gesagt, gestern. Mich lässt man nicht zu ihr. Da haben die schon dafür gesorgt, die Affen ... Es gelten besondere Vorkehrungen: Status F, das bedeutet nur Familienangehörige, amtliche Personen wie Staatsanwälte, Polizei … und dann die Personen, die mit Judiths Verteidigung beauftragt sind. Aber das bin ich auch nicht … Und natürlich medizinisches Personal und Geistliche.«

Als Eschenbach sah, dass John nicht reagierte, ja nicht einmal ein einziges Wort sagte, fuhr er mit seinem Monolog fort.

»Das ist natürlich alles eine Schikane … Man hätte ebenso anordnen können, dass einzig und allein ich sie nicht besuchen darf. Eine ›alle außer Eschenbach‹-Regel. Aber was soll's? Die haben sich nicht wirklich viel gedacht, bei der Sache … weil, Sie sind doch ein Geistlicher!«

Eschenbach sah John auffordernd an.

Aber der Bruder schwieg.

Seufzend zuckte Eschenbach die Achseln, dann sprach er mit vollem Mund weiter.

»Das ist doch eine Bombenidee, Bruder, oder? Sie, mit Ihrer Kutte … Die müssen Sie dort reinlassen. Verstehen Sie, was ich meine? Eh?«

John lächelte, stumm.

Und endlich, wie ein Echo, das zuerst einmal um die Welt gegangen war, ereilte Eschenbach der Schlag. In peinlicher Ergriffenheit schaute er in die Runde. Er sah die schweigenden Münder der Bruderschaft und wie der ein oder andere ihm freundschaftlich zuzwinkerte. Der Kommissar senkte seinen Blick und schwieg nun ebenfalls.

Als die beiden eine halbe Stunde später in den kühlen Morgen hinaustraten und gemächlich die Stufen des Kirchenportals hinunterschritten, da sagte John: »Jetzt dürfen Sie schon wieder reden.«

»Es ist mir wirklich peinlich, John.« Der Kommissar fuhr sich durchs Haar und holte zweimal tief Luft: »Ich habe Sie da in eine völlig idiotische Lage gebracht.«

»Keine Ursache.«

»Sie nehmen meine Entschuldigung an?«

»Auf jeden Fall. Und ich freue mich, mit Judith zu sprechen. Das ist wirklich eine gute Idee. Obendrein ist mir aufgefallen, dass Sie nicht mehr fluchen. Früher hätten Sie jetzt ›Scheiße‹ gesagt.«

»Wirklich?«

John nickte. »Und Sie sprechen wieder ... sogar wenn man's nicht tun sollte. Auch das ist ein gutes Zeichen. Ich habe den Eindruck, es sprudelt richtig aus Ihnen heraus.«

»Na ja.« Eschenbach hob die Schultern. »Den Seinen gibt's der Herr im Schlaf.«

Auf dem großen Platz vor der Kirche, der um diese Zeit, kurz nach Sonnenaufgang, normalerweise völlig leer war, stand ein Auto. Auf den ersten Blick sah es danach aus, als hätte am Vorabend ein vernünftiger Lenker seinen Wagen stehenlassen, weil er zu viel getrunken hatte. Aber so wie der Wagen da stand, quer zu den markierten Parkfeldern, schien es, als wäre gerade das Umgekehrte passiert. Jemand war mitten in der Nacht hergekommen und schlief nun seinen Rausch aus.

»Wir müssen uns beeilen, sonst erreichen wir den Zug nicht mehr«, sagte John.

Aber Eschenbach blieb wie angewurzelt stehen.

»Heimatland«, flüsterte der Kommissar. »Das ist ja mein alter Volvo!«

Konsterniert blickte John auf den ockergelben Wagen.

»Bevor ich in die Ferien gefahren bin, habe ich ihn Rosa gegeben. Und dann hat sie mir diese SMS geschrieben, dass sie lieber mit der Tram fährt ...« Eschenbach setzte sich wieder in Gang, übersprang die letzten drei Treppenstufen und eilte auf das Fahrzeug zu. »Und sie hat mich gefragt, ob sie die Karre Antonio geben darf ... ihrem Halbbruder.«

»Heiliger Antonio«, murmelte John. Mit seinen kurzen Beinen hatte er schon einige Meter an Eschenbach verloren.

Die Scheiben waren von innen angelaufen.

Der Kommissar konnte nicht erkennen, ob sich jemand im Wagen befand. Also drückte er die Falle, und weil ihm in diesem Moment in den Sinn kam, dass das Schloss klemmte, riss er daran wie ein Verrückter. Die Türe flog ihm beinahe um die Ohren.

Hinter dem Steuerrad, auf dem heruntergekurbelten Sitz, mit einem Kissen im Nacken, lag ein Mann, das Gesicht halb verdeckt durch einen alten Strohhut.

»Sind wir am Eidgenössischen?«, murmelte es unter dem Hut hervor. »Die Tür ist längst geflickt.«

»Antonio!«, sagte Eschenbach und lachte laut auf.

»So ein Blödsinn, dieser Antonio«, kam es ächzend zurück. »Es ist eigentlich ein Jammer, dass du diesen Mist überhaupt geglaubt hast. Rosa hat gar keinen Halbbruder.«

»Die Herren kennen sich also«, seufzte Bruder John, der die beiden Männer abwechselnd ansah.

»Allerdings.«

Der Mann, der sich nun langsam aufrappelte, war Ewald Lenz. Mühsam schwang er seine alten Beine aus dem Volvo und streckte sich. Sein Strohhut fiel zu Boden.

»Höchste Zeit, dass ich zurückkomme, habe ich mir gedacht. Du steckst ja mächtig in der Tinte.«

»Seit wann fährst du Auto?«, wollte Eschenbach wissen.

»Ich hab's gelernt, so wie man das meiste lernt auf dieser Welt: ein bisschen Talent und viel Fleiß.«

»Talent, du? – Fürs Autofahren?«

»Der theoretische Teil war überhaupt kein Problem«, sagte Lenz. »Und beim praktischen ... Also, ich kenn da eine Fahrlehrerin, die hat Nerven wie Drahtseile.«

»Und der Alkohol?«

»Den habe ich im Griff.«

»Nicht umgekehrt?«

»Ich habe während der ganzen drei Monate in der Toskana nur Traubensaft getrunken ... Unvergoren, wohlverstanden.«

Aber Rosa hat gemeint, du würdest dir Sorgen machen. Drum hat sie die Geschichte mit Antonio erfunden.«

Die beiden Männer umarmten sich.

John, der zuerst etwas betreten danebengestanden hatte, bückte sich, hob Lenz' Hut vom Boden auf und stülpte ihn sich über den Kopf. »Dann können wir ja getrost in die Stadt fahren.«

Weil Ewald Lenz die ganze Nacht durchgefahren war, von Florenz bis nach Einsiedeln, und kaum mehr als zwei Stunden geschlafen hatte, setzte sich Eschenbach ans Steuer. Schließlich war es auch sein Wagen.

Auf dem Weg nach Zürich gingen der Bruder und der Kommissar das Gespräch durch, das John mit Judith führen würde.

»Und bringen Sie den Unfall zur Sprache. Wir wissen nicht, was Judith wirklich darüber weiß. Weshalb sie mit ihrer Mutter allein in Irland war, wo sich Banz zu diesem Zeitpunkt aufgehalten hat ... und vor allem, ob Judith wusste, wer ihr Vater ist ... Einfach alle Aspekte, die wir gestern besprochen haben.«

John, der neben Eschenbach auf dem Beifahrersitz saß, zog ein Blatt Papier hervor. »Ich habe mir das alles schon notiert.«

»Prima. Und fragen Sie, ob sie weiß, wo sich dieser Ernest aufhält und was sie bei Jeremy Walther wollte ...«

»Und, und ...«, brummte John. »Auch das steht bereits auf der Liste.«

Vor dem Gefängnisgebäude an der Rotwandstrasse fuhr Eschenbach auf den Gehsteig und hielt den Wagen an.

»Sie müssen sich eintragen«, sagte er zu John, der bereits die Tür geöffnet hatte. »Auf einer Liste. Wenn Sie das tun, dann merken Sie sich doch die Namen der Personen, die Judith schon besucht haben. Das haben wir vergessen. Ist aber wichtig.«

Der Bruder nickte und machte sich auf den Weg.

Auf der Fahrt quer durch die Stadt in Richtung Forch beschlich Eschenbach das Gefühl, dass er dem Bruder noch etwas hätte sagen müssen. Aber was?

»Warum denke ich immer, dass ich etwas Wichtiges übersehe?«, fragte er mit einem Blick auf den Rücksitz.

Aber Lenz schlief. Er lag mit angewinkelten Beinen auf dem Polster. Ein leises Schnarchen war zu hören. Beim nächsten Rotlicht öffnete der Kommissar das Handschuhfach. Sein Vorrat an Brissagos und Feuerzeugen war unangetastet geblieben. Immerhin.

Rauchend und in Gedanken versunken, saß Eschenbach hinter dem Steuer und stotterte von einer Ampel zur nächsten. Der Zigarillo, den er sich angezündet hatte, brannte wie trockenes Stroh. Beißender Qualm breitete sich aus.

Kurz bevor sie in die Forchstrasse einbogen, bekam Lenz einen Hustenanfall. Eschenbach öffnete das Fenster. »Wir sind gleich da«, sagte er.

Kapitel 24

Außer man ist Prophet

Auf dem Esstisch in Lenz' Wohnung stand ein riesiger Blumenstrauß. Eschenbach hatte ihn sofort bemerkt, und er sah auch, wie Lenz, der seine Reisetasche auf den alten Lehnstuhl gestellt hatte, das kleine Kärtchen neben der Vase sofort in seiner Hosentasche verschwinden ließ.

»Der ist bestimmt von deiner Fahrlehrerin«, bemerkte der Kommissar und ging in die Küche.

»Es ist rührend, wie sich die Leute hier im Haus um mich kümmern.«

»Eine Salami, Oliven ... und da stehen auch noch zwei Teller mit Vitello tonnato.« Eschenbach, der vor dem offenen Kühlschrank stand, staunte nicht schlecht. »Wirklich rührend, wie sich die um dich kümmern.«

Eine Frauenstimme ertönte vom Eingangsflur:

»Sind Sie es, Herr Lenz?«

»Ja!«, rief Ewald. »Alles in Ordnung.«

»Wenn wir gewusst hätten, dass Sie kommen, dann hätten wir ein bisschen was eingekauft.«

»Keine Sorge!«

Eschenbach lachte still in sich hinein und beschloss, das Spielchen noch ein wenig weiterzuspielen.

»Hast du jetzt neuerdings eine Haushälterin?«

»Bring die Teller, wir essen draußen.«

»Oder bringt die Spitex dir die Sachen?«

»Die Spitex, spinnst du?«

Eschenbach hörte, wie Lenz die Tür zum Garten öffnete. Als der Kommissar mit den beiden Tellern, mit Besteck und Servietten nach draußen kam, war der Tisch unter der Laube bereits mit einem Papiertischtuch gedeckt. Auf der verwitterten Holzbank lagen zwei rotweiß karierte Kissen – und Lenz saß dort, etwas vornübergebeugt mit einem Bleistift in der Hand.

»Stell die Teller hierhin und setz dich«, sagte Lenz. Er winkte den Kommissar zu sich. »Ich habe nie eine Agenda geführt, das weißt du ja. Drum hab ich das jetzt mal hier drauf skizziert … die zweieinhalb Wochen, seit du aus Kanada zurück bist. Und darüber unterhalten wir uns jetzt.«

Eschenbach setzte sich neben Lenz auf die Bank.

»An diesem Wochenende bist du aus Kanada zurückgekommen, das ist gesicherte Tatsache. Am Montag dein Krach mit Regierungsrätin Sacher, am nächsten Morgen dein erster Arbeitstag bei Duprey. Der Mord an Banz noch in derselben Woche: in der Nacht von Freitag auf Samstag.«

Lenz trug die Ereignisse im Kalender ein. »Eine kurze Bankenkarriere war das, mein Lieber.«

Lenz kaute einen Moment am Bleistift, dann fuhr er fort: »In der Mordnacht wirst du über den Haufen gefahren … Diese Judith nimmt dich mit ins Kloster. Dann knapp eine Woche Rekonvaleszenz … mit Erinnerungslücken, was den Unfall betrifft.« Lenz verband die Kalendertage der zweiten Woche mit einem Strich. »Am Freitag tauchst du dann plötzlich bei der Abdankungsfeier im Grossmünster auf. Zusammen mit Jagmetti.«

Eschenbach nickte.

»Wer hat eigentlich den auf den Plan gerufen?«, wollte Lenz wissen.

»Nach den Untersuchungen war ich so fix und fertig … Also, da hab ich John mein Handy gegeben. Er hat Claudio benachrichtigt.«

»Dein Hirn läuft ja wieder auf Hochtouren.«

»Tatsächlich?«

»Tu nicht so«, schnauzte Lenz. »Du erinnerst dich ganz genau. Dich wundert nur, weshalb ich das alles weiß.«

»Ich hab mich immer gewundert, das ist wahr.« Eschenbach fuhr sich mit der Hand durch den Bart und lächelte. »Die ganzen Jahre über war es mir immer ein großes Mysterium gewesen, woher du deine Informationen hattest. Und ich habe dich nie dazu gedrängt, deine Quellen preiszugeben. Frei nach der Regel: Was ich nicht weiß, macht mich nicht heiß.«

»Tja.«

»Aber dieses Mal weiß ich es.«

Lenz' Schnurrbart zitterte für einen kurzen Moment. »Also, was deine Gespräche mit Banz angeht ...«, der Alte machte drei Kreise, verteilt auf die Woche, in der Eschenbach bei Duprey gearbeitet hatte. »Das letzte Gespräch, ein Arbeitslunch, war hier ... Später dann, in der Nacht, starb Banz.«

Eschenbach nickte. »Rosa. Warum kannst du nicht wenigstens zugeben, dass du die ganzen Informationen von ihr ... Das ist doch das alte Lied. Du sprichst nie über Privates ... über Dinge, die mit dir zu tun haben!«

»Gab es Treffen mit Banz, von denen Rosa nichts wusste?«

»Rosa und du ... Da läuft doch was, das merk ja sogar ich.«

»Nichts weißt du ... und bevor du falsche Gerüchte ins Leben rufst.« Lenz holte tief Luft: »Es ist überhaupt nichts zwischen uns, verstehst du? Rein – gar – nichts!«

»Aber ihr sprecht immerhin miteinander?«

»Ja, aber nur das.« Lenz bemerkte plötzlich, dass er einen Donnerstag seines selbstgemalten Kalenders wüst mit Kreisen, Quadraten und Sternen verunstaltet hatte. »Und du wirst lachen, wenn wir über etwas sprechen, dann bist meistens du das Thema.«

In den folgenden zehn Minuten aßen sie das Vitello tonnato, das – ohne dass noch der leiseste Zweifel bestand – von Rosa wirklich vorzüglich zubereitet worden war. Eschenbach gab sich Mühe, seine Gedanken für sich zu behalten. Warum sollte ein Vierteljahrhundert Altersunterschied plötzlich eine Rolle spielen? Da war Rosa, die das Leben noch vor sich hatte, und Ewald, der bis vor kurzem froh gewesen wäre, es bald hinter sich zu haben.

Der Kommissar stellte sich vor, wie Lenz berühmte alte Männer ins Feld führen würde: Picasso, Chaplin ... Beispiele also, die immer dann Erwähnung fanden, wenn das Paarungsverhalten entweder pathologische Züge aufwies oder beidseitig eine Verzweiflungstat vorlag.

Ihm müsste jetzt endlich eine Frage einfallen, die nichts mit alledem zu tun hatte, dachte der Kommissar. Irgendetwas, das mit dem Fall zu tun hatte, mit Judith und Jakob Banz und nichts mit dem, der ihm im Kopf herumspukte: mit dem betagten Romeo und seiner (zwar nicht mehr blutjungen, aber dennoch viel zu jungen) Julia.

Warum haben diese Geschichten eine solche Anziehungskraft?

Es sind erwachsene Menschen, mein Lieber, gab er sich selbst zur Antwort.

»Wir sind beide erwachsen«, sagte Lenz, der neuerdings scheinbar Gedanken lesen konnte. »Wir wissen schon selbst, was wir zu tun haben.«

»Eben.«

»Erzähl mir lieber etwas von dieser Bank, in der du gearbeitet hast. Das interessiert mich.«

»Duprey?«

»Du warst ja in keiner anderen.«

Mühsam begab sich Eschenbach in Gedanken zurück an jenen Ort an der Rämistrasse und stocherte in seiner Erinnerung nach den Erkenntnissen (wenn es denn wirklich welche gewesen waren): »Um es ganz kurz zu machen, Ewald: Ich glaube, es bröselt dort.«

»Es bröselt?« Lenz zog die buschigen Augenbrauen zusammen. »Was ist denn das wieder für eine Aussage! Du meinst, die verlieren Geld?«

»Das auch. Aber ich glaube, es steckt mehr dahinter. Gestern, als ich mit der Bruderschaft in Einsiedeln gesungen habe, da ist etwas Eigenartiges mit mir geschehen. Ich bin ja ziemlich angeschlagen gewesen, nach dem Unfall. Aber als ich da inmitten der Mönche gestanden habe und sich ein Ton zum anderen gefügt hat … also, ich hab da zum ersten Mal seit meinem Unfall eine Lebenskraft in mir verspürt … Ich hätte Bäume ausreißen können.«

Lenz nickte. »Das gibt's.«

Eschenbach hätte schwören können, dass der Alte in diesem Moment an Rosa dachte.

»Und da ist mir der Unterschied klargeworden zwischen Klingen und Bröseln. Zwischen Leben und Tod. Ich bin mir sicher, Ewald, dass es nur noch eine Frage der Zeit ist, bis Duprey geschlossen wird. Keine Pleite, die in den Medien große Wellen schlägt, sondern geordneter Rückzug. Von langer Hand geplant. Frag mich nicht, weshalb, ich habe keine Ahnung.«

»Dann müssen wir das herausfinden.«

Eschenbach zog einen zusammengefalteten Stapel mit Blättern aus der Jackentasche. »John und ich haben diese Unterlagen in Judiths Zimmer entdeckt. Es sind Dinge, die vermutlich zusammenhängen. Zum einen sind es Informationen zu Hawala, einem papierlosen Bankensystem; zum andern ist es eine Liste von Namen. John meinte, es wären die Namen der Propheten.«

»Hawala kenne ich«, sagte Lenz. »Von den Abläufen her funktioniert's ähnlich wie ein in feindlichem Gebiet operierender Geheimdienst.«

»Ein was?«

»Eine Untergrundbewegung … zum Beispiel die Résistance in Frankreich während des Zweiten Weltkriegs. Das war so eine Organisation. Das Besondere an solchen Strukturen ist, dass sie aus kleinen Zellen bestehen, von der keine Kenntnis hat über die wahre Identität der anderen.«

»Ich versteh schon«, sagte Eschenbach. »Wenn jemand auffliegt, ist der Schaden begrenzt, weil niemand, selbst unter Folter, sagen kann, wer dazugehört und wer nicht. Manchmal habe ich das Gefühl, die heutigen multinationalen Unternehmen funktionieren auf ähnliche Weise.«

»Hast du sonst noch irgendwelche Unterlagen?«

»Einen Geschäftsbericht ... Allgemeine Daten zur Bank halt. Zur Aktionärsstruktur ... Wer im Verwaltungsrat sitzt. Das Übliche. Da ist nichts Besonderes dabei.«

Eschenbach gab Lenz die Papiere.

»Und das lag alles beisammen ... im Zimmer dieser Judith?«

Eschenbach nickte.

»Die Propheten könnten als Decknamen für die Agenten fungieren«, murmelte Lenz, der mit nachdenklicher Miene die Unterlagen durchging. »Das wäre eine einfache Erklärung fürs Ganze.«

»Einfache Erklärungen sind nie schlecht. Aber warum gerade Propheten?«

»Propheten ...« Lenz seufzte, so als läge auf ihm die Last, nun selbst eine Prophezeiung zu leisten. »Ich hab mir den Jeremias von Michelangelo angesehen, erst kürzlich, in der Sixtinischen Kapelle ... und ich finde, der schaut nicht sehend nach vorne. Dieser Jeremias, der hockt da ... deprimiert, würde man heute sagen, und blickt in sich hinein, als hätte ihn etwas aus der Vergangenheit eingeholt. Etwas, das mit ihm selbst zu tun hat.«

»Alles hat immer mit einem selbst zu tun.«

»Halte davon, was du willst«, sagte Lenz, dem der etwas spöttische Unterton in Eschenbachs Bemerkung nicht entgangen war. »Wir haben es ja nicht mit Propheten zu tun, sondern mit Leuten, die im Alten Testament lesen und sich solche Namen aussuchen. Und bei dieser Spezies, das ist ja beinahe selbstredend ... Also bei denen spielt die Vergangenheit offenbar eine wichtige Rolle.«

»Der Rütlirapport«, sagte Eschenbach spontan. »Wenn es etwas gab, aus der Vergangenheit, von dem Banz immer wieder gesprochen hat, dann war es diese Sache mit Guisan und dem Rütli. Die Bedrohung durch die Achsenmächte und so weiter.«

»Na also«, brummte Lenz zufrieden.

»Ich finde diese Geschichte ziemlich weit hergeholt ... und es gab Dinge, über die ich mit ihm viel lieber gesprochen hätte. Warum seine Ehe mit Anne-Christine in die Brüche ging, zum Beispiel, und wie es zu diesem tragischen Unfall in Irland gekommen ist. Auch hatten wir gemeinsame Erlebnisse aus der Schulzeit. Normalerweise spricht man doch über das, was man erlebt hat.«

»Außer man ist Prophet«, sagte Lenz, der gerade den Geschäftsbericht der Bank Duprey aufgeschlagen hatte.

»Blödsinn. Banz war Lebemann, kein Prophet. Zudem mein Jahrgang. Er hatte überhaupt keinen Bezug zur Schweiz während der Zeit des Aktivdienstes.«

»Hast du dir einmal den Verwaltungsrat von Duprey angesehen?«, fragte Lenz.

»Der übliche Filz«, sagte Eschenbach. »Finanz und Industrie, ein Schuss Militär ... das Ganze noch abgerundet mit der üblichen Sauce zürcherischen Freisinns.«

Lenz konnte sich ein Lachen nicht verkneifen. »Nicht ganz korrekt«, sagte er. »Das stimmt für Amrhein, Banz und Walther – die übrigens alle ungefähr gleich alt sind. Aber dieser Ernest Bill fällt aus dem Rahmen: Der ist am 25. Juli 1930 geboren.«

»Rund fünfundzwanzig Jahre älter als die andern«, rechnete Eschenbach laut.

»Nicht nur.«

»Sondern?«

»Nach dem, was wir heute wissen, hat General Guisan an einem 25. Juli seine Hauptleute aufs Rütli zitiert.«

»Das war 1940«, warf Eschenbach ein. »Da war dieser Ernest gerade einmal zehn Jahre alt.«

»Mit zehn sucht man sich zum ersten Mal seine Helden aus«, bemerkte Lenz.

Kapitel 25

An was denken Sie denn, Claudio?

Ich hab gehört, dass Sie da sind.«

»Ach Sie«, sagte Bruder John, der tief in Gedanken versunken aus dem Hauptportal des Gefängnis Zürich ins Freie getreten war. Er hob seinen Kopf und betrachtete sein Gegenüber. »Sie sind der Claudio.«

Jagmetti nickte.

»Die Claudier waren ein berühmtes römisches Geschlecht, das wissen Sie bestimmt.«

Jagmetti nickte zuerst, dann schüttelte er den Kopf.

»Wie geht's dem Chef?«

John wusste einen Moment nicht, was er antworten sollte.

»Ich meine, Sie sind doch sein Assistent.«

John lächelte. »Ach so, ja … der Kommissar. Also der ist bei seinem Freund.«

»Freund?« Jagmetti zog die Brauen kraus. »Kenne ich den?«

»Das müssen Sie schon selbst wissen.«

»Wie sieht er denn aus?«

»Ein feiner Mensch, elegant … ein älterer Herr in einem hellen Sommeranzug.«

»Und hat bestimmt einen Namen.«

John lachte. »Ja, einen kurzen … aber an den kann ich mich leider nicht erinnern.«

»Der Chef kennt keine eleganten älteren Herren.«

»Sie sind zu ihm nach Hause gefahren, in eine Mühle, glaube ich …«

»Lenz!«, rief Jagmetti laut aus.

»Sehen Sie, jetzt haben Sie doch gewonnen.« John klatschte in die Hände. »Es ist wie im Radio … Dort gibt es diese Sendung ›Schweizermeister‹, die höre ich manchmal. Der Moderator will von den Leuten etwas über ihren Heimatkanton wissen, und dann kommt später noch eine Frage zu einem Kanton, den sie frei wählen dürfen. Und da ist mir aufgefallen …«

»Dass die Leute über das Heimische weniger wissen als über das Fremde.«

John überlegte.

»Entschuldigen Sie, ich habe Sie unterbrochen.«

Der Bruder schüttelte den Kopf. »Nein, nein … Was Sie gesagt haben, ist hochinteressant. Das Problem ist nur, dass der Moderator die zweite Frage gar nie stellt, wenn man die erste nicht beantworten kann. Das habe ich gemeint vorhin. Die haben sich wirklich etwas gedacht, dort beim Radio.«

»Aber das ist doch logisch.«

»Ja, im tiefsten Sinne des Wortes«, sagte John.

Dem Bruder waren die Schatten in Jagmettis Gesicht nicht entgangen. Die dunklen Augen des Polizisten blickten finster hinaus in die Welt, so als hätten sie etwas Schreckliches gesehen; ein Leid, das den Jungen in seinem tiefsten Innern erschüttert hatte. Und mit der kleinen Radiogeschichte, die sich John hatte einfallen lassen, war es ihm nicht gelungen, diesen düsteren Blick zu erhellen.

Sie gingen ein paar Schritte zum Auto, das Jagmetti halb auf dem Gehsteig und halb auf der Straße parkiert hatte.

»Ich kann Sie ins Kloster fahren, wenn Sie wollen.«

John nahm dankend an und stieg ein.

Jagmetti startete den Motor.

Den halben Weg bis nach Einsiedeln legten die beiden schweigend zurück. Zwischen Horgen und Wädenswil blickte John entzückt auf den Zürichsee hinunter. Greifbar nah, wie ein königsblauer Teppich lag das Wasser vor der gewaltigen Kulisse der Glarner Alpen. Etwas später lenkte Claudio bei Richterswil den Wagen gemächlich von der Autobahn weg auf die Landstraße.

»Der Kommissar sagt, Sie leiden an einem Sebastian-Vettel-Syndrom.«

»Sagt er das?«

»Er meint das wegen Ihrem Fahrstil, den ich übrigens sehr angenehm finde.«

»Sebastian Vettel ist der Heilige des Motorsports«, antwortete Jagmetti.

John konnte sich ein Grinsen nicht verkneifen. Ausgerechnet er, der von Motorsport so gut wie nichts wusste, hatte diesen Rennfahrer ins Spiel gebracht – und Claudio, der seinerseits über theologische Fragen kaum etwas zu wissen schien, konterte mit einem Heiligen!

Warum sprach nicht jeder über die Dinge, in denen er auch zu Hause war?

John hatte die ganze Zeit über gespürt, dass Jagmetti ihn über Judith befragen wollte. Warum tat er es nicht? Die Fragen mussten dem Jungen geradezu auf der Zunge brennen. Was bedrückte den Polizisten so sehr, dass er sich nicht öffnete?

»Ich halte den Formel-1-Sport für ein sehr fragwürdiges Spektakel«, begann der Bruder in väterlichem Ton. »Aber ich lese die Zeitung … darum ist mir Vettel bekannt. Der heilige Sebastian allerdings ist er nicht. Denn dieser lebte dreihundert Jahre nach Christus, war ein römischer Offizier, der sich zum Christentum bekannte und deshalb zweimal hingerichtet wurde. Die erste Hinrichtung überlebte er auf wundersame Weise und wurde dadurch zum Märtyrer.«

»Ach so.« Jagmetti schaltete zwei Gänge hinunter.

Der Motor heulte auf wie ein Hund, den man mit Steinen bewarf.

»Einen heiligen Claudio haben wir auch«, bemerkte John nun mit erhobener Stimme. Der Bruder hatte Mühe, gegen das laute Motorengeräusch anzukommen.« »Wobei ich mir die Bemerkung erlauben muss, dass die heilige Claudia viel bekannter ist. Sie lebte im 15. Jahrhundert, hier in der Schweiz ... war die erste Äbtissin im Klarissenkloster in Genf.«

John blickte zur Seite und sah Claudio an.

Der Bündner hatte seine Lippen zusammengepresst, blickte stur geradeaus. Die Art und Weise, wie er das Lenkrad umklammert hielt, entsprach keineswegs dem langsamen Tempo, in dem sie sich durch die Kurven schlängelten.

Irgendeine Sache war am Brodeln, dessen war sich John nun ganz sicher. Wie nur konnte er es ihm entlocken?

»Und wen haben wir noch«, begann der Bruder von neuem. »Ich meine, da wir schon dabei sind mit den ganzen Heiligen ...«

Mit einer theatralischen Geste fasste sich John an die Stirn.

»Ach ja, natürlich – da fällt mir Judith ein! Aber, Achtung, nicht die Heldin Israels, das dürfen wir keinesfalls verwechseln ...«

»Apropos Judith ...«, meldete sich nun endlich Jagmetti.

John atmete auf. Er hatte schon befürchtet, auch noch die Geschichte von Judith von Ringelheim erzählen zu müssen, die ebenfalls Äbtissin war und eine bedeutende Heilige dazu.

»Judith«, wiederholte der Bruder laut und deutlich.

»Genau. Haben Sie etwas Neues erfahren?«

Noch immer fuhren sie weit unter der erlaubten Höchstgeschwindigkeit. Trotzdem pendelte der Tourenzähler von Claudios Audi A3 nahe am roten Bereich. Damit jeder den anderen verstand, mussten sich die Männer nun anschreien. Und dies fiel dem ansonsten sehr bedächtigen Bruder besonders schwer.

»An was denken Sie denn, Claudio?«

»Ach, kommen Sie, John. Man hat mir den Fall entzogen. Und mit dem neuen System, das bei uns eingeführt wurde ...« Claudio schlug zweimal mit beiden Händen gegen das Lenkrad.

»Also, jetzt muss man auch noch die Ferientage einziehen. Ich meine, die vom letzten Jahr ... bis spätestens Ende September.«

»Dann haben Sie jetzt Urlaub?«

»Ja.«

»Und das ist schlimmer als die Todesstrafe, wenn ich Ihr Gesicht so sehe ...«

Claudio schaltete einen Gang höher.

Erlöst von seinen Qualen, fand der Motor sein sportliches Brummen wieder.

»Kommt hinzu, dass wir diesen Dubach gefunden haben«, meinte der Bündner etwas zögernd. »Ich dürfte Ihnen das gar nicht sagen. Aber jetzt, wo ich mit alldem nichts mehr zu tun habe ...«

Jagmetti erzählte John, dass der vermisste *Compliance Officer* in einem Nebenraum des Tresors der Bank eingeschlossen gewesen war. »Judith hat uns auf die Idee gebracht, während eines Verhörs im Gefängnis. Sie hätte diesen Dubach gesehen, in einem Video. Hat behauptet, dass es dort wie in einem Keller ausgesehen habe.«

»Judith hat damit nichts zu tun«, bemerkte John leise.

»Jedenfalls haben wir uns zuerst Banz' Privatvilla angesehen. Dann sind wir zu Duprey gefahren und haben dort gesucht. Der Raum war abgeschlossen ... wir mussten die Tür sprengen.«

Der Wagen stand nun beinahe still auf der Fahrbahn. Claudio ließ die Schultern hängen. »Ich bin dabei gewesen, obwohl man mich bereits vom Fall abgezogen hatte ... Sie können sich überhaupt nicht denken, was bei uns intern so abläuft. Also, ich hab so etwas noch nie gesehen. Es ist ein Wunder, dass der noch lebt ... Die ganze Zeit, ohne etwas zu essen.«

»Und trinken?«, fragte John. Unweigerlich kamen ihm die großen Einsiedler in den Sinn, von denen Legenden berichteten, dass sie über lange Zeit nichts gegessen, sich ausschließlich von der Kraft des Geistes ernährt hatten: Bruder Klaus, Paracelsus und natürlich der heilige Meinrad, der Gründer seines Klosters. Aber das waren große Menschheitsführer. Die ließen sich nicht in Tresore einsperren. »Trinken ist viel wichtiger«, wiederholte er.

»Das ist ja das Wahnsinnige«, sagte Claudio. Er steuerte den Wagen von der Straße weg auf einen kleinen Feldweg. Als sie stillstanden und der Polizist seine Hände vom Lenkrad weg in den Schoß legte, da merkte John, dass der Junge zitterte.

Der Bruder öffnete die Autotür. »Gehen wir ein paar Schritte ... Das wird Sie beruhigen, und Sie können mir in aller Ruhe erzählen, wie sich die Sache abgespielt hat.«

Eine Weile folgten sie schweigend dem mit Gras überwachsenen Weg. Die Luft war trocken. Auf den frischgemähten Wiesen um sie herum lagen letzte Reste von Heu, die man noch nicht zu Ballen zusammengebunden hatte.

John spürte ein leichtes Beißen in der Nase.

Nach ungefähr hundert Metern blieb Claudio stehen. »Irgendwer hat Dubach ans Kreuz gebunden.«

»Ein Kreuz?«

»Nicht so eines, wie Sie meinen ... Ein anderes, zwei große Querbalken«, Claudio malte mit der Hand ein großes X in die Luft. »Ein Folterkreuz.«

»Um Gottes willen!«

Der Bruder wusste nun, woher der bittere Schmerz kam, den er die ganze Zeit über in Jagmettis Gesicht gesehen hatte.

»Irgendwie muss es ihm gelungen sein, sich da loszureißen, denn seine rechte Hand war nur noch ...«

Claudio wollte den Satz nicht beenden.

»Offenbar gab es in diesem Raum zwei Kanister mit Wasser. Die waren leer, als wir kamen. Und eine Filmkamera war da, auf einem Stativ ... Die ist jetzt bei uns, im Technischen Labor. Keine Ahnung, was dadrauf ist.«

»Hat dieser arme Mensch etwas gesagt?«, wollte John wissen.

Claudio schüttelte den Kopf. »Er lag am Boden ... abgemagert bis auf die Knochen. Ein mit Haut überzogenes Skelett. Und trotzdem hat er noch geatmet, ganz schwach ... mit gelben Augen, die in tiefen Höhlen steckten.«

John blickte zu Claudio hoch. Er hätte diesem jungen Mann gerne seinen Arm um die Schultern gelegt, tröstend. Aber er war zu klein.

»Ich bekomme dieses Bild einfach nicht aus meinem Kopf«, sagte Jagmetti, der nun ebenfalls still stand.

John nickte, senkte seinen Blick kurz, bevor er Jagmetti wieder ansah. Eine tiefe Trauer erfasste ihn. So wie er neben dem Polizisten stand, auf einer kleinen Anhöhe zwischen Samstagern und Schindellegi, da war ihm bewusst geworden, dass es solche Momente gab. Momente, in denen er eine Decke benötigt hätte und nur ein Taschentuch besaß.

Es war Jagmetti, der nun seinen Arm um Johns Schultern legte. »Es wird vorbeigehen«, sagte er leise. »Gehen wir zurück zum Auto. Ich glaube, es wartet noch ein Haufen Arbeit auf uns.«

Kapitel 26

Wie Jagdfieber, ohne dass am Ende geschossen wird

Eschenbach beobachtete ungeduldig, wie Lenz mit seiner Reisetasche zurückkam, einen silbernen Laptop hervorkramte, ihn aufklappte und hochfuhr.

»Du weißt also nicht, wie dieser Ernest Bill aussieht.« Lenz setzte sich wieder an den Tisch unter der Laube.

»Eigentlich nicht.« Der Kommissar fuhr sich mit der Hand durch den Bart. »Aber irgendwo muss es doch ein Bild von dem geben. Immerhin ist er Verwaltungsrat bei Duprey.«

»Präsident sogar.« Lenz nahm den Geschäftsbericht zur Hand, schlug ihn auf, blätterte ein paar Seiten durch. »Hier steht's klar und deutlich. Zudem hat er einen Bericht verfasst. Das ist so üblich. Üblich wäre auch, dass ein Foto drin ist, zusammen mit dem CEO in trauter Zweisamkeit.«

»Das wäre dann Jakob Banz.«

»Richtig.« Lenz schob Eschenbach die Hochglanzbroschüre zu. »Aber so etwas gibt es hier nicht. Und drum schauen wir mal, ob wir ihn im Internet finden.«

War es möglich, dass ein Kunststudium in Florenz, eine Romanze mit Rosa ... oder was sonst noch im Spiel war, bei älteren Herren wie Ewald Lenz den Alterungsprozess stoppten? Ihn sogar rückgängig machten?

Während Eschenbach diese Gedanken durch den Kopf gingen, sah er Lenz zu, wie dieser auf seinem PC versuchte, anhand verschiedener Suchkriterien ein Bild von Bill zu finden.

»Bill ist ein Allerweltsname«, knurrte Lenz nach einer Weile.

»Bill Clinton, Bill Ramsey, Max Bill ... Es gibt ihn trillionenfach ... als Vor-, Nach- und Übername. Aber im Zusammenhang mit Duprey finde ich nichts.« Etwas resigniert legte er den Laptop beiseite und nahm einen Schluck Rimuss*, den Rosa zusammen mit den vorbereiteten Tellern Vitello tonnato ebenfalls bereitgestellt hatte.

»Und was tun wir jetzt?« Eschenbach strich sich nervös durch den Bart. Eine Geste, die er sich erstaunlich schnell angewöhnt hatte.

»Wenn dir keine Ideen kommen, kannst du wenigstens den Tisch abräumen.« Lenz warf ihm einen grimmigen Blick zu, bevor er ein weiteres Mal den Geschäftsbericht zur Hand nahm.

»Den schaust du dir jetzt schon zum zehnten Mal an.« Der Kommissar stand auf, nahm die leeren Teller und ging in die Küche. Im Kühlschrank fand er eine Plastikbox mit Heidelbeeren vor, die er auf zwei kleine Schalen aufteilte und mit etwas Sauerrahm übergoss.

Rosa hatte wirklich an alles gedacht.

Auf dem Weg zurück in den Garten prallte er beinahe mit Lenz zusammen.

»Es ist die Unterschrift«, sagte der Alte. »Ich hab die irgendwo schon einmal gesehen.«

Es waren diese seltsamen Situationen, in denen Lenz mit seinen Gedanken ganz weit weg war. Der Kommissar kannte den Alten lange genug, um zu wissen, dass er sich jetzt still und unauffällig verhalten musste. Nur nichts fragen. Und schon gar nicht im Weg stehen! Den Zustand, in dem Lenz sich nun befand, hatte sich der Kommissar immer als eine Art von Fieber vorgestellt. Wie Jagdfieber, allerdings ohne dass am Ende geschossen wird.

Erinnerungsfieber vielleicht.

Aber auch das war zu kurz gegriffen. Denn genau genommen litt die halbe Menschheit an so etwas Ähnlichem. Ein Fieber, das

---

* Alkoholfreier Kinderchampagner.

meistens mit dem Satz beginnt: »Ich habe gestern den Dings getroffen – ach, du weißt schon, den Dings …«

Dingsfieber!

Und alle beginnen wie wild Fragen zu stellen, dass man am Schluss einen roten Kopf hat und keiner mehr weiß, welches Dings überhaupt gesucht war.

Eschenbach setzte sich an den Tisch und probierte den Nachtisch. Lenz fand das Dings immer. Es würde überhaupt nichts bringen, ihn jetzt zu fragen, welche seltsamen Gedankenzusammenhänge (oder waren es -sprünge?) dazu führten, dass der Alte damit begonnen hatte, sein riesiges Bücherregal von oben nach unten zu durchforsten.

»Die Unterschrift also«, murmelte Eschenbach und machte sich über die zweite Schale Heidelbeeren her.

Als Lenz wiederauftauchte, mit einem kleinen Buch in der Hand, war in keinem der beiden Schälchen nur eine einzige Beere mehr übrig.

»Sorry, Ewald.«

Aber Lenz war mit einer ganz anderen Sache unterwegs. »Lies mal da!«, sagte er und legte das aufgeschlagene Büchlein auf den Tisch. Auf einer der vorderen Seiten, unter dem letzten Abschnitt, stand eine faksimilierte Unterschrift:

Eschenbach las sie laut vor: »Ernest A. Bill –«

»Und jetzt noch mal.«

Der Alte nahm seinen Daumen weg, mit dem er den hinteren Teil des Schriftzugs verdeckt hatte.

»Ernest A. Billadier.«

Einen Moment sagte keiner der Männer nur ein Wort. Dann nahm der Kommissar die Geschäftsbroschüre, aus der bereits einige Blätter lose herausfielen, weil sie aus dem Leim gegangen war. »Es ist dieselbe Schrift …«, sagte er. »Ich meine, abgesehen vom A in der Mitte und dem Rest am Schluss.«

Lenz nickte. »Da braucht man kein Graphologe zu sein.«

Eschenbach zog das rote Büchlein an sich, klappte es zu und

sah sich den Einband an. In großen Lettern, mehrfach getrennt, stand über die ganze Seite das Wort: Zivilverteidigung.

»Da staunst du, was?«

Der Kommissar sog hörbar Luft durch die Nase, denn Worte brauchte es keine mehr. Auch Eschenbach gehörte der Generation Schweizer an, denen dieses Buch ein Begriff war. Ein Begriff deshalb, weil es der größte Schweizer Bestseller aller Zeiten gewesen war. Wobei Bestseller nicht ganz stimmte: Das Buch wurde gratis abgegeben, damals, im September 1969. Und zwar an alle Haushaltungen der Schweiz, im Namen des Eidgenössischen Justiz- und Polizeidepartements und im Auftrag des Bundesrates.

Eschenbach las laut aus dem Vorwort:

»Das Buch über die zivile Landesverteidigung ist die notwendige Ergänzung zum feldgrauen Soldatenbuch. Es stellt sich in den Dienst der gleichen, großen Aufgabe, unser Volk für den Ernstfall zu rüsten. Auch im modernen Krieg ist ein kleines Volk unüberwindbar, solange sein Wille zu Widerstand und Freiheit ungebrochen ist ...«

Lenz schien den Text zu kennen. Denn er seufzte an dieser Stelle laut auf und meinte: »Jetzt kommt ein wüster Teil über wehrlose Frauen und Kinder, die man uns töten will ... Das kannst du überspringen. Nimm den nächsten Abschnitt.«

Wieder zitierte der Kommissar aus dem Buch: »Der Feind wird deshalb versuchen, den Widerstandswillen unseres Volkes zu brechen, indem er uns unserer wirtschaftlichen Mittel beraubt, indem er durch Verbreitung von Gerüchten Unsicherheit schafft und unseren Glauben in die Möglichkeiten eines Widerstandes untergräbt.

Dieses planmäßige Streben des Gegners vereiteln wir bereits im Frieden durch ebenso planmäßige Gegenmaßnahmen.

Diese Aufgabe fällt all jenen zu, die nicht im feldgrauen Kleid in der Armee organisiert sind. Wer im Dienst für die Zivilverteidigung Personen und Güter schützt und den unerschütterlichen Willen zu Kampf und Freiheit hochhält und ausstrahlt, steht wie der Soldat in einem Dienst, der über Sein oder Nichtsein der Eidgenossenschaft entscheidet.

Auch dieser Dienst will gelernt sein. Wir vergeuden sonst unnötig Kräfte und guten Willen.«

Als Eschenbach fertig war, schwiegen beide eine Weile.

Das Pfeifen der Vögel war zu hören und das entfernte Brummen des Verkehrs. Ein Streichholz zischte auf, weil sich Lenz eine Pfeife anzündete.

Der Kommissar hatte das dumpfe Gefühl, dass er den Text, den er gerade vorlas, schon unzählige Male gehört hatte. Natürlich nicht im Duktus der pathetischen sechziger Jahre, in dem das Büchlein verfasst war. Nicht mit den Bedrohungsszenarien, die der Kalte Krieg hervorgebracht hatte. Sondern leiser, nüchterner. Politisch korrekt. Der heutigen Zeit angepasst.

»Und, was sagst du?«, fragte Lenz, der sich wieder an seinem Computer zu schaffen machte.

»Wenn wir heute in überkantonalen Polizeikonferenzen über Staatssicherheit diskutieren …«, begann Eschenbach. »Dann sind wir in tiefer Sorge, weil wir davon überzeugt sind, dass sich das organisierte Verbrechen bereits tief in unsere Gesellschaft hineingeschlichen hat. Es beginnt auf dem Pausenplatz, mit kleinen Erpressereien von Jugendbanden, und endet von mir aus beim Diebstahl von Bankdaten und Industriegeheimnissen. So gedacht, hat das Zivilverteidigungsbuch durchaus prophetische Züge. Allerdings sind wir heute schlechter gerüstet denn je.«

»Allerdings«, wiederholte der Alte, der unter dem Namen Billadier einiges gefunden hatte. Er drehte den Laptop Eschenbach zu, sodass dieser das Bild sehen konnte.

Einen Moment blickten beide in das freundliche Gesicht des Mannes mit der Hornbrille und den kleinen, intelligenten Augen.

»Kommt er dir bekannt vor?« Lenz zog erwartungsvoll an seiner Bruyère-Pfeife.

»Er ist noch jung … hier auf dem Foto, meine ich.« Eschenbach studierte die Gesichtszüge des Obersten und überlegte, ob er ihn vielleicht bei der Beerdigung von Banz gesehen hatte. Unter all den vielen Leuten dort? Nach einer Weile schüttelte der Kommissar den Kopf. »Keine Ahnung, Ewald. Sorry.«

Etwas enttäuscht klappte Lenz den Laptop wieder zu, nahm die altmodische Kartonmappe, die er zusammen mit dem Büchlein mitgebracht hatte.

»Ich habe noch etwas gefunden. Frag mich nicht, warum ich das habe.«

»Ich frag ja nie.« Eschenbach hielt sich für einen Moment beide Hände vor die Augen.

Der Alte zog ein Blatt Papier hervor und las: »›Das Buch soll aufrütteln: In einer Zeit, in der die Hochkonjunktur und vieles andere uns von dem Wesentlichen ablenkt ...‹ und etwas weiter unten steht: ›Die geistige Vaterschaft des Buches übernehmen führende Persönlichkeiten unseres Landes in der Gestalt eines Patronates. Als Mitarbeiter stellen sich erste Fachleute auf dem Gebiete der geistigen, wirtschaftlichen, zivilen und militärischen Landesverteidigung zur Verfügung. Sie schaffen in kleinen Arbeitsgruppen oder übertragen ihre Erkenntnisse durch die Pflege der Aussprache.‹«

»Sag mir wenigstens, in welchem Zusammenhang das steht«, fragte Eschenbach.

»Es ist aus einem Brief von Oberst Ernest A. Billadier an den Bundesrat, in dem er im März 1961 das Konzept des Buches vorgelegt und dessen Notwendigkeit begründet hatte.«

»Könnte es sein, dass unser Jeremias ein Oberst ist?«

Lenz nickte nur. Seine Pfeife war erkaltet, und er war gerade damit beschäftigt, sie wieder anzuzünden. Als er damit fertig war, sagte er bedächtig: »Und die vier Verwaltungsräte bei Duprey sind die vier großen Propheten.«

In den folgenden zwei Stunden berieten sich die beiden Freunde über das weitere Vorgehen und trugen Informationen zusammen, die das bewegte Leben des Obersten betrafen.

Billadier war nicht nur Spiritus Rector des Zivilverteidigungs-
büchleins – er war bis Ende der siebziger Jahre der führende
Schweizer Geheimdienstler. Als Oberst der Untergruppe Nachrichten und Abwehr des Eidgenössischen Militärdepartements
initiierte er 1976 den Aufbau der zweitausend Mann starken
Geheimarmee für den Fall einer Besetzung der Schweiz. Eine
Schweizer Résistance also. Er ließ über Tarnfirmen in Irland
Hotels und Grundstücke kaufen. Ein irischer Landsitz sollte dabei als Unterschlupf des Bundesrates dienen. Es gab Pläne, die
auch die Evakuierung der Goldreserven der Schweizerischen
Nationalbank durch die Swissair vorsahen. Mit dem Spezial-
dienst D des Bundesnachrichtendienstes pflegte Billadier unter
dem Decknamen »Schwarze Hand« einen regen Informations-
austausch.

Nachdem diese Pläne 1979 der Öffentlichkeit bekannt geworden waren, versetzte der damalige Leiter des Eidgenössischen Militärdepartements, Bundesrat Chevallaz, Billadier in
den vorzeitigen Ruhestand. Soweit bekannt war, übersiedelte
der Oberst auf sein Landgut in der Nähe von Maryborough,
Irland.

Als es draußen unter der Laube langsam kühl wurde, räumten
Lenz und er die vollgeschriebenen Notizblätter zusammen und
gingen nach drinnen.

»Ich werde diesen Obersten besuchen«, sagte Eschenbach
halblaut, als er es sich auf dem alten Cordsessel bequem machte.

»Ich weiß«, sagte Lenz und nickte. »Es ist wie bei diesen Su-
doku-Rätseln ... Die Kästchen sind einfach nicht schön anzusehen, wenn nicht die richtige Zahl drinsteht.«

Typisch Lenz, dachte der Kommissar und lachte. Die Sucht
des Alten nach der vollkommenen Information. Dies war auch
der Grund, weshalb er mit Lenz in so phantastischer Art harmo-
nierte. Denn ihm, Eschenbach, ging es weniger um Vollkom-
menheit, es war das Ergebnis, das ihn interessierte. Deshalb

mochte der Kommissar lieber Kreuzworträtsel. Am liebsten solche mit einem Lösungswort, zu dem man kam, wenn man die relevanten Felder ausfüllte, ohne das ganze Brimborium drum herum ebenfalls niederschreiben zu müssen.

Aber vielleicht hatte Lenz recht. Vielleicht war im Fall Banz wirklich alles miteinander verbunden.

Im Vergleich zu dem, was sie bisher über Oberst Billadier herausgefunden hatten, war die Suche nach seiner genauen Adresse in Irland ein weitaus schwierigeres Unterfangen.

»John könnte uns da bestimmt helfen«, meinte Eschenbach.

»Mit dem Risiko, dass der ihn vorwarnt?« Lenz schüttelte den Kopf. »Ich übernehme das und buch dir vorsorglich einen Flug für morgen. Dann versuch ich noch herauszufinden, ob Billadier im Moment überhaupt in Irland ist. Abblasen können wir die Sache immer noch.«

Nach fünf Minuten hatte Lenz das Online-Ticket ausgedruckt. »Für den Fall, dass Billadier da ist, werde ich dir die genaue Wegbeschreibung telefonisch mitteilen.«

»Wir gehen essen«, rief Eschenbach aus der Küche. »Rosas Vorrat ist aufgebraucht. Du kennst bestimmt ein gutes Restaurant hier in der Nähe.«

»Ich gehe immer zu Viktor in den Hirslanderhof – der wird dir gefallen. Jedes Menü hat eine Nummer, die musst du ihm sagen. Es muss schnell gehen, und er mag es überhaupt nicht, wenn man irgendwelche Änderungen an den Menüs vornimmt.«

»So, so«, meinte Eschenbach. Vielleicht waren hier in der Nähe des Gerontopsychologischen Zentrums alle ein wenig ballaballa.

Kapitel 27

Mit dem Alter ist es wie mit dem Geld

Am nächsten Morgen, kurz nach halb elf, landete die Maschine der Swiss auf dem Flughafen Dublin.

Eschenbach hatte nur Handgepäck dabei, denn mehr als eine Nacht wollte er nicht bleiben. Er ging direkt zu den Schaltern der Autovermieter.

»*You have to drive carefully on the left side. And don't switch off the lights.*« Der Mann am AVIS-Schalter, ein untersetzter, breitschultriger Bursche mit heruntergekauten Fingernägeln, bläute ihm diesen Satz ein; es ging um Leben und Tod.

Eschenbach fand den Wagen sofort. Es war ein knallroter Ford Fiesta, der zwischen zwei leuchtend gelben VW Polo eingeklemmt war. Vermutlich gab es diese Farben speziell für Touristen wie ihn, dachte der Kommissar. Leute, die vom Kontinent kamen und die ein Leben lang auf der falschen Straßenseite gefahren waren.

Eschenbach stieg ein und fuhr los. Er fand auf Anhieb die Straße Richtung Ballymun, die ihm Lenz aufgeschrieben hatte.

Dass ihm Lenz am Vorabend sein Bett angeboten hatte, war außerordentlich nett von ihm gewesen. Aber Eschenbach hatte sich gar nicht erst auf eine Diskussion eingelassen und die Couch gewählt. Die Quittung hatte er nun: Sein Rücken protestierte. Der Kommissar wollte gar nicht daran denken, dass er noch drei Stunden Fahrt vor sich hatte.

Er war überrascht, wie gut er sich zurechtfand in dieser verkehrten Welt mit links schalten, rechts sitzen, links fahren ...

Zweimal touchierte er den Bordstein, fand aber sofort wieder auf die Fahrbahn zurück. Im Kreisverkehr verpasste er einmal eine Ausfahrt und drehte eine Extrarunde. Ein freundlicher Ire zischte rechts vorbei und zeigte ihm den Vogel. Aber das machte nichts.

Im zweiten Anlauf fand er die M7, die dreispurig, wie ein breiter Strom, Richtung Süden verlief. Und plötzlich ging alles wie von allein. Eschenbach öffnete einen Spalt weit das Fenster und zündete sich eine Brissago an.

Nach anderthalb Stunden fuhr er auf einen Rastplatz, vertrat sich die Beine und machte ein paar Dehnübungen. Aber die Rückenschmerzen ließen nicht nach.

Gegen zwei Uhr erreichte der Kommissar Maryborough Hill, ein kleines Provinznest außerhalb von Cork, das mehrheitlich aus roten Backsteinbauten bestand. Reihenhäuschen mit kleinen Gärten und Vorgärten standen Schulter an Schulter, wie Rekruten auf einem Kasernenplatz.

»Ich bin jetzt da«, sagte Eschenbach. Er hatte den Wagen am Straßenrand parkiert und Lenz angerufen.

»Jetzt fährst du weiter in Richtung Cork Harbour, das liegt am Meer. Die Straße heißt Castle Farm. Nach ungefähr fünf Kilometern kommt rechts ein Pub mit dem Namen ›Dead End‹. Das musst du nicht wörtlich nehmen. Ich habe mit dem Wirt telefoniert. Er kennt den Weg zu Billadiers Landsitz.«

Nach einer knappen Viertelstunde fand Eschenbach die besagte Gaststätte. Er stellte seinen Wagen auf den Kiesplatz vor dem Eingang ab.

Ein dunkler, ganz mit Holz getäfelter Raum empfing den Kommissar.

»*You must be the Colonel's friend!*«, rief es von hinter der Theke aus dem Halbdunkel. Eine große, hagere Gestalt stand dort und winkte.

Während Eschenbach den Raum durchschritt, sah er sich um. Außer ihm befanden sich keine Gäste im Lokal.

Es roch nach Bier und kaltem Rauch.

»*I am Brodie.*«

Der Kommissar nickte, sagte ebenfalls seinen Namen und schüttelte die knorrige Hand, die der Mann ihm über den Holztresen reichte.

Der Alte hatte ein aufgedunsenes Gesicht. Nase und Wangen waren von einem Spinnengeflecht roter Äderchen überzogen, und das spärliche Haar, das seitlich über die Stirnglatze gekämmt war, schien wie festgeklebt.

Eschenbach schätzte den Mann auf Ende siebzig.

Im Handumdrehen hielt Brodie zwei Gläser mit Whiskey bereit.

»*May good luck be your friend in whatever you do – and may trouble be always a stranger to you.*«

Der Kommissar setzte sich auf einen Barhocker und prostete Brodie zu.

Der Whiskey war nicht schlecht. Während der Kommissar ihn in kleinen Schlucken trank, kam ihm in den Sinn, dass er seit dem Sandwich im Flugzeug nichts mehr gegessen hatte.

Brodie zeigte Eschenbach die Whiskeyflasche. »Den macht der Colonel selbst«, sagte er. »*His own brand.*«

Auf dem Etikett stand: *Annie's Best – Peated Single Malt – Irish Whiskey*. Darunter die Jahreszahl 1981.

Eschenbach wollte nicht unhöflich sein. Anstandslos trank er auch das zweite und dritte Glas, das Brodie ihm auftischte. Dann aber zog er demonstrativ ein paar Pfundnoten hervor, um die Zeche zu begleichen. Er konnte den in den Keller gesunkenen Export irischen Whiskeys nicht allein wettmachen. Und die immensen Schulden des Landes begleichen ... das konnte er auch nicht. »Ich bin kein Rettungsschirm«, murmelte Eschenbach.

»*One for the road*«, rief Brodie, als er das vierte Glas füllte. Dabei machte er Eschenbach klar, dass die Drinks aufs Haus gingen. Weil er, Eschenbach, ja schließlich ein Gast des Colonels sei und weil er, Brodie, sich glücklich schätze, einen so freundlichen Menschen bewirten zu dürfen.

Dieser Argumentationskette folgend, fanden noch zwei weitere Gläser Whiskey ihren vorbestimmten Weg.

Eine Dreiviertelstunde später, angeschlagen wie ein Boxer in der vorletzten Runde, mit einer Skizze in der einen Hand und einer vollen Flasche Annie's Best in der anderen, verließ der Kommissar das Dead End. (Brodie hatte ihm den Whiskey geschenkt, wie konnte er da ablehnen?)

Mit heruntergekurbeltem Fenster, durch das er immer wieder seinen Kopf streckte, und mit Brodies Zeichnung auf dem Nebensitz fuhr Eschenbach weiter. Einmal erschrak er etwas, als ihm tatsächlich auf seiner Seite ein Wagen entgegenkam.

Dann fand er den Ort, der auf dem Plan mit einem großen Kreuz markiert war: Annie's Landmark, ein rund zwanzig Hektar großes Anwesen auf einer kleinen Anhöhe östlich von Cork.

Ein mächtiges Eisengitter öffnete sich langsam und gab die Zufahrt zum Landgut frei.

Der Weg führte zuerst durch einen Birkenwald und etwas später über eine Wiese, auf der eine Herde Schafe weidete. Eschenbach glaubte, auch ein paar Pferde zu erkennen. Waren es Ponys? Oder vielleicht doch nur große Schafe?

In gemächlichem Tempo, beinahe kriechend, näherte sich der Kommissar dem Hauptgebäude. Er dachte an Judith. Hier war sie also aufgewachsen: in einem zweigeschossigen Haus aus hellem Backstein, unter einem ausladenden Walmdach.

Weißer Rauch stieg aus einem der Kamine.

Hundert Meter vor dem Ziel ließ der Kommissar den Wagen stehen. Er brauchte noch ein paar Schritte. Es war ihm plötzlich vollkommen unverständlich, dass er sich in diesem Pub so hatte gehenlassen. Gerade jetzt, vor diesem wichtigen Gespräch. hätte er einen klaren Kopf gebraucht.

Während er ging, schlenkerte Eschenbach mit den Armen

und atmete tief ein und aus. Er kramte ein Pfefferminz aus der Tasche hervor. Der Versuch, einem imaginären Strich am Boden zu folgen – nur so als Test –, verlief erfreulich. Es gelang ihm hervorragend, fand er.

Die alte Frau, die Eschenbach die Tür öffnete, sah aus wie ein Engel im Ruhestand. Sie lächelte freundlich aus ihrem runden Gesicht, hatte weißes, krauses Haar und rote Wangen. »Sie sind der Mann aus der Schweiz, eh?«, fragte sie.

»*R-r-right.*«

»Der Colonel ist in seinem Garten. Am besten, Sie gehen ums Haus herum. Sie werden ihn schon finden.«

Ein mit Steinplatten ausgelegter Weg führte den Kommissar auf die hintere Seite des Gebäudes. Solange er die Platten mittig traf, konnte es nicht so schlecht um ihn bestellt sein. Als er den Blick hob, öffnete sich vor ihm ein prächtiger Rosengarten. Halb verdeckt von einem Rosenstrauch mit großen weißen Blüten, stand der Oberst. In Offiziershaltung, die Arme hinter dem Rücken verschränkt, als spräche er mit seiner Truppe. Auf dem Kopf trug er einen alten dunkelbraunen Filzhut.

Eschenbach ging langsam auf ihn zu. Der kühle Wind, der plötzlich aufgekommen war, tat ihm gut.

Billadier hob seinen Hut, blinzelte gegen die Sonne, und als er Eschenbach erblickte, eilte er – mit den Händen tief in den Jackentaschen – dem Kommissar entgegen.

»Sie sind ein hartnäckiger Hund, Eschenbach!«

Diese Art Begrüßung hatte der Kommissar schon ein paarmal in seinem Leben gehört. Nur hier, so wie der Oberst sie betonte und ihn dabei ansah, hatte er den Eindruck, als klängen die Worte respektvoll.

Der alte Mann mit dem Schnurrbart hatte ein freundliches, von Furchen durchzogenes Gesicht. Seine Haare waren hell, fast weiß, und die blauen Augen funkelten kämpferisch. Er hatte nichts mehr gemeinsam mit dem jungen Offizier, dessen Foto Eschenbach bei Lenz gesehen hatte. Und trotzdem erkannte der

Kommissar den Mann wieder. Auch wenn auf dessen Nase anstelle der Hornbrille nun ein feines Goldgestell saß. Sie waren sich schon einmal begegnet, vor ungefähr drei Wochen.

»Sie haben mir in Einsiedeln die Zeitungen gekauft«, sagte Eschenbach mit einem Schmunzeln. »Das waren Sie, nicht wahr?«

Billadier nickte Eschenbach zu, ohne ihm die Hand zu reichen. »Allerdings. Da haben Sie ausgesehen wie ein Schaf kurz vor der Schlachtung. Damals hätte ich keinen Penny darauf gewettet, dass Sie es einmal bis hierher schaffen würden.«

»So täuscht man sich.«

»Selten, aber gerne.«

Der Oberst führte Eschenbach zwischen den Sträuchern hindurch in Richtung Haus. Dabei stellte er seine Rosenstöcke vor, sprach über sie wie ein stolzer Vater, der seine gutgeratenen Kinder ins allerbeste Licht rücken möchte: »Gilde ... Thisbe und Schön Ingeborg.« Bei einem Stock mit violetten Blüten blieb er stehen. Er wirkte müde, anders als noch in Einsiedeln sah Eschenbach ihm sein Alter sofort an. Vielleicht waren es aber auch nur die Strapazen der Rückreise, die ihre Spuren hinterlassen hatten. »Das ist Judiths Lieblingsstrauch. Ihren Namen hat die Rose von der französischen Dichterin Anaïs Ségalas, geboren am 21. September 1819 in Paris, als Tochter des Charles Menard und der Kreolin Anne Bonne Portier ...«

Eschenbach war froh um diesen Ausflug in die Sphären irrelevanter Rosennamen. Er gewann Zeit. Und mit der Zeit, so hoffte er, würde sich sein Verstand wieder melden, dieser liederliche Kerl.

»Mit 15 Jahren heiratet Anaïs den Rechtsanwalt Victor Ségalas, aber sie stellt die Bedingung, dass sie sich weiterhin mit Literatur beschäftigen darf. So wird ein Jahr später ihre erste Gedichtsammlung veröffentlicht. Anaïs war für ihre Zeit eine sehr emanzipierte Frau, die eigene Entscheidungen traf. Sie glaubte fest daran, dass auch Frauen das Recht haben, ihre Talente zu entfalten.«

Ein Anwalt, der einer Rose seinen Namen gibt. Der Kommissar fand den Gedanken verwirrend.

Als sie den Garten hinter sich gelassen hatten, verschwand der schwärmerische Unterton in Billadiers Stimme. »Die Rosen hier sind mein wirkliches Exil«, begann er nüchtern. »Nachdem mich der Bundesrat 1979 zum Teufel gejagt hat – frühzeitig in den verdienten Ruhestand, um es mit den Worten von Chevallaz zu sagen. Ich bin damals eine Zeitlang verschwunden. Brodie ist mir in dieser Zeit ein treuer Kamerad gewesen. Sie haben ihn ja kennengelernt. Ein netter Kerl. Als wir vorhin telefoniert haben, na ja, Sie vertragen wohl etwas. Sechs Doppelte ... Da gibt es nicht viele, die dann noch ins Auto steigen.«

Eschenbach räusperte sich etwas verlegen und hielt die Hand vor die Augen, weil die Sonne ihn blendete.

»Ihren Veston haben Sie liegenlassen, bei Brodie an der Bar ... Er wird ihn vorbeibringen. Und dann die Straßenseite, Eschenbach! Sie wollen doch nicht im Graben landen, oder?«

Während sie ins Haus gingen, erzählte Billadier, wie er mit dem Trinken vollständig aufgehört hatte und ins Private-Equity-Geschäft eingestiegen war.

»Ich war damals früh in diesem Zyklus, und ich hatte Glück. Der A. Landmark Trust, den ich Anfang der achtziger Jahre gegründet habe, mauserte sich zum Liebling der Londoner Bankenszene. Mit der Zeit konnte ich mir die Geldgeber aussuchen, und die Investitionen auch. So ist aus einem alten Trottel wie mir doch noch ein Glückspilz geworden. Und zehn Jahre nach der Gründung, als mein privater Anteil auf über hundert Millionen Pfund angestiegen war, da habe ich dem Eidgenössischen Militärdepartement einen Brief geschrieben: dass ich auf mein Pensionsgehalt verzichte und sie sich ihr Geld sonst wohin stecken sollen ...«

Seit diesem Brief an seine alten Arbeitgeber, erzählte der Oberst, hatte er seinen Namen geändert. »Ernest Bill – ich finde, es klingt weniger besoffen. Zudem können's die in London aussprechen, ohne zu stottern.«

Aus Ernest A. Billadier alias Bill war ein reicher Mann geworden, das war Eschenbach nun klar. Abgesehen von dem Landsitz, einem renommierten Gestüt, zwei Whiskey-Destillerien nördlich von Dublin und dem Dead End, das er für Brodie gekauft hatte, kontrollierte er über seinen Trust unzählige private Unternehmen.

Die Haushälterin brachte ein Tablett mit Tee.

»Das ist übrigens Chester.«

Der pensionierte Engel, dachte Eschenbach und versuchte aufzustehen. Es gelang ihm nur halb. »Wir haben uns bereits bekannt gemacht.« Mit einem Seufzer ließ sich der Kommissar zurück auf den Stuhl fallen.

Chester deutete einen Knicks an und entfernte sich wieder.

»Ihr Mann ist bei einem Unfall ums Leben gekommen. Bei demselben Unfall übrigens, bei dem auch Judiths Eltern gestorben sind. Er war sozusagen auf der Gegenseite. Fürchterliche Sache.« Billadier hob die Schultern. »So ist das Leben. Seither wohnt sie hier auf der Landmark.«

»Judiths Eltern? Sie meinen wohl eher ihre Mutter«, bemerkte Eschenbach, nachdem er seine Tasse in einem Zug leer getrunken hatte. »Anne-Christine Banz ... Einen toten Vater habe ich nämlich beim besten Willen nicht finden können. Wer hat eigentlich den Wagen gefahren damals?«

Der Oberst schwieg einen Moment, dann strahlte er über das ganze Gesicht: »Also gut, Sie haben recht. Sind ja Polizist ... Wie konnte ich das nur vergessen. Kommen wir zu Ihrem alten Freund aus Schulzeiten ...«

Auch wenn Billadier im Land der Schafe lebte und sich darin gefiel, sich selbst als ein solches auszugeben, der Kommissar dachte nicht daran, darauf hereinzufallen. Oberst Ernest A. Billadier war ein Mann des Kalten Krieges, daran gewöhnt, die Grenzen zwischen Wahrheit und Lüge geschickt zu verwischen und die Figuren auf dem Spielbrett so zu positionieren, wie es ihm am besten passte.

Eschenbach kämpfte gegen seine Schläfrigkeit an. Plötzlich kam ihm der Gedanke, dass die sechs doppelten Whiskeys Teil eines Spiels sein konnten, auf das er sich mit dem Obersten eingelassen hatte. Die väterlich-joviale Art Billadiers war nur eine Tarnung, hinter der sich ein messerscharfer Verstand verbarg.

»Banz war ein Schwachkopf«, sagte der Oberst, nachdem er am Tee genippt und die Tasse zurück auf das Tablett gestellt hatte. »Jakob hat sich Ende der neunziger Jahre verspekuliert. Als die Dotcom-Blase platzte, stand er da mit abgesägten Hosen. Da bin ich bei ihm eingestiegen. Das hat ihm natürlich nicht gefallen und mir besonders viel Spaß gemacht. Jakob konnte mich auf den Tod nicht ausstehen. Aber das ist eine andere Geschichte.

Ich habe Jakob immer gesagt, es kommt die Zeit, da wird Geld zu einem Problem. Für die Bank und für die Schweiz ganz allgemein. Es ist zu viel da, verstehen Sie? Ich meine jetzt nicht die paar Sparguthaben von Leuten, die acht Stunden am Tag arbeiten müssen und sich, wenn's gutgeht, einmal ein Häuschen bauen können.

Es sind auch nicht die Fluchtgelder und die Vermögen der Despoten, wie man uns immer wieder weismachen will. Die machen den kleinsten Teil aus.«

An dieser Stelle hielt Billadier inne.

Eschenbach schrak auf. Für einen kurzen Moment krallte er sich an der Lehne seines Sessels fest. Er musste eingenickt sein.

»Die Gelder, die zu uns fließen«, der Oberst sprach nachdenklich weiter, »sind die Überschüsse der Reichen, Erfolgreichen und Superreichen dieser Welt. Leute aus dem umliegenden Europa, Russland und dem Kaukasus – aus Amerika, Südamerika und dem Mittleren Osten. Sie alle haben gute Gründe, unterschiedliche zwar, aber solche, die einen Sinn machen. Nehmen wir Europa – ein Desaster! Rettungsschirme werden aufgespannt für Tausende von Milliarden. Eine gigantische Caritas-Aktion für Blinde und Lahme, um ein System zu retten, das sich längst selbst überholt hat.«

Der Kommissar griff zur Teetasse. Als er bemerkte, dass sie bereits leer war, lächelte er verlegen.

»Wissen Sie, Eschenbach, die Rechnung für die Zeche der Staatsüberschuldung ist immer dieselbe. Sie heißt Inflation und höhere Steuern. Das trifft für Europa ebenso zu wie für die USA. Was die arabische Welt angeht, dort ist der Fall noch verzwickter. Dort haben sie zu viel Öl und mit Amerika einen äußerst unverlässlichen Partner. Wenn die Vereinigten Staaten das Öl nicht mehr kaufen können, dann werden sie es sich holen ...«

Eschenbach versuchte sich an die Fragen zu erinnern, die er mit Lenz erarbeitet hatte. Weil ihm nicht eine einzige mehr einfiel, dachte er an seine Notizen – und die steckten irgendwo in seinem Jackett. Der Kommissar hörte Billadiers Stimme, wie sie einmal ganz laut, dann wieder leiser wurde. Kaum noch vermochte er seine schweren Lider zu heben. Was er wahrnahm, verzerrte sich zu grotesken Bildern. Der Mund des Obersten schwoll zu einem gigantischen Schlund an, und aus seinem Schnurrbart schossen die Haare in Rostrot wie aus einem Wasserfall. Schließlich hatte Eschenbach das Gefühl, er säße vor einer dieser gigantischen Eisenplastiken von Richard Serra.

»Die Gelder kommen zu uns, weil unser Land geradezu eine idiotische Stabilität aufweist. Wir haben die Weltkriege nicht nur überlebt, Herr Eschenbach – wir sind an ihnen gewachsen. So wie das Gras wächst, wenn es eine Woche regnet im Mai und nachher wieder die Sonne scheint. Mag sein, dass ein wenig politisches Geschick dazu nötig gewesen ist, mag sein. Aber ein besonderer Leistungsausweis ist es nicht.

Einer der Lieblingssprüche von Jakob war der Satz mit dem Glück: *I'd rather be lucky than smart.* Eine alte Investmentbanker-Weisheit, die er aus London mitgebracht hatte. Ich finde, wir sollten sie als letzten Satz in unsere Nationalhymne aufnehmen.

Wir können zu Gott beten, aber was nützt es ... Am Ende braucht es vor allem Glück.«

Eschenbachs Glück bestand darin, dass er eingeschlafen war. Er verpasste den letzten Teil der Brandrede des Obersten. Vermutlich wäre der Kommissar erstaunt darüber gewesen, welchen Bogen Billadiers Gedanken schlugen und wohin ihn diese Gedanken gegen Ende seines Vortrags führten.

»Alle regen sich auf über die Dienstleistung der Sterbehilfe, aber das ist Schwachsinn. Denn mit dem Alter ist es wie mit dem Geld. Der Nutzen schwindet, je mehr man davon hat ... und irgendwann ist es nur noch eine Last.«

Kapitel 28

Eine Holzzockel-Expedition

Es war der Geruch von Kaffee, der Eschenbach am nächsten Morgen in eine völlige Orientierungslosigkeit stürzte. Der Kommissar öffnete die Augen. Er lag auf einer Couch in einem Wohnzimmer, noch immer in Straßenkleidern, zugedeckt mit seinem Jackett und einer grauen Wolldecke. Neben ihm, auf einem Beistelltisch, stand ein Tablett: helles Porzellangeschirr mit Rosenmustern schimmerte im einfallenden Licht. Daneben lag Silberbesteck. In einem Körbchen entdeckte er vier dünne Scheiben dunkles Brot.

»Ich habe gedacht, ein Frühstück bringt Sie wieder auf die Beine.«

Chester stand neben ihm. Sie blickte mit sorgenvoller Miene auf ihn hinunter.

»Ins Gästezimmer konnten wir Sie leider nicht tragen.«

Eschenbach richtete sich auf und stöhnte. In seinem Kopf brummte ein Bienenschwarm. Und doch hatte er die Szene vom Vorabend wieder vor Augen. Auf dem Ohrensessel schräg gegenüber der Couch hatte er gesessen, während ihm der Oberst die Welt erklärte.

»Es war nicht nur der Whiskey.« Chester blinzelte. Sie trug ein geblümtes Chiffonkleid, hatte ihr weißes Haar kunstvoll hochgesteckt und tastete nun vorsichtig die Frisur ab.

»Ein Schlafmittel …«, brummte der Kommissar. Er hob den Deckel des Porzellankännchens an und roch das kräftige Aroma. »Ich hab's erst gemerkt, als es schon zu spät war.«

»Es war etwas zu viel, hat der Colonel gemeint.« Sie zuckte die Achseln. »Aber ich konnte ja nicht wissen, dass Sie den Tee geradezu hinunterstürzen würden.«

Eschenbach goss Kaffee in die Tasse und trank.

»Diesmal hab ich nichts hineingetan.«

»Lassen Sie mich raten«, sagte der Kommissar und verzog den Mund. »Als Nächstes werden Sie mir bestimmt sagen, dass Ihr netter Herr Oberst verschwunden ist. Dringend auf Reise ...«

Chester senkte den Blick.

Es war die Geschichte mit den Holzzockeln, die Eschenbach in diesem Moment in den Sinn kam. In den frühen siebziger Jahren, als diese Schuhe, gewissermaßen als Früchte der Hippie-Bewegung, groß in Mode gekommen waren, da war er einmal mit ihnen auf einen Berg gestiegen. Nicht auf den Mount Everest, auch nicht auf den Monte Basòdino. Ein unbedeutender Berg im Tessin war es gewesen, so unbedeutend, dass Eschenbach sich nicht einmal an den Namen erinnern konnte. Seine Freunde Gregor Allenspach und Christian Pollack waren ebenfalls mit von der Partie gewesen. Auch in Zockeln.

Bei schönstem Wetter zogen sie los, einfach nur, weil einer von ihnen (wer, wusste keiner mehr) diese idiotische Idee gehabt hatte. Auf halbem Weg erschien ihnen der Berg höher und steiler, als er von weitem ausgesehen hatte. Jetzt erst recht, dachten sie und kraxelten weiter, auf steinigem Geröll immer höher. In ihrem Eifer merkten sie nicht, dass das Wetter umschlug. Und später, als sie frierend im strömenden Regen standen, mitten in einer felsigen Wand, die viel zu glitschig geworden war, als dass man mit den Zockeln auch nur noch einen einzigen Schritt hätte machen können, da war ihnen in den Sinn gekommen, dass sie nicht einmal Proviant dabeihatten.

Der Bergungstrupp, der sie Stunden später aus ihrer misslichen Lage befreite, war sprachlos gewesen. Nur verachtende Blicke hatte es gegeben. Nicht ein einziges Wort. Weder auf Deutsch noch auf Italienisch. Und drei Tage später stand die

Geschichte in der Zeitung, mit einem Bild und der Überschrift: Die Zockel-Idioten von Zürich.

»Der Colonel ist tatsächlich abgereist«, sagte Chester. »Gestern Abend. Sein Freund Rowan ist vorbeigekommen … Sie haben noch etwas getrunken, und dann sind sie gegangen. Mitten in der Nacht.«

»Wissen Sie, wohin sie gefahren sind?«

»Geflogen«, sagte Chester. »Rowan Haughey ist Pilot, er fliegt den Colonel und begleitet ihn auf Reisen.«

»Mitten in der Nacht?«

Chester sah zum Fenster. »Der Flugplatz ist zwei Meilen südlich von hier. Was ich gehört habe, haben sie den Helikopter genommen. Rowan war früher Wing Commander bei der Royal Air Force.«

»Ich habe nichts gemerkt.«

»Allerdings.« Chester seufzte. »Der Colonel hat gesagt, ich soll Ihnen das hier geben.« Sie reichte Eschenbach einen Umschlag.

Eschenbach nahm ihn entgegen. Er hatte bereits das Messer zur Hand genommen, um den Brief zu öffnen, als er bemerkte, wie Chester leise zu schluchzen begann. Sie wandte ihr Gesicht von ihm ab und ging in Richtung Küche.

Eschenbach stand auf und folgte ihr. »Ist etwas nicht in Ordnung?« Auf halbem Weg hatte er sie eingeholt.

»Es ist nichts.« Sie fuhr sich mit dem Ärmel über die Augen.

»Von nichts gibt's keine Tränen.« Eschenbach legte behutsam seine Hand auf ihre Schulter. »Am besten, Sie setzen sich und erzählen mir, was vorgefallen ist.«

Eschenbach führte die alte Frau zurück zur Sitzgruppe und setzte sich neben sie auf die Couch. Es verging eine knappe Viertelstunde, bis er Chester tatsächlich so weit hatte, dass sie sich ihm anvertraute. »Vermutlich steht etwas in diesem Brief.« Sie deutete mit einer fahrigen Handbewegung in Richtung Umschlag, der noch immer ungeöffnet auf dem Tisch lag.

»Hat der Colonel Sie gekränkt?«, wollte Eschenbach wissen.

»Ganz im Gegenteil.« Chester blickte ihn aus wässerigen Augen an. »Er hat mich umarmt. Vielleicht klingt das jetzt seltsam für Sie ... aber das hat er noch nie getan. Die ganzen Jahre über nicht, seit ich für ihn arbeite.«

»Hat er etwas gesagt, etwas Ungewöhnliches, meine ich.«

»Dass ich mir keine Sorgen machen soll ... und dass Judith zurückkommt und sich um mich kümmern würde.«

»Judith?«

Chester stieß einen tiefen Schluchzer aus.

Eschenbach blickte auf den Umschlag. Er hätte ihn am liebsten auf der Stelle geöffnet und gelesen. Aber angesichts Chesters Verfassung entschied er sich zu warten.

»Sie mögen Judith, nicht wahr?«

Die alte Frau nickte.

Fieberhaft suchte Eschenbach nach einem weiteren Anknüpfungspunkt. Warum kam ihm nichts in den Sinn? Er war nicht vorbereitet auf dieses Gespräch. Auf überhaupt nichts in dieser ganzen Geschichte war er vorbereitet gewesen.

Seine Begegnung mit Banz ... die Anstellung bei Duprey, die amateurhaften Recherchen, die er zusammen mit Bruder John betrieben hatte. Und dann Lenz, der wie ein Phönix aus der Asche plötzlich wiederaufgetaucht war und ihn, Eschenbach, zu dieser Reise nach Irland angestiftet hatte.

Oder war er selbst darauf gekommen?

Wie immer der Fall auch lag: Der ganze Weg, der ihn bis auf dieses Landgut nach Irland geführt hatte, war eine einzige Irrfahrt. Und zu keinem Zeitpunkt, gestand sich der Kommissar ein, war er wirklich Herr der Lage gewesen.

Es war eine Holzzockel-Expedition!

Der Kommissar riss sich zusammen und richtete sich etwas auf; er sah direkt in das aufgewühlte Gesicht Chesters.

»Weiß Judith eigentlich, wer ihr Vater ist?«

Energisch schüttelte die alte Frau den Kopf.

»Aber vermutlich hat sie ihn gesucht. Und dass sie sich am Ende bei Duprey anstellen ließ ... Da liegt es doch auf der Hand, dass sie ihn gefunden hat?«

»Das ist unmöglich!«

Chester sah den Kommissar überrascht an. »Judith wollte nicht zu dieser Bank. Es war Ernests Idee. Er hat Judith immer wieder versucht zu überreden.«

Eschenbach fiel auf, dass Chester den Colonel zum ersten Mal beim Namen nannte.

»Sie haben sich gestritten deswegen. Es war wie eine fixe Idee ... Ernest wollte Judith unbedingt in der Bank haben. Er brauchte jemand, dem er vertrauen konnte. Die Bank gehört ihm, das wissen Sie jetzt ja. Aber Judith mochte keine fixen Ideen.«

»Dann war Judith öfter hier?«

»Ein paarmal pro Jahr.« Chester rieb sich die Wangen trocken. »Auch wenn sie von Ernests Angelegenheiten nichts wissen wollte und ihren eigenen Weg ging – sie mochte Annie's Landmark. Sie fühlte sich wohl hier ... bis diese Geschichte mit Duprey angefangen hat.«

Eschenbach stutzte. »Sie meinen, bis Judith dort ihre Stelle angetreten hatte.«

»Ja, und bis dieses schreckliche Unglück passiert ist.« Sie sah auf den Brief des Obersten: »Aber vielleicht steht da etwas dazu drin.«

Eschenbach öffnete den Umschlag, entfaltete das Papier und las den ersten Satz. Dann hielt er inne, sah Chester fest an und meinte:

»Das ist nicht seine Handschrift.«

»Aber doch!«

Der Kommissar schüttelte bestimmt den Kopf. Er hatte die Briefe gelesen, die der Oberst an Bruder John geschrieben hatte. Und zusammen mit Lenz hatten sie Billadiers Unterschrift studiert. Der Oberst hatte eine harte, männliche Feder geführt, eine, die sich überhaupt nicht vergleichen ließ mit dem Schriftzug auf diesem Papierstück.

»Zufällig kenne ich die Handschrift Ihres Chefs ziemlich genau.«

Chester wollte aufstehen.

»Aber nein«, bat Eschenbach. »Sie beide konnten das ja nicht wissen. Ich meine, dass ich Billadiers Handschrift kenne.«

»Es sind aber seine Worte!«

»Er hat den Brief diktiert, nicht wahr? Es ist Ihre Schrift.«

Die alte Frau sah an ihm vorbei wie ein Kind, das bei einer Lüge ertappt worden ist. Dann schoss sie wie eine Furie vom Sofa hoch, wirbelte zu Eschenbach herum, ballte die kleinen Hände zu Fäusten und sah nun ihrerseits Eschenbach direkt in die Augen.

»Er kann es nicht mehr!« Sie spie jedes einzelne Wort aus.

Eschenbach zuckte zusammen.

»Sie können das nicht verstehen.« Sie holte Luft, wirkte plötzlich verzweifelt.

Der Kommissar stand nun ebenfalls auf. Er versuchte die alte Frau zu beruhigen.

»Es hat damit angefangen, dass er den Geruch seiner geliebten Rosen nicht mehr wahrnahm ...«, begann Chester zögerlich. »Und mit Schmerzen in den Gelenken. Zuerst haben wir gedacht, es sei Rheuma. Aber dann kam das Zittern ... und die Angstzustände in der Nacht.«

Langsam ließ sich Chester zurück zur Couch führen. Auch Eschenbach setzte sich wieder.

»Was glauben Sie, warum Sie gestern sturzbetrunken hier aufgetaucht sind? Zu betrunken, um zu erkennen, wie es um den Colonel steht. Das war kein Zufall. Nichts ist Zufall ... Ernest hat Brodie damit beauftragt, Sie auf unser Gespräch vorzubereiten ...«

Es war schön, Sie noch einmal zu sehen, Eschenbach –

zum letzten Mal. Wenn Sie mit Chester das Frühstück einnehmen und diese Zeilen lesen, dann bin ich nicht mehr da, nicht mehr von dieser Welt.

Jedes Spiel und jeder Kampf hat ein Ende.

Ich habe mein Leben lang für die Freiheit gekämpft, für die Unabhängigkeit unseres Landes, im Sinn und Geiste von Guisan. Der General ist mir ein Vorbild geworden in einer Zeit, als die Vorbilder rar waren. Auch heute ist es wieder so weit: Der Wohlstand hat einen bequemen Teppich ausgelegt, auf dem verweichlichte Geister ihre Pfründe verteidigen. Und keiner schaut über den Teppichrand hinaus und sieht, dass es der Boden ist, den wir verlieren – der Boden selbstbestimmten Handelns.

Es ist schade, dass die Zeit nicht mehr reicht. Aber ich habe einen Gegner, der auch mir die Unabhängigkeit entreißen will. Ein zäher Bursche, Morbus Parkinson – er hat sich eine ganze Weile an mir die Zähne ausgebissen. Aber jetzt hat er Verstärkung bekommen. Ein gewisser Lewy ist ihm zu Hilfe geeilt. Zwei gegen einen – was soll man da machen?

Im Moment bin ich noch bei bestem Verstand. Und deshalb will ich das Ende angehen. Sie wissen: Das Planen ist mein Steckenpferd – ich mag das Blaupausen nicht gerne andern überlassen.

Wenn Sie zurück in der Schweiz sind, wird alles geregelt sein. Man wird Judith entlassen. Sie hat mit dem Tod von Jakob nichts zu tun. Sie wissen das. Judith ist dummerweise in die Schusslinie geraten, durch ein Nebengefecht, das ich mit Jakob führen musste, weil er sich nicht an die Regeln gehalten hat.

Das neue Bankensystem, das ich mit meinen Weggefährten aufgebaut habe – es braucht Judith. Sie ist ein freier Geist. Alles Weitere wird sich zeigen.

Mit kameradschaftlichem Gruß
Oberst Ernest A. Billadier

Nachdem Eschenbach die Nachricht gelesen hatte, musterte er Chester von der Seite. Der alten Dame war die Erschütterung anzusehen.

»Den Inhalt kennen Sie ja bereits.«

»*Lewy body desease*«, murmelte die alte Frau. Dann saß sie wie versteinert da und schwieg.

Lewy-Körper-Krankheit – was immer es bedeutete –, Chester schien davon Kenntnis zu haben. Der Kommissar fragte sich, was sie sonst noch über Billadier wusste. Über seine Zeit beim Geheimdienst und über den Feldzug, den er als Präsident bei Duprey führte, seine Pläne und Absichten. Der Oberst brauchte jemanden, der ihm half. Eine Vertrauensperson wie Chester, die für ihn die Korrespondenz führte und ihm in den kleinen Dingen des Lebens behilflich war.

Ohne das Kleine ist das Große nicht zu meistern.

»Dass ihm sein Hirn abhandenkommt, davor hat sich Ernest immer gefürchtet.« Chesters Stimme war ganz leise. »Seit wir den Bescheid hatten, dass er an Parkinson leidet, war dieses Thema allgegenwärtig. Dabei hatte er kaum Aussetzer … Schon gar nicht, wenn man sein Alter bedenkt.« Seufzend hob sie ihre Schultern. »Immer öfter kam es vor, dass ihn die Schwermut überfiel … und die Angst, dass einmal der Tag kommen würde, an dem er nicht mehr frei denken kann.«

»Ist das bei Parkinson überhaupt der Fall?«, fragte der Kommissar. Er wusste so gut wie nichts über diese Krankheit.

»Typischerweise nicht«, sagte Chester. »Aber typischerweise – das interessierte Ernest nicht. *Plan for the worst – hope for the best!* Nach diesem Grundsatz hat er gelebt. Deshalb war er so auf diese Lewy-Körperchen-Sache fixiert. Wussten Sie, dass die Lewy-Körperchen-Erkrankung nach Morbus Alzheimer die zweithäufigste Demenzerkrankung ist?«

»Da muss ich passen«, sagte Eschenbach.

»Ernest wollte sich darauf testen lassen.«

»Was er dann offenbar getan hat.«

Chester nickte. »Er hat mir nie davon erzählt.«

»Aber Sie merkten es.«

»Natürlich.« Die alte Frau strich nachdenklich über den Rockschoß. »Wenn Sie lange mit einem Menschen zusammenleben, dann müssen Sie über solche Dinge nicht sprechen. Zudem diktierte er mir seine Briefe ... Ich führte den Terminkalender. Auf einmal musste alles noch schneller gehen.«

»Wissen Sie noch, wann es angefangen hat?«, fragte Eschenbach.

»Das war vor ungefähr zwei Monaten. Er kam gerade zurück aus der Schweiz ... Dort lässt er sich seit Jahren behandeln.«

»Von wem?«

»Als Ernest vor Jahren zum ersten Mal mit Parkinson konfrontiert wurde, da hat er sich die besten Leute gesucht, Spezialisten ... und mit denen hat er später eine Privatklinik übernommen. Er wollte die Kuh besitzen, die ihm die Milch gab.«

»Ich würde mir den Namen der Klinik gerne aufschreiben.« Der Kommissar nahm den Brief des Obersten zur Hand, faltete ihn und zog einen Kugelschreiber aus seinem Veston.

»Klinik Rosen, in Rüschlikon.«

»Klick-klack«, murmelte Eschenbach.

»Rüschlikon ist bei Zürich.«

»Ich weiß«, sagte der Kommissar. »Ich bin dort gewesen ... Abteilung D – der geschlossene Trakt für Demente und geistig Verwirrte.«

Ohne etwas notiert zu haben, verstaute Eschenbach das Stück Papier und den Kugelschreiber in seinem Jackett.

Kapitel 29

Am Ende der Fahnenstange weht der Stolz

Judith konnte sich noch nie für die Idee begeistern, Ernest im Verwaltungsrat bei Duprey einmal abzulösen. Sie wollte woandershin, ins operative Geschäft ... Deshalb hat sie sich geziert und auf Zeit gespielt. Judith ließ sich vom Colonel nichts sagen, das müssen Sie wissen.«

»Und plötzlich wurde die Zeit knapp«, fügte Eschenbach hinzu.

»Ernest ist ungeduldig geworden ... er konnte Judith nicht verstehen. Sie haben miteinander gestritten, immer öfter.«

»Sie weigerte sich also.«

Chester nickte. »Das hat die Sache verkompliziert.« Die alte Frau zuckte mit den Achseln. »Wenn Judith bockt, dann braucht es eine kreative Lösung ... Das war schon so, als sie noch ein kleines Mädchen war.«

Chester erzählte dem Kommissar von der Sitzung im Hotel St. Gotthard, wie Paul Zimmer vom Strategischen Nachrichtendienst vorgegangen war, um Judith für den Einstieg bei Duprey zu motivieren. Das letzte Gefecht eines verzweifelten Obersten hatte begonnen.

»Sie wissen ja, welch Geistes Kind sie ist. Judith braucht die Freiheit ... Es geht ihr nicht ums Geld. Hundert andere hätte man für diesen Job kaufen können. Aber bei ihr wusste er, dass er sie von Grund auf überzeugen musste.«

»Von Grund auf«, murmelte Eschenbach. Er wusste nicht recht, was er von der Sache halten sollte: »Waffenhandel ... und die armen Kinder vom Kongo.« Der Kommissar schüttelte den Kopf. »Das ist ziemlich weit hergeholt. Eine üble Inszenierung, finde ich.«

Chester schüttelte energisch den Kopf.

»Sie irren, Herr Kommissar. Die Geschichte ist nicht erfunden. Im Gegenteil. Ernest ahnte schon lange, dass Herr Banz in krumme Geschäfte verwickelt war. An der Bank vorbei, privat ... für sich selbst gewissermaßen. Weil ihm Duprey ja nicht mehr gehörte ... und weil er Schulden hatte.«

»Sind Sie da wirklich sicher?«, fragte der Kommissar, er selbst war überrascht, wie bitter er plötzlich klang.

»Aber natürlich!« Chester hob überrascht den Kopf. »Wir hatten zu diesem Zeitpunkt schon eine ganze Anzahl Indizien, die in diese Richtung gedeutet haben. Banz brauchte das Geld für seinen aufwendigen Lebensstil ... Er steckte ziemlich tief in der Tinte, wie es der Oberst einmal ausgedrückt hat. Es war eine Frage der Zeit, bis er sich auf so was einlassen würde.«

Eschenbach versank einen Moment in Überlegungen. Hatte ihn der Bankier wirklich so getäuscht?

»Das Einzige, was wir noch brauchten, waren Fakten«, erzählte Chester weiter. »Handfeste Beweise, damit Banz aus dem Verkehr gezogen werden konnte. Aus diesem Grund hatte Ernest den *Compliance Officer* Peter Dubach installiert, in Absprache mit dem SND. Denn schließlich war es eine Sache von staatspolitischem Interesse. Sie müssen wissen, Herr Eschenbach, es gibt noch immer Leute beim Geheimdienst, für die ist der Oberst eine Ikone. Zudem hatte er als Eigentümer und Präsident der Bank das Sagen, wenn es um wichtige Personalentscheidungen ging.«

»Und dann ist dieser Dubach plötzlich verschwunden.«

»Sie sagen es.«

Eschenbach schnaufte. Er ärgerte sich über seine eigene Blödheit. Seine Naivität. Darüber, wie er gegen seinen – ursprünglichen – Willen zugestimmt hatte. Wie er sich hatte einwickeln lassen. Nur weil er gekränkt gewesen war, wegen Max Hösli, der ihn behandelt hatte wie …

»Und jetzt kommen Sie ins Spiel.«

»Ich?«

»Bitte entschuldigen Sie, wenn ich Ihnen das so sagen muss.«

»Ich bin aus freien Stücken zu Duprey.« Eschenbach hob energisch das Kinn.

»Natürlich. Auch Sie sind ein Mensch, dem Freiheit über alles geht. Bei Ihnen hätten wir mit Geld allein überhaupt nichts erreicht. In diesem Punkt sind Sie Judith sehr ähnlich.«

»Das ist doch Blödsinn«, knurrte Eschenbach. »Jakob war ein alter Schulfreund von mir. Ich wollte ihm helfen.«

»Banz helfen?« Ein Anflug von Heiterkeit streifte die hellen Augen der Frau. Plötzlich wirkte sie um Jahre jünger. »Sie hatten ihn seit über dreißig Jahren nicht mehr gesehen. Zudem kann er Ihnen unmöglich sympathisch gewesen sein. Sie sind so verschieden. Und ein Helfersyndrom haben Sie auch nicht, Herr Eschenbach. Dafür sind Sie viel zu abgebrüht.«

Der Kommissar wusste nicht, was er sagen sollte. Er kam sich vor wie ein Teppichknüpfer, dem man die Fäden aus der Hand geschlagen hat.

»Judith ist jung. Ihre Welt ist noch voller Ideale. Deswegen hatte sie Mitleid mit den Leidtragenden von Banz' Geschäften. Dieses Elend, das sich auf den Kriegsfeldern abspielt … Das wollte sie verhindern.«

»Ich hatte keine Ahnung davon.«

»Das war uns klar. Ihre Aufgabe bestand lediglich darin, Peter Dubach zu finden. Es war gar nicht so schwer, Banz davon zu überzeugen, dass Sie der Richtige sind für den Job des *Compliance Officer*. Einmal abgesehen davon, dass ihm die Bank gar nicht mehr gehörte und er als Angestellter von Ernest wohl oder übel mitspielen musste, fühlte er sich Ihnen überlegen. Er hatte schon einmal gegen Sie gewonnen, damals, als es um Anne-Christine ging.«

Chester sah Eschenbach an. »Er hat Sie unterschätzt. Wir nicht.«

»Ach ja?« Eschenbach spürte eine leise Wut in sich hochkommen. »Von wem sprechen Sie überhaupt, wenn Sie ›wir‹ sagen? Wer verfügt über mich wie über einen Lakaien?«

»Wir … das ist eine kleine Familie von Menschen.« Chester schluckte. Es schien ihr unangenehm, dass sie Eschenbach gegen sich aufgebracht hatte. »Sie müssen nicht auf mich wütend sein, Herr Kommissar. Ich erzähle Ihnen das nur, weil es Ernest so gewollt hat. Ich soll ehrlich zu Ihnen sein. Sag ihm bitte die Wahrheit, wenn er sie wissen will, hat er gesagt.«

Eine Pause entstand.

»Also gut, erzählen Sie.«

»Es gibt Menschen, denen Männer wie Banz ein Gräuel sind. Und die nicht länger zusehen wollen, wie es mit ihrem Land den Bach runtergeht. Persönlichkeiten wie Ernest Billadier.«

»Wer noch?«

»Wenige.«

»Nennen Sie Namen.«

»In Ihrem konkreten Fall …« Chester verknotete die Hände in ihrem Schoß. »Also, was Ihre Anstellung bei Duprey betrifft … Da waren noch Paul Zimmer und Max Hösli.«

»Hösli?!« Eschenbach kam aus dem Staunen nicht mehr heraus.

»Das überrascht Sie, nicht wahr? Aber stellen Sie sich vor: Max Hösli mag Sie. Er hält Sie für einen seiner fähigsten …«

»Dummes Zeug!« Eschenbach sprang auf. Er ging ein paar Schritte hin und her. »Hösli ist ein, bitte entschuldigen Sie …« Der Kommissar wollte schon »Arschloch« sagen, hielt dann aber inne. Es wäre zu profan gewesen, zu dumm und ordinär. Er wollte nicht sein wie dieser kleine, überhebliche, machthungrige Zwerg. Und schon war es da, das Wort, das er gesucht hatte:

»Hösli ist ein Giftzwerg!«

Chester verzog den Mund. »Entschuldigen Sie, wenn ich lachen muss … Herr Hösli muss Sie wirklich überzeugt haben.«

Eschenbach schüttelte ungläubig den Kopf.

»Sie wären auch für zehn Millionen nicht zu Duprey gegangen. Stimmt doch, oder?«

»Nein ... Ich meine, ja.«

»Und wenn Hösli Sie darum gebeten hätte?« Chester sah Eschenbach fragend an.

»Wohl kaum.«

»Sehen Sie, das ist erstaunlich. Max Hösli hatte diese Variante vorgeschlagen. Aber Ernest hat Sie von Anfang an so eingeschätzt, dass Sie Hösli eine Abfuhr erteilen ..., dass Sie deswegen Ihre Auszeit in Kanada nicht unterbrechen würden.«

Eschenbach spürte, wie er in Wallung geriet. Die Geschichte, die Chester ihm erzählte, war hanebüchen. Geradezu grotesk. Was war nur in ihn gefahren, damals? Er hätte allen eine Abfuhr erteilen müssen. Warum hatte er es nicht fertiggebracht, Banz einfach die kalte Schulter zu zeigen – oder, was noch viel besser gewesen wäre: Banz und Hösli einen Tritt in den Hintern zu geben? Jawohl, einen Tritt! Allen voran diesem falschen Jakob, diesem arroganten Fettarsch!

»Und Ernest hat Sie richtig eingeschätzt.« Chester warf ihm einen flüchtigen Blick zu, wartete, bis er sich wieder gesetzt hatte.

»Dieser Kommissar ist nicht empfänglich für Schmeicheleien und Statussymbole, hat er gesagt. Die Aussicht auf die Leitung der Kantonspolizei, der letzte große Coup am Ende seiner Beamtenlaufbahn ... Das alles interessiert diesen Starrkopf nicht.«

Langsam lehnte sich Eschenbach wieder zurück. Er drückte seinen breiten Rücken in die Kissen und atmete tief durch. Dann schloss er die Augen. »Sie hätten jemand anderen nehmen sollen.«

»Als promovierter Jurist waren Sie geradezu geschaffen für den Posten des *Compliance Officer.*«

»Juristen gibt es wie Sand am Meer ... auch bei der Polizei.«

»Aber Banz kannte Sie ... Es ist eine alte Weisheit, dass man Bekannten gegenüber weniger misstrauisch ist. Sie waren der perfekte Fit, Herr Kommissar. Also mussten wir Sie irgendwie drankriegen, dass Sie zusagten.«

»Ich lass mich doch nicht manipulieren.« Eschenbach öffnete die Augen wieder.

»O doch!« Chester hob die Schultern, als wollte sie sich für ihren Einwand entschuldigen. »Jeder Mensch hat eine Schwäche ... einen Mechanismus, den er selbst nur schwer kontrollieren kann. Der Oberst wusste ganz genau, wie er es anstellen musste ...«

»Blödsinn!«

»Wie reagierten Sie denn, Herr Kommissar, als Sie sich hintergangen fühlten ... durch eine vermeintliche Intrige? Als man Ihnen despektierlich die kalte Schulter zeigte, keinen Respekt mehr zollte.« Chester legte ihre Hand auf Eschenbachs Schulter. »Sie fühlten sich in Ihrem tiefsten Innern verletzt, das ist verständlich. Ab diesem Augenblick übernimmt bei Ihnen Ihr Temperament das Kommando. Die Wut kocht in Ihnen hoch ...«

»Hahaha ...« Es war mehr ein Grummeln, nicht wirklich ein Lachen.

»Sehen Sie, Herr Kommissar? Sie sind ein kultivierter Mensch ... Versuchen Ihre Wut einzudämmen und zu verdrängen. Aber Sie bringen sie nicht weg, das ist Ihr Problem. Ihre Wut erkaltet nur, wie Kirschen in einem Einmachglas. Und was übrig bleibt, ist der Trotz.«

»Ein alter Trotzkopf, und wennschon?«

»In der Tat.« Die alte Frau schmunzelte. »Wie es scheint, wissen Sie es selbst am besten. Das macht Sie zwar sympathisch, aber auch berechenbar. Denn Sie haben die Stelle bei Banz angenommen, weil Sie es allen zeigen wollten: Ihrem Chef, Max Hösli, Ihren Kollegen bei der Polizei ... und vielleicht am meisten sich selbst. Beweisen, dass Sie unabhängig sind.«

»Sind Sie endlich fertig?«, fragte Eschenbach.

»Ja.«

Die Stille, die nun den Raum erfüllte, war voller Niedertracht.

Gekränkt bis ins Tiefste seiner alten Knochen, saß der Kommissar da. Sein müder Blick schweifte durch den Raum, entlang der grün tapezierten Wände. Schwarzweißfotografien hingen dort, in unterschiedlichen Formaten. Der Kommissar konnte die Sujets nicht richtig ausmachen. Auf einer der größeren Abbildungen glaubte er einen Panzer zu erkennen. Also vermutete er, dass die Bilder aus der Militärdienstzeit des Obersten stammten. Dann entdeckte Eschenbach das Porträt des Generals. Eingefasst in einen schmucklosen Holzrahmen, keine drei Meter von ihm entfernt, stand es auf einem leergeräumten Brett des Bücherregals. In nachdenklicher Pose, mit steifem Offiziershut und prächtig verzierter Halskrause blickte Henri Guisan links am Betrachter vorbei in die Ferne.

Warum kommt die Gefahr immer von links?

»Früher, als ich noch ein kleiner Bub war«, begann Eschenbach leise und deutete mit dem Kinn in die Richtung des Bildes. »Da hat der General in jedem Schweizer Wirtshaus gehangen. Dann ist er langsam verschwunden. Heute sieht man ihn manchmal noch … in den ländlichen Lokalen rund um den Genfer See und in den kleinen Kirchen dort.«

»Sind Sie mir noch böse?«, fragte Chester.

»Sieht es denn so aus?«

»Ernest hat mir erzählt, dass man in der Schweiz jetzt auch noch die Kreuze von den Berggipfeln entfernen will.«

»Ja, ja …«, murmelte Eschenbach. »Wir haben unsere gute Mühe mit der Obrigkeit. Am Ende der Fahnenstange weht der Stolz.«

»Wo weht er nicht?«, sagte Chester. »Ich frage mich, ob der Oberst Sie deshalb richtig eingeschätzt hat, weil Sie vom selben Schlag sind.«

»Ich hoffe es nicht.«

Kapitel 30

Annie's Best

Noch nie in seinem Leben hatte sich der Kommissar so missbraucht und wertlos gefühlt wie an diesem klaren Herbstmorgen auf Annie's Landmark im Süden Irlands.

Wie ein geprügelter Hund trottete er zurück zum Wagen. Nicht einmal Wut kam mehr in ihm auf. Nichts von all dem, was ihn bisher angetrieben hatte, fand er in sich wieder. Eschenbach war, als hätte jemand sein Innerstes ausgeweidet und eine große Leere zurückgelassen. Ein verbranntes Feld, so schwarz wie die Nacht.

Er setzte sich hinters Steuer, steckte den Zündschlüssel ins Schloss und startete den Motor. Wenn er wenigstens ein Rad gewesen wäre in diesem Getriebe. Aber er war nur ein Rädchen. Ein Zacken eines Rädchens. Das Spiel, das ein paar alte Patrioten nach ihren eigenen Regeln veranstalteten, lief munter weiter, egal, was aus ihm wurde.

Aber in diesem Spiel hatte es einen Unfall gegeben. Denn der Mord an Banz, da war sich Eschenbach sicher, war nicht Teil des Plans gewesen.

Wie ging es nun weiter?

Es würde sich alles aufklären, hatte die alte Frau ihm versichert. Mehr könne sie ihm zu diesem Zeitpunkt nicht sagen. Der Oberst werde alle Fakten, die zum Tod von Jakob Banz geführt hatten, offenlegen. »Wenn Sie zurück in der Schweiz sind, ist der Fall aufgeklärt.« Mehr als diesen einen Satz konnte er Chester nicht mehr entlocken.

Eschenbach wollte losfahren. Zu seinem Erstaunen machte der Wagen nur einen einzigen Satz vorwärts, über den Wegrand hinaus ins Grüne, um gleich darauf, nach einem würgenden Motorengeräusch, wieder stillzustehen.

Guisan hatte recht, dachte der Kommissar. Die Gefahr kommt von links, denn dort hatte er den falschen Gang erwischt. Eschenbach hob die Flasche Whiskey auf. Sie war vom Nebensitz nach vorne auf den Boden geknallt.

Er betrachtete das Etikett. Auf dem Hintergrund einer blassen Rose stand: »Annie's Best – Peated Single Malt – Irisch Whiskey«. Ebenfalls aufgedruckt war groß die Jahreszahl 1981 und, etwas kleiner, der Name der Destillerie. Der Kommissar wusste, dass das Alter bei Whiskeys üblicherweise in Jahren angegeben wurde. 5 Years, 10 Years und so weiter. Nur in Ausnahmefällen waren die Flaschen mit einem Jahrgang versehen.

Annie's Best – Annie's Landmark.

Ein Ruck durchfuhr Eschenbach. Diesmal ohne dass sich der Wagen bewegt hätte. Der Ruck war rein innerlich. Der Kommissar griff sich an die Stirn. Warum war er nicht schon vorher darauf gekommen?

Er startete den Motor erneut, brachte den Wagen zurück auf den schmalen Weg und fuhr direkt vors Haus, wo er ausstieg. Weil die Tür nicht abgeschlossen war, trat er, ohne anzuklopfen, in den dunklen Flur. Er fand Chester in der Küche. Sie hatte sich eine weiße Schürze umgebunden und war gerade damit beschäftigt, das Frühstücksgeschirr in die Spülmaschine zu räumen.

»Was ist 1981 passiert?«

Die alte Frau zuckte zusammen, als hätte der Blitz sie getroffen. Dann wandte sie sich Eschenbach zu. »Sie hätten wenigstens ein Geräusch machen können.«

Der Kommissar räusperte sich. »Das Jahr neunzehneinundachtzig.«

Chester dachte nach. »Da war ich noch nicht beim Obersten.«

»Ich weiß. Der Unfall mit Anne-Christine und Judith – in den auch Ihr Mann verwickelt war ... er ereignete sich 1986. Fünf Jahre später also. Ich habe vielleicht ein schlechtes Namensgedächtnis. Aber Zahlen kann ich mir merken.«

»Da sehen Sie's. Ich habe Sie nicht angelogen.«

Eschenbach hob mit der linken Hand den Whiskey und deutete auf das Etikett. »Annie's Best – Annie's Landmark. Annie hier und Annie dort.«

»Annie«, wiederholte nun auch Chester.

»Sie ist überall. Und gemeint ist Anne-Christine Banz, geborene Duprey. Nicht wahr?«

Schweigen.

»Wenn der Oberst tatsächlich vom selben Schlag ist wie ich, so wie Sie das vorhin gesagt haben ...« Der Kommissar stellte die Flasche auf den Küchentisch. »Trotzig, sentimental ...« Er machte eine ausholende Bewegung mit den Händen. »Dann sind Annie und er ein Liebespaar gewesen. So ist es doch, oder? Und zwar seit 1981.«

Chester hob die Schultern.

»Sie wissen das sehr wohl. Auch wenn Sie damals noch nicht für ihn tätig gewesen sind. Und wissen Sie, warum? Weil Sie Billadier erlebt haben, damals nach dem Unfall. Wie er um seine Liebe getrauert ... wie er das gemeinsame Kind bei sich aufgenommen und großgezogen hat. Judith ist seine Tochter.«

Eschenbach sah zu, wie Chester bleich wurde, wie sie wortlos und mit zitternden Händen den letzten Teller in die Spülmaschine stellen wollte. Er konnte die Frau gerade noch auffangen, als sie – wie ein altes Holzhaus nach einem Brand – in sich zusammenbrach und einstürzte.

Der Kommissar trug sie ins Wohnzimmer. Er bettete Chester auf die Couch und erweckte ihre Lebensgeister, indem er etwas Whiskey auf ein Taschentuch träufelte und es ihr vor die Nase hielt.

»Ich hätte Ihnen das nie erzählen dürfen ... alles, nur das nicht.«

»Sie haben ja gar nichts gesagt.«

»Ehrlich?«

»Ich schwöre es.«

Nach einer Weile, als sich Chester etwas erholt hatte, erzählte sie dem Kommissar, wie sich Ernest und Anne-Christine kennengelernt hatten. Damals, in einer Klinik für Suchtkranke, nördlich von Dublin, als sich der Oberst wegen seines Alkoholproblems hatte einliefern lassen.

»Und dort war Anne-Christine ebenfalls?« Eschenbach war erschüttert, als er es erfuhr. »Warum?«

»Sie nahm Tabletten … war nicht glücklich in der Beziehung mit Banz.« Chester sah ihn an. »Das überrascht Sie nicht, nehme ich an.«

Der Kommissar schüttelte den Kopf.

»Vielleicht hätte sie bei Ihnen bleiben sollen …«

An dieser Stelle unterbrach Eschenbach die alte Frau. Woher wusste sie, dass Anne-Christine seine Jugendliebe war? Hatte sie ihm nicht gesagt, dass sie erst nach dem Unfall zu Ernest auf die Landmark gezogen war? Er sprach Chester darauf an.

»Ich habe damals noch nicht bei ihm gearbeitet, aber mein Mann Ethan«, erklärte sie. »Er hat sich um den Garten gekümmert, die Zäune … Und als der Oberst später viel Geld verdient und eine Pferdezucht gekauft hat, auch darum. Wir wohnten in einem kleinen Cottage, drei Meilen nördlich von hier. Die ersten zwei Jahre hatten sich Annie und der Oberst nur geschrieben. Als Judith drei Jahre alt war, kam sie zum ersten Mal hierher. Für zwei Wochen. Später immer öfter. Als wir einmal beisammensaßen, im Winter, vor dem Kamin, da hat Annie es mir erzählt.«

Eschenbach konnte es kaum fassen. »Sie ist hier auf der Landmark gewesen?«

Die alte Frau nickte. »Annie hatte ihrem Mann alles gebeichtet, als Judith vier Jahre alt war. Dann ist sie gegangen.«

Ein kleines Lächeln huschte Eschenbach übers Gesicht.

Chester bemerkte es. »Der Bankier hatte ihr gesagt, er nähme zwar fremdes Geld, aber mit fremden Kindern wolle er nichts zu tun haben. Also ist sie hierhergekommen, zu Ernest. An einem wunderschönen Tag im Mai, ich kann mich noch gut erinnern. Das Gras grünte auf den Feldern ... Ernest hat Judith ein kleines Pony gekauft. Sie waren eine glückliche kleine Familie, bis zu diesem schrecklichen Unfall im Herbst ...« Eschenbach zögerte. Er hatte den Bericht der irischen Polizeibehörde gelesen. Es hatte damals eine Tote gegeben, Anne-Christine. Sowohl Judith wie auch der Lenker des anderen Fahrzeugs hatten überlebt. Fragend sah er Chester an.

»Sie sind sich begegnet«, begann die alte Frau etwas stockend, »auf der schmalen Straße Richtung Cork. Ethan hatte den Pferdetransporter angehängt. Die beiden winkten sich sogar noch zu. Damit Annie an ihm vorbeikommt, ist Ethan auf die Seite gefahren ... aber da war eine Böschung, und der Transporter ist umgekippt, direkt auf die Fahrerseite von Annies Wagen.«

»Um Gottes willen.« Eschenbach nahm Chester in die Arme, als er sah, wie sie ihr Gesicht in den Händen vergrub. »Und Ihr Mann ... Für ihn muss es ja furchtbar gewesen sein.«

»Ethan hat sich ... er hat sich erhängt«, murmelte sie. »Ein halbes Jahr später. Er konnte Judith nicht aufwachsen sehen, ohne ihre Mutter, deren Tod er selbst verschuldet hatte.«

Auf dem Weg zum Flugplatz, noch immer tief bestürzt von dem, was ihm Chester erzählt hatte, rief Eschenbach dreimal Jagmetti an.

»Wo zum Teufel steckst du?«, fragte er, als er den Bündner endlich am Telefon hatte.

»Im Kloster ist Handyverbot.«

»Was zum Teufel machst du im Kloster?«

»Nichts. Ich hab dort übernachtet ... in deinem Zimmer. John hat gesagt, das geht schon in Ordnung ...«

»Okay, okay.«

»Und jetzt bin ich zum dritten Mal raus auf den Kirchplatz gerannt. Zuerst hat mich Hösli angerufen. Der scheißt mich bestimmt zusammen, hab ich gedacht ... Aber nein, der war wie von der Heilsarmee. Völlig umgekrempelt. Hat sich entschuldigt und ist zu Kreuze gekrochen. Ich glaub, mit dem ist etwas passiert ... Ich weiß nur nicht, was.«

Der Kommissar fuhr auf den Pannenstreifen und hielt an. Er hatte Jagmetti kaum verstanden. Weder akustisch noch sonst wie. Eschenbach hatte den Eindruck, dass nicht nur mit Hösli, sondern auch mit Jagmetti etwas nicht stimmte.

»Peter Dubach, der *Compliance Officer* ...«

»Ich weiß, wer Dubach ist.«

»Er ist gestorben ... in der Nacht von gestern auf heute. An den Folgen seiner ...«

Wieder unterbrach Eschenbach den jüngeren Kollegen.

Es folgte ein wildes Hin und Her von Fragen und Antworten, von klärenden Auskünften, Zusammenfassungen und Vermutungen. Dazwischen schlich sich immer wieder eine Lücke ins Gespräch. Ein betretenes Schweigen, das eine Weile anhielt, bis der eine fragte, ob der andere noch da sei.

»Hösli hat gesagt, dass Banz den Dubach dort unten eingekellert hat. Und gefoltert. Das geht anscheinend aus dem Video hervor, das wir sichergestellt haben. Hösli meint, irgendwas Krummes ist dort gelaufen. So ganz heraus mit der Sprache wollte er nicht. Ich vermute, dass Dubach etwas gefunden hat, womit er den Bankier erpressen konnte. Geht meistens schief, so was.«

»Nicht direkt erpressen«, sagte Eschenbach. »Man wollte Banz aus dem Verkehr ziehen. Aber das erzähle ich dir, wenn ich wieder zurück bin.«

»Wo bist du überhaupt?«

Eschenbach berichtete kurz, weshalb er nach Irland geflogen war und was er dort in Erfahrung gebracht hatte. Dass Judith Billadiers Tochter war, verschwieg er Claudio. Auch zu Höslis Rolle sagte der Kommissar kein Wort.

»Wir sind da in ein Spiel hineingeraten, Claudio … und ich weiß noch nicht wirklich, wie es enden wird. Billadier ist gestern Abend in die Schweiz geflogen. Ich denke, er wird Judith entlasten und danach den Freitod wählen.«

»Er wäre nicht der Einzige, der zum Sterben in die Schweiz kommt«, sagte Jagmetti etwas verwirrt. »Dignitas, Exit … das Geschäft mit dem Sterben boomt bei uns. Dagegen können wir nichts unternehmen. Aber wenn er Judith tatsächlich freikriegen will … Billadier muss ein überzeugendes Geständnis hinlegen. Keine Ahnung, wie er das anstellen will.«

»Das wird er, Claudio. Glaub mir, das wird er. Und gerade deshalb möchte ich nochmals mit ihm reden. Fahr nach Rüschlikon, in die Klinik Rosen. Wenn mich nicht alles täuscht, ist er dort. Versuch ihn irgendwie hinzuhalten, wenigstens bis ich zurück bin.«

Nach dem Telefonat mit Claudio fuhr Eschenbach weiter. Die Sache drehte sich in seinem Kopf wie in einer Endlosschleife. Er hatte Mühe, sich auf den Verkehr zu konzentrieren. Links auf der Kriechspur, mit Tempo achtzig – eingeklemmt zwischen zwei Sattelschleppern –, rief er Rosa an. Weil sie schon ein paarmal versucht hatte, ihn zu erreichen, konnte er die Nummer ganz einfach aus dem Speicher abrufen.

»Sind Sie auf einer Raketenbasis?«

»Nein!«, schrie Eschenbach ins Telefon. Er kurbelte das Fenster hoch und bat Rosa, ihm die Nummer vom Gerichtsmedizinischen Institut in Zürich zu geben.

»Kurt Salvisbergs direkte Linie, bitte.«

Auch wenn er im Moment nicht im Dienst der Kantonspolizei war, dachte Eschenbach. Vielleicht würde der Professor ein Auge zudrücken und ihm die Ergebnisse der pathologischen Befunde nicht vorenthalten. Immerhin hatten Kurt und er über zwanzig Jahre zusammengearbeitet, waren über diese lange Zeitspanne hinweg so etwas wie Freunde geworden. Wenn Billadier tatsächlich mit einem Geständnis aufwarten würde, so wie Eschenbach vermutete, dann kam es auf die Details an.

Eschenbach wusste von Claudio, dass der Bankier erschossen worden war. Aber wie genau, darüber hatte sich Jagmetti nie geäußert. Konnte jemand wie Billadier, der unter Parkinson litt, eine solche Tat überhaupt ausführen? Wie viele Schüsse waren abgegeben worden, und aus welcher Distanz?

Wenn jemand über diese kleinen Puzzlestücke des Todes wirklich Bescheid wusste, dann Kurt.

»Haben Sie etwas zum Schreiben?«

»Ich kann's mir merken, Frau Mazzoleni.«

Unmittelbar nach der letzten Zahl beendete der Kommissar das Gespräch. Er hatte die Nummer aus seinem Gedächtnis schon halb in sein Handy eingetippt, als die Bremslichter des Lastzugs vor ihm rot aufleuchteten.

Im letzten Moment trat Eschenbach ins Pedal und fluchte. Während sein Puls in einen gestreckten Galopp überging und sich beinahe überschlug, brachte der Kommissar seinen Wagen mit einem waghalsigen Manöver auf die Überholspur. Um ein Haar hätte er diesen Idioten mit seinem Sattelschlepper touchiert.

Ein paar Sekunden später war alles vorbei. Eschenbach wischte sich mit dem Ärmel den Schweiß von der Stirn. Das musste ihm zuerst einmal einer nachmachen, dachte er erleichtert. Selbst Claudio hätte in dieser heiklen Situation nicht besser reagiert. Dabei war der Bündner gut zwanzig Jahre jünger.

Der Verkehr rollte wieder wie am Schnürchen. Nur die Telefonnummer war aus seinem Gedächtnis verschwunden. War einfach abgehauen, diese feige Nuss.

Der Kommissar rief Rosa ein zweites Mal an.

»Ich kann Salvisberg nicht erreichen«, log er. »Vielleicht ist es am besten, wenn Sie es versuchen. Richten Sie ihm aus, dass ich heute Abend noch bei ihm vorbeischaue.«

»Sind Sie immer noch in Irland?«

»Woher wissen Sie das schon wieder?«

Rosa ging gar nicht auf seine Frage ein. »Es ist jetzt kurz vor zwölf«, meinte sie nur. »Ich habe nachgesehen. Es gibt keinen direkten Flug mehr zurück nach Zürich. Wenn Sie wollen, buche ich Ihnen einen Platz bei British Airways nach London und von dort weiter ...«

»Gerne.«

»Ich schicke Ihnen die Infos per SMS.«

»Sie sind eine Perle, Frau Mazzoleni.«

Dank einer Folge von Kurznachrichten fand Eschenbach von den Inseln Irlands und Großbritanniens zurück aufs Festland. Salvisberg würde auf ihn warten, hieß es in einer von Rosas Mitteilungen. Und es sei egal, wie spät es werde.

Alles schien auf bestem Wege zu sein. Beinahe stündlich wuchs Eschenbachs Zuversicht. Je näher er Zürich kam, desto größer und heller leuchtete die Freundschaft, die ihn mit Kurt Salvisberg verband. Wie ein Leuchtturm stand der Männerbund schließlich im offenen Meer – umgeben von den wogenden Wellen intriganter Macht und Zwietracht. Er hatte Billadier und den Seinen doch etwas entgegenzusetzen.

Kapitel 31

Ein totes Herz pumpt nicht

Muss ich mir Sorgen um dich machen?«, fragte Salvisberg, als der Kommissar ohne Umschweife zum Thema kam.

Eschenbach hatte den Pathologen draußen vor dem Institut vorgefunden, auf einer Parkbank sitzend, rauchend und dabei Akten studierend. Mit einer Taschenlampe – denn die Sonne war bereits Stunden zuvor untergegangen.

»Ich dachte, du bist mein Freund.«

»Hast du wirklich geglaubt, dass ich dir die Akten einfach rüberschieben kann … unter dem Tisch durch, wie ein Pornoheft?«

»Ja.«

Salvisberg richtete den Lichtkegel auf Eschenbachs Gesicht.

»Mach das Ding aus«, sagte der Kommissar.

Es wurde dunkel.

»Neuerdings ist das Rauchen auch in den Einzelbüros verboten«, sagte der Pathologe in heiserem Bariton. »Darum hab ich wieder angefangen. Ich brauch das … Man muss sich auflehnen gegen die, die alles verbieten wollen.«

Ein kurzer Husten erklang.

»Am Ende bleiben noch Helmut Schmidt und ich übrig. Die letzten Kettenraucher auf diesem Planeten.«

Die kleine Flamme eines Feuerzeugs leuchtete auf. Darüber erhellte sich für einen kurzen Moment Salvisbergs Gesicht: Der Pathologe hatte sich eine neue Zigarette zwischen die Lippen gesteckt, seine Bartstoppeln schimmerten silbern.

»Du siehst aus wie Nosferatu«, sagte der Kommissar.

Salvisberg gab ein heiseres Lachen von sich. »Rauchst du eigentlich nicht mehr?«

»Ich nehme Koks, das ist viel gesünder. Und man braucht damit nicht vor die Tür zu gehen.«

»Ich nehme wenigstens die Arbeit mit auf die Parkbank«, meinte der Pathologe. Gemächlich stand er auf, roch an Eschenbachs Jackett und kicherte zufrieden. »Blödsinn … Du stinkst noch genauso nach deinen Zigarillos wie früher.«

Gemeinsam gingen sie zum Eingang des Instituts. Salvisberg drückte seine Kippe in den Ascher. Dann fuhren sie mit dem Aufzug in den zweiten Stock. Im Büro des Pathologen angekommen, musste Eschenbach zuerst ganze Aktenberge beiseiteräumen, bevor er auf einem der vier Stühle am Besprechungstisch Platz fand. (Auch der Tisch war mit Papiertürmen belegt.)

»Setz dich«, kam es von Salvisberg, der sich hinter dem Schreibtisch auf einen breiten Sessel gefläzt hatte. »Ich kann dir natürlich den Bericht nicht mitgeben … könnte jetzt aber einen Kaffee trinken gehen.«

»Ich mag's nicht lesen, Kurt. Und für ein solches Theater kennen wir uns schon zu lange. Zudem komme ich mir bei dem ganzen Fachchinesisch immer so dumm vor. Besser, du erzählst es mir.«

Salvisberg grinste. Er sah auf das dünne Mäppchen vor sich auf dem Tisch. »Also gut«, sagte er. »Ich weiß nicht, ob du heute die Nachrichten gesehen hast.«

»Ich habe im Flugzeug gesessen.«

»Im Radio haben sie's auch gebracht.«

»Im Flugzeug, Kurt!«

»Ist schon gut, ich hab's verstanden. Jedenfalls habe ich mir die Akte nochmals angeschaut. Ehrlich gesagt, hätte ich schwören können, dass mich einer von Höslis Leuten deshalb anruft.«

»Hast du den Bericht nicht weitergegeben?«

»Doch, natürlich. An Hösli höchstpersönlich sogar, es konnte ihm nicht schnell genug gehen.«

»Na eben.«

»Aber du weißt, wie das läuft.« Salvisberg kratzte sich am Kinn. »Wenn plötzlich einer auftaucht, so wie dieser Mister Bill, und der legt dann ein Geständnis auf den Tisch ... *post mortem*, *notabene*. In allen Punkten schlüssig – und notariell beglaubigt, versteht sich. Also da hätte ich schon erwartet, dass mich einer anruft und mich nach meiner Meinung fragt.«

»Und die wäre?«

Der Pathologe wendete den Bericht ein paarmal in den Händen, bevor er antwortete.

»Was der in seinem Statement behauptet, hat Hand und Fuß. Ich sehe keinen Grund anzunehmen, dass er die Tat nicht begangen hat.«

Eschenbach schüttelte den Kopf: »Ich hab den gestern getroffen, Kurt. Billadier hatte Parkinson!«

»Das leugnet er ja auch nicht ... weist in seinem Geständnis sogar darauf hin. Aber wenn du ihn gesehen hast ... Eigentlich müsstest du am besten beurteilen können, wie's um ihn steht.«

Eschenbach schwieg.

»Muhammad Ali hat in Salt Lake City das Olympische Feuer angezündet, mit Parkinson. Immerhin. Warum sollte dieser Bill nicht imstande gewesen sein, einem Bankier einen Genickschuss zu verpassen, mit einer leichten Handfeuerwaffe?«

»Bitte etwas ausführlicher, Kurt. Ich kann mir zwar vorstellen was passiert ist, aber trotzdem.«

Der Pathologe fasste kurz die Pressemitteilung zusammen, von der er in der *Tagesschau* gehört hatte. Im Laufe des Nachmittags hatten Hösli und zwei Offiziere der Kriminalpolizei eine Pressekonferenz abgehalten. Gegenstand der Erklärungen war das Geständnis von Billadier gewesen. Das Dokument war nach dem Freitod des Obersten in der Klinik Rosen von zwei renommierten Anwälten der Zürcher Polizeibehörde übergeben worden. Ebenso lag ein ärztliches Attest vor, das sowohl die Zurechnungs- wie auch die Handlungsfähigkeit des Obersten bescheinigte.

»Nur die Tatwaffe fehlt«, sagte Salvisberg. »Das ist der einzige Schönheitsfehler, wenn man so will. Es bräuchte noch eine hübsche, kleine Pistole, auf der die Fingerabdrücke vom Täter sind.«

»Da hast du nicht unrecht, Kurt.«

»Eben.«

»Warum gerade ein Genickschuss?«

»Warum, warum?« Salvisberg lehnte sich zurück und blickte zur Decke. »Die beiden haben sich offenbar gekannt. Und wenn deine Hand zittert ... ein aufgelegter Genickschuss ist dann die sicherste Variante.«

Eschenbach gefiel die Sache nicht. Er konnte aber nicht genau den Finger darauf legen, auf das, was ihn an der Geschichte störte. Vielleicht war er deswegen so misstrauisch, weil ihn Billadier schon einmal hereingelegt hatte. Und wer einmal lügt ... Möglicherweise war es auch nur eine Überreaktion, ein Echo des gerade Erlebten.

Selbst die Börsenpsychologie kannte dieses Phänomen. Der Kommissar hatte darüber gelesen, als er bei Duprey angestellt gewesen war. Man nannte es die *Overreacting Hypothesis.*

Diesen Überlegungen folgend, stand der Kommissar nicht nur der Sache selbst skeptisch gegenüber – auch seinem eigenen Argwohn misstraute er. »Ist es möglich, dass der Schuss erst angebracht wurde, als Banz bereits tot war?«

Der Pathologe grinste. »Siehst du, mein Lieber ...« Salvisberg schlug mit der flachen Hand auf den Bericht. »Diese Frage hat mich auch geplagt, gleich nachdem ich von diesem Geständnis erfahren habe. Wenn jemand so plötzlich den Winkelried spielt ... Darum habe ich die Akte nochmals durchgesehen.«

»Und?«

»Wäre durch den Schuss die Halsarterie verletzt worden, dann könnte ich dir eine klare Antwort geben.«

»Wäre und könnte«, grummelte der Kommissar. »Warum sterben bei dir immer alle im Konjunktiv?«

»Ein lebendes Bankerherz hätte Blut aus der offenen Arterie

gepumpt – das hätte dann eine ziemlich große Sauerei gegeben. Wäre er bereits tot gewesen, dann hätte auch aus einer zerschossenen Arterie kein Blut spritzen können ... weil, ein totes Herz pumpt nicht.«

»Aber die Halsarterie war unversehrt«, folgerte der Kommissar.

»So ist es. Und wo kein Leck ist, kann nichts rausfließen. Deshalb sind beide Möglichkeiten denkbar.«

»Wenn du meinst«, sagte Eschenbach. Er war sich nicht ganz sicher, ob er die Salvisberg'sche Logik verstanden hatte.

»Allerdings«, Salvisberg erhob sich, nahm den Bericht und warf ihn zu zwei Dutzend anderen Dossiers auf einen Stapel. »Ich frage mich, weshalb keiner von deinen Kollegen, die an dem Fall arbeiten, auf solche Ideen kommt.«

Nach dem Besuch beim Pathologen fuhr der Kommissar zu seiner Wohnung. Auf dem Handy entdeckte er die Mitteilung von Claudio: *Es war zu spät. Konnte Billadier nicht mehr aufhalten. Sorry.*

Wer zu spät kommt, den bestraft das Leben, dachte sich Eschenbach. Eine halbe Stunde vor Mitternacht stand er unten vor dem Hauseingang und klingelte bei seiner Nachbarin.

Diesmal hatte er Glück.

»Es tut mir leid, dass ich um diese Zeit noch störe ... aber Sie haben doch einen Schlüssel. Ich hab meinen verloren.«

»Sind Sie es, Herr Eschenbach?«

»Ja, natürlich. Entschuldigung.«

Ein Summton erklang, die Haustür sprang auf.

Eschenbach erklomm die Stufen der alten Holztreppe bis in den dritten Stock. Vor dem Eingang zu seiner Wohnung stand sie: Edith Ballmer, Ende vierzig, geschieden – eine durchaus attraktive Brünette. Das kurze Négligé, das sie trug, machte aus ihrer nahtlosen Bräune nicht das geringste Geheimnis.

»Ich bin die letzten paar Wochen auf Rügen gewesen, bei

Freunden«, erklärte sie dem Kommissar. »Mein Sohn Claude hat bei Ihnen die Blumen gegossen … Ich hoffe, er hat es nicht vergessen.«

Er nahm den Schlüssel und öffnete die Tür. Edith Ballmer folgte ihm in die Wohnung.

Im Halbdunkel der Diele blieb Eschenbach stehen.

»Ich habe gar nicht gewusst, wie wild die Nordsee ist«, sagte sie. »Ehrlich … kein Vergleich zur Adria, wo ich sonst immer hinfahre.«

Eschenbach tastete an der Wand nach dem Lichtschalter, fand ihn aber nicht. »Ist es nicht die Ostsee?«, murmelte er.

»Alles ist wild dort, irgendwie …« Edith Ballmer strich sich flüchtig durchs lose Haar.

Der Kommissar roch ihr Parfüm.

Das Licht fiel durch die halboffene Wohnungstür und überzog Ediths nackte Schultern mit einem goldenen Schimmer.

Eschenbachs innere Stimme meldete sich:

»Mach jetzt bloß keinen Mist, nur weil du ein paar Tage ins Kloster musstest.«

Die Beleuchtung im Hausflur erlosch. Mit einem Schlag wurde es dunkel.

»Ich bin müde, entsetzlich müde sogar …«, hörte Eschenbach sich sagen. Diesmal war es die äußere Stimme. »Ich habe gerade einen Vortrag über offene Halsarterien gehört … Jetzt sehe ich überall Blutfontänen! Vermutlich wird mir gleich schlecht. Dabei müsste jeden Moment meine Frau kommen, mit dem ganzen Gepäck …« Er tastete im Dunkeln die Wand ab. War es denn menschenmöglich, dass er in seiner eigenen Wohnung den Lichtschalter nicht mehr fand?

Mit einem »klack« wurde es hell.

»Hier einfach draufdrücken«, sagte Edith. Sie zeigte mit dem Finger auf die Stelle, schaltete das Licht noch einmal aus und an und ging zum Ausgang. Ohne ihn noch eines weiteren Blickes zu würdigen, zog sie die Tür hinter sich zu.

»Was bist du nur für ein Idiot«, fuhr ihn seine innere Stimme nun an. Sie hatte im Nachhinein ganz plötzlich ihre Meinung geändert.

Am nächsten Morgen gegen neun stand Eschenbach auf. Er ging in die Küche, schaltete die Espressomaschine ein, öffnete die Tür zur Terrasse und trat ins Freie. Der Himmel über Zürich leuchtete in einem hellen Blau, die Luft war klar und frisch. Eschenbach atmete tief durch, streckte die Arme weit nach oben, um gleich darauf wieder in sich zusammenzusacken, wie ein angeschossener Elch.

Es war das nackte Grauen, das sich ihm bot. Sein geliebter Ahornstrauch hatte die Hälfte der Blätter verloren, die kleine Föhre ihre Nadeln ... und der prächtige Oleander, den er einmal an Pfingsten vom Tessin bis nach Zürich gekarrt hatte, sah aus wie eine vergammelte Knecht-Ruprecht-Rute. Alles war verdorrt! – das Beet mit den Erdbeeren und Kräutern: eine zweite Wüste Gobi!

Eschenbach setzte sich auf die alte Teakholzliege, vergrub für eine Weile sein Gesicht in den Händen und dachte an Edith Ballmer. Hatte seine Nachbarin ihm am Vorabend einen Ablasshandel anbieten wollen, weil ihr Sohn (an dessen Namen er sich nicht mehr erinnern konnte) die Sache mit den Blumen verbockt hatte? Mit diesem absurden Gedanken im Kopf ging er wieder hinein und entdeckte die Pistole.

Er zuckte zusammen. Was zum Teufel machte die auf dem Küchentisch? Der Kommissar wollte sie gerade in die Hand nehmen, da bemerkte er, dass es nicht seine eigene war. Genau genommen handelte es sich überhaupt um keine der Waffen, die bei der Polizei im Einsatz waren. Weder um die alte SIG Sauer noch um die neue Heckler & Koch.

Der Kommissar ging zum Telefon. Eine halbe Minute später hatte er Salvisberg in der Leitung.

»Aus welcher Waffe wurde der Schuss abgegeben?«

»Wovon sprichst du überhaupt?«

»Der auf Banz, meine ich. Gestern ... mit den Blutfontänen, die dann doch nicht gespritzt haben.«

»Warum fragst du nicht die Ballistik?«

»Weil du den Bericht kennst, Kurt ... und bitte spiel jetzt nicht den Sturen.«

»Neun Millimeter, kurz.«

»Eine Walther PPK also«, folgerte Eschenbach.

»Könnte hinkommen. Warum ist das denn so wichtig?«

»Weil die jetzt bei mir in der Wohnung liegt.«

»Na dann: Prost Maxe!«

Als Nächstes telefonierte Eschenbach mit der Polizeizentrale, ließ sich von dort mit Walter von Matt, dem stellvertretenden Leiter der Abteilung Kriminaltechnik, verbinden und füllte gleichzeitig den Kolben der Espressomaschine mit Kaffeepulver.

»Itz lueg o da dr Äschebach!«, meldete sich der alte Berner Kämpe in seinem sonoren Dialekt.

Der Kommissar erklärte von Matt, was er gefunden hatte. »Ich glaube nicht, dass man mir die Waffe unterschieben will ... So ist es nicht.«

»Sondern?«

»Es ist Billadiers Spiel«, sagte der Kommissar. »Er gibt mir seinen letzten Trumpf in die Hände, weil er genau weiß, dass ich ihn in seinem Sinn verwenden werde.«

»Und das heißt?«

»Komm vorbei, Walter. Es ist die Waffe, mit der Banz erschossen worden ist. Und ihr werdet darauf die Fingerabdrücke des Obersten finden, das garantier ich dir.«

»Vielleicht bin ich etwas langsam«, sagte von Matt. »Aber warum übergibt Billadier die Pistole nicht seinen Anwälten ... zusammen mit dem Geständnis? Sie ist das wichtigste Beweisstück. Warum geht er das Risiko ein, dass sie vielleicht gar nie den Weg zum Untersuchungsrichter finden würde? Du weißt genauso wie ich, dass sein Geständnis ohne die Tatwaffe nur halb so viel wert ist. Vermutlich hätte es nicht einmal gereicht, Judith Bill definitiv zu entlasten. Es hätte so ausgesehen, als wollte er im Nachhinein geradestehen für etwas, das er überhaupt nicht begangen hat.«

»Das ist das Raffinierte daran«, sagte Eschenbach. »Er überlässt es mir.«

»Spinnst du?«

»Ich bin nicht erst seit heute Teil dieses Spiels, Walter. Mein Weggang bei der Polizei, die Stelle bei Duprey … es ist eine lange Geschichte. Aber jetzt mach dich auf die Socken und hol diese verdammte Knarre. Den Rest erzähl ich dir ein andermal.«

Eine knappe Stunde später läutete es an der Tür.

Eschenbach öffnete. Er hatte inzwischen geduscht, sich ein Paar Jeans und ein dunkles Hemd angezogen.

»Ich habe zwei Kollegen mitgebracht«, sagte von Matt. Der behäbige Berner schnaufte wie ein Nilpferd, als er die letzte Treppenstufe geschafft hatte. »Ich möchte das alles sauber aufnehmen hier … mit allem, was dazugehört. Zu deiner eigenen Entlastung, verstehst du?«

»Klar«, sagte der Kommissar und nickte. »Ich gehe jetzt frühstücken … oben ins Sprüngli.«

»Ich komme später auch noch … wenn wir hier fertig sind.«

»Okay«, sagte Eschenbach und überreichte von Matt den Schlüssel zur Wohnung.

Kapitel 32

So long – Dr. Watson!

Die reichhaltige Auswahl an Tageszeitungen im ersten Stock der Confiserie Sprüngli hielt kein Exemplar bereit, das den Freitod Billadiers und dessen Geständnis im Mordfall Banz nicht zum Thema gemacht hatte. Meist doppelseitig, überladen mit symbolträchtigen Bildern, wurde das Leben und Sterben des Obersten dargestellt und diskutiert. *Aargauer Zeitung*, *Blick*, *Tages Anzeiger*, *NZZ* – Eschenbach ging sämtliche Berichte durch und fand nichts, was ihm unbekannt gewesen wäre. Im Gegenteil: Einiges fehlte. So zum Beispiel war kein einziger Journalist darauf gestoßen, dass die Banque Duprey seit Jahren von einer Beteiligungsgesellschaft des Obersten kontrolliert wurde. Und zwar zu hundert Prozent. Und hinter Billadiers Liaison mit Anne-Christine Banz, geborene Duprey, war auch niemand gekommen. Mit wenigen Ausnahmen hatte man Archivberichte aufgewärmt wie eine alte Suppe. Dazu kamen die üblichen Statements aus Militär, Wirtschaft und Politik, die das Ganze keinesfalls besser machten.

Die politische Rechte hob den Milliardär, Exmilitär und großen Landesverteidiger auf den Sockel eines Freiheitskämpfers, die Linke versenkte ihn ins Grab der ewig Gestrigen. Dazwischen gab es wenig Differenziertes, fand der Kommissar.

Das alte Lied, das alte Leid.

Als endlich von Matt auftauchte, winkte Eschenbach ihn zu sich an den Tisch.

»Lass mich raten, Walter. Jemand ist zu mir in die Wohnung,

hat die Waffe auf den Tisch gelegt und ist wieder gegangen. *End of story.*«

Von Matt, mit einer halben Brioche im Mund, die er sich von Eschenbachs Teller geklaut hatte, nickte. Und als er den Bissen heruntergeschluckt hatte, sagte er: »Und zwar mit einem Schlüssel ... denn wir konnten nirgends auch nur einen Kratzer finden. Das ist alles, was ich jetzt schon mit Sicherheit sagen kann.«

Die nächsten beiden Tage verliefen exakt so, wie Eschenbach es vorausgesehen hatte. Der technische Dienst der Zürcher Polizeibehörde identifizierte die gefundene Pistole als Tatwaffe. Ebenso stimmten die Fingerabdrücke, die man darauf fand, exakt mit jenen von Oberst Billadier überein: Der Dirigent hatte vorzeitig sein Pult verlassen, und das Orchester spielte den letzten Satz artig durch, bis zum Schluss.

Der Umstand, dass die Waffe erst nach Billadiers Tod gefunden wurde, gab der Geschichte den Anstrich sorgfältig durchgeführter Ermittlungen. Alles fügte sich zu einem stimmigen Ganzen zusammen, in dessen vermeintlicher Klarheit sich jeder Zweifel verflüchtigen musste.

Aus einem vorsichtigen »So hätte es gewesen sein können« wurde wie selbstverständlich ein »So muss es gewesen sein«.

Und am Ende war die einhellige Meinung aller involvierten Parteien (die zuständige Untersuchungsrichterin eingeschlossen), dass es so auch gewesen war.

Im Laufe dieser achtundvierzig Stunden, bis zur endgültigen Freilassung Judith Bills, fragte sich der Kommissar nicht nur ein Mal, was wohl passiert wäre, wenn er Billadiers Walther PPK einfach in die Limmat geworfen hätte. Was hatte der Oberst für diesen Fall vorgesehen? Oder gab es tatsächlich, wie er vermutete, keinen Plan B?

Nach dem Gespräch mit von Matt im Sprüngli ging Eschenbach zurück in seine Wohnung. Von dort aus rief er Corina an, konnte sie aber nicht erreichen. Er hinterließ ihr eine Nachricht auf Band, dass er sie am Flughafen abholen würde – »Und bitte gib mir noch das genaue Datum an und die Uhrzeit.« Dass sie ihm fehle, das murmelte der Kommissar ganz zum Schluss auch noch auf die Combox. Danach ging er in den Keller, holte seine Reisetasche und verließ das Haus. Bei der Fraumünsterpost, auf einem Feld für Kurzparkierer, fand er seinen Volvo. Eschenbach hatte ihn am Vorabend dort hingestellt, nun war er froh, dass man den Wagen noch nicht abgeschleppt hatte.

Vierzig Minuten später erreichte der Kommissar das Kloster in Einsiedeln. Der Ort war ihm vertraut geworden. Er begrüßte den Pförtner, trat durch die schwere Holztür ins Innere des Gebäudes und fand ohne Mühe den langen Weg durch die Gänge bis zur Bibliothek. Bruder John konnte er nirgends entdecken. Das Büro war leer. Eschenbach setzte sich an den großen Tisch und schrieb eine Notiz.

Lieber John –

ich danke Ihnen von Herzen für Ihre Gastfreundschaft. Ihnen und Ihren Brüdern! Es waren seltsame Umstände, die mich zu Ihnen gebracht haben. Aber solche Umstände gibt es nun einmal.

In einem unserer Gespräche haben wir uns darüber unterhalten, warum Menschen zu Ihnen ins Kloster kommen. Freiwillig. Was suchen sie – was fehlt ihnen? Es ist ja nicht mehr so wie früher, dass man diese Leute verfolgt und sie deshalb bei Ihnen Schutz suchen.

Heute ist das Gegenteil der Fall, haben Sie gesagt. Die Menschen sind eingespannt und durchorganisiert. Sie rennen von Sitzung zu Sitzung, am Ende auch noch zum Zug. Und plötzlich sind sie erschöpft – ausgebrannt. Aber nicht, weil sie zu viel Arbeit haben – denn das hat Bruder Pius, Ihr Gärtner, auch –, sondern weil sie merken, dass sie die Freiheit verloren haben. Es wird ihnen bewusst, dass sie sich in einem fremden System drehen. Und dann klinken sie sich aus.

Ich werde mich nun ebenfalls ausklinken.

Apropos Judith: Sie dürfte in spätestens zwei Tagen aus der Haft entlassen werden. Das wird Sie bestimmt freuen. Sie haben ja immer an ihre Unschuld geglaubt.

Weitere Untersuchungen wird es nicht geben.

So long – Dr. Watson!

Herzlich
Sherlock Holmes

Nachdem er die Notiz verfasst und sie einmal kritisch durchgelesen hatte, ging er in sein Zimmer. Der Raum war leer. Auf dem frischgemachten Bett lagen zusammengefaltet seine Kleider. Eschenbach packte sie in die Reisetasche. Er ging zum Tisch vorne beim Fenster und musste grinsen.

Sein Wohnungsschlüssel lag dort, ein frischgewaschenes Stofftaschentuch und eine Schachtel Brissagos. Daneben fand er einen Zettel:

Mein lieber Bruder!

Nachdem ich von Ernests Tod erfahren habe, oblag mir die Pflicht, noch einiges regeln zu müssen. Ich bin für eine Woche weggefahren.

Vorher habe ich Ihre Kleider aus der Reinigung geholt. Offenbar befanden sich darin einige Ihrer Privatsachen (Schlüssel etc.). Ich habe Ihnen alles hingelegt.

Judith wird vermutlich in zwei Tagen entlassen. Das hat mir Ihr Kollege Jagmetti gesagt.

Es ist unser großer Wunsch (auch von Ernest), dass Sie bei der Urnenbestattung dabei sind. Ich werde mich diesbezüglich noch bei Ihnen melden.

Möge Gott Sie beschützen,
Vale
John

In den folgenden Tagen versuchte Eschenbach in sein altes Leben zurückzufinden. Er sprach kurz mit Hösli, der ihm der Form halber seinen alten Job, die Leitung der Kripo, anbot. Und er erreichte Corina, endlich:

»Warum hast du mir nicht gesagt, dass du einen Unfall hattest ... Warum muss ich das immer von anderen erfahren?«

»Wer hat es dir denn erzählt?«

»Geht es dir wieder gut?«

»War es Rosa?«

»Hast du noch Schmerzen?«

»Claudio?«

»Nein.«

»Aber es war ein Mann, oder?«

»Viel wichtiger ist doch, dass es dir wieder bessergeht ... Und es tut mir leid, wenn ich etwas unwirsch gewesen bin. Ich konnte ja nicht wissen, dass du ...«

»Und der hieß nicht zufälligerweise John?«

»Ich sage gar nichts mehr.«

»Aha!«

Es musste John gewesen sein – natürlich! Denn was Corinas Nummer betraf, so hatte der Bruder sie bestimmt auf seinem, Eschenbachs, Handy gefunden. Corina hörte sich plötzlich ganz anders an. Vermutlich hatte der Bruder bemerkt, dass sie sich gestritten hatten, und um etwas Verständnis für ihn geworben.

»Wann kommt ihr zurück?«

»Kathrin hat heute ihren letzten Schultag. Morgen ist Abschlussfest. Ich habe für nächste Woche einen Flug gebucht. Donnerstag.«

»Ich freue mich.«

»Ehrlich?«

Und so weiter ...

Eschenbach füllte bei sich zu Hause den Kühlschrank und fuhr zur Gärtnerei Bacher nach Langnau am Albis. Er fand eine neue

Föhre und einen hübschen, kleinen Oleander. Dem Ahorn wollte er noch eine Chance geben.

Als er die neuen Pflanzen bei sich auf der Terrasse eingetopft hatte und alles wieder einigermaßen anständig hergerichtet war, lud er Gregor und Christian zu einem Grillabend ein. Christian entschuldigte sich mindestens drei Mal, dass er Eschenbach zum Job bei Duprey geraten hatte. Mit seiner Einschätzung habe er ja gründlich danebengelegen. Eschenbach winkte ab. Weil es äußerst selten war, dass sich der Anwalt überhaupt für etwas entschuldigte, ließ er die privaten Details aus Christians Dusche unerwähnt. Christian war Junggeselle, sollte er doch tun, wozu er Lust hatte.

Den Tag darauf verbrachte er mit Lenz und Rosa in der Mühle.

»Ist es wahr, dass Sie zur Kripo zurückgehen?«, fragte Rosa.

»Wir werden sehen«, sagte Eschenbach. Er sah seine Sekretärin fragend an. »Sie kämen doch auch mit, oder?«

Rosa nickte sofort, und auch Lenz neben ihr, nach einem kurzen Seufzer, nickte.

Eschenbach wurde das Gefühl nicht los, dass sich hinter seinem Rücken alle miteinander austauschten.

Am nächsten Morgen schlief der Kommissar bis halb zehn. Und weil um diese Zeit bereits die ersten Sonnenstrahlen auf seine Terrasse fielen, frühstückte er im Freien. Danach machte er sich auf den Weg ins Präsidium.

»Du kommst also doch zurück!« Jagmetti sprang von seinem Bürostuhl auf, als er Eschenbach kommen sah.

»Entsetzlich, nicht wahr?«

»Nein, überhaupt nicht ...« Der Bündner, der zuvor in einen Bericht vertieft gewesen war, schien freudig und etwas verwirrt zugleich. Er setzte sich wieder hin, um gleich darauf erneut hochzuschnellen. »Brauchst du einen Stuhl?«

»Die komplette Akte Judith Bill«, sagte der Kommissar. »Die Fotos vom Tatort ... alles, was die Spurensicherung zusammengestellt hat. Und was ganz wichtig ist: sämtliche Gesprächsprotokolle.«

Jagmetti zuckte mit den Schultern. »Bis wann brauchst du's?«

»Jetzt«, sagte Eschenbach.

Es vergingen gut zwanzig Minuten, bis der Bündner alles zusammengetragen hatte.

Einen ruhigen Ort, um das alles zu lesen, fand Eschenbach in den neuen Büros im Werdgebäude allerdings nicht.

»Ist ja alles nur provisorisch«, bemerkte Jagmetti. »Weil wir zurück ins alte Kapo-Haus ziehen. Wenn's fertigrenoviert ist.«

Der Kommissar war bereits am Ausgang. »Schon gut«, sagte er. »Ich bring's gegen Abend wieder zurück.« Unten an der Pforte ließ er sich ein Taxi bestellen und fuhr zum Museum Rietberg. Ausgestattet mit einem Picknickkorb, den er sich im Café bereitstellen ließ, setzte er sich an ein schattiges Plätzchen im Park, las, aß und telefonierte.

Als er die Akten gegen halb sechs Uhr nachdenklich wieder zurück ins Büro brachte, war Jagmetti bereits weg. Ein Zettel lag auf seinem Tisch, mit dem Hinweis, wo Eschenbach die Papierberge verstauen sollte. Einen Schlüssel zum Aktenschrank hatte der Bündner ebenfalls deponiert.

Bei sich zu Hause am Briefkasten fand er eine zweite Notiz. *Achtung: Wichtige Mitteilung!*

In einem Kuvert steckte die Einladung zu Ernests Urnenbestattung. Jemand musste sie vorbeigebracht haben, denn das Kuvert war unfrankiert.

Wir treffen uns morgen – Mittwoch, 12. September, um 14.45 Uhr beim Schiffssteg Luzern.

Es war der Tag vor Corinas und Kathrins Rückkehr.

Kapitel 33

Fahrt aufs Rütli

Es war ein kurzer Weg vom Bahnhof in Luzern zum Schiffssteg.

Eschenbach schlug den Kragen seines Vestons hoch, sein Haar war vom Wind zerzaust. »Kein schönes Wetter für eine Bootsfahrt«, sagte er mit einem Blick zu John.

Der Bruder sah kurz zum Himmel. Eine Schar dichter Wolken hing wie ein dunkler Baldachin über dem Vierwaldstätter See. John biss sich auf die Unterlippe. Für einen Schritt des Kommissars brauchten seine kurzen Beine zwei. Jetzt war er aus dem Tritt gefallen. »Es ist ein großes Schiff«, meinte er. »Wir werden schon nicht untergehen.«

Die *Schiller* war ein prächtiger Schaufelraddampfer aus dem Jahr 1906. »Sonderfahrt« stand auf dem weißen Emailleschild beim Einstieg. Eschenbach und Bruder John betrachteten es kurz, bevor sie über den Brückensteg in den bauchigen Rumpf eintraten.

Ein junger Mann mit einer Matrosenuniform kam auf sie zu und sagte mit kernigem Innerschweizer Dialekt: »Ich bring Sie in den Jugendstilsalon. Frau Bill erwartet Sie bereits.«

Die beiden Männer folgten dem Steward. Während sie über das großzügige Mitteldeck gingen, warf Eschenbach einen Blick in den offenen Maschinenraum hinunter. Wie riesige Stelzen setzten sich die Stahlpleuel langsam in Bewegung. Der Geruch von Schweröl lag in der Luft. Er erinnerte Eschenbach an den dunklen Heizungsraum im Keller seines Elternhauses. Als Junge hatte er sich dorthin zurückgezogen, wenn er mit der Welt der Erwachsenen nicht einverstanden gewesen war.

Über eine Treppe gelangten sie auf das oberste Passagierdeck, in den Bereich der ersten Klasse, und betraten kurz darauf den besagten Salon. Ein langer grüner Teppich durchlief den lichtdurchfluteten Raum. Links und rechts an den Fensterfronten standen Tische, weiß aufgedeckt, so als erwarte man hohen Staatsbesuch oder wenigstens die Gesellschaft für eine goldene Hochzeit. Der moosfarbene Plüsch, mit dem die Sitzflächen der Stühle und Hocker überzogen waren, das helle Zitronenholz der filigranen Deckenbalken und des Bodens, die Intarsien aus Ebenholz und Perlmutt – für einen Moment fühlte sich der Kommissar zurückversetzt in die Anfangszeit des vorletzten Jahrhunderts. Einer Zeit also, in der man selbst auf Dampfschiffen nur die edelsten Materialien verwendet hatte.

In einem kleinen Erker am entfernten Ende des Raums stand die bleiche Büste Friedrich Schillers. Der Dichter schien zu lächeln, als Eschenbach und John sich dem Tisch näherten, an dem Judith auf sie wartete.

»Es ist schön, dass ihr gekommen seid«, rief sie, stand auf und begrüßte beide mit einem Kuss auf die Wange.

Nachdem sie sich gesetzt hatten, brachte ein weiß livrierter älterer Mann drei Kristallgläser und eine Flasche Château Margaux. Judith probierte den Wein und nickte. Wortlos schenkte der Kellner ein und entfernte sich wieder.

Eschenbach hatte einen Blick auf das Etikett geworfen. Diesmal war es kein 81er, sondern ein 85er. Umso besser, dachte der Kommissar. Denn 1985 war im Bordeaux ein Jahrhundertwein in die Fässer eingegangen.

Sie prosteten sich zu.

»Im Vergleich zu den anderen Vierwaldstätter-See-Dampfschiffen aus der Zeit des Fin de Siècle wurde die *Schiller* über die Zeit nur wenig verändert«, erklärte Judith. »Ernest hat mir das immer wieder erzählt. Mit seinen Freunden vom Verein der

Dampferfreunde hatte er dieses Schiff Ende der neunziger Jahre renovieren lassen. Dabei war ihm wichtig, dass die alten Dinge so belassen wurden, wie sie sind.«

»Deshalb also diese Sonderfahrt«, sagte John.

Judith nickte und warf einen Blick auf die Urne, die neben ihr auf dem Boden stand. »Er hat sich gewünscht, dass wir ihn zusammen auf seiner letzten Reise begleiten.«

»Aufs Rütli, nehme ich an«, folgerte Eschenbach.

»Ja, auf seine Wiese.« Und mit einem Lächeln fügte sie hinzu: »Keine Angst, Herr Kommissar, wir werden dort nichts anrühren. Nicht einen Spatenstich werden wir tun. Der Wind wird seine Asche davontragen ... Und wenn der nächste Regen kommt, wird nichts mehr davon übrig sein.«

»Außer vielleicht ein paar Krokusse mehr im nächsten Frühling«, bemerkte John. Es war dem Bruder anzusehen, dass er am geplanten Vorhaben Gefallen fand.

Nachdem Judith ihr Glas leer getrunken hatte, zog sie einen Briefumschlag aus ihrer Handtasche und sagte zu John: »Wenn du mich und den Kommissar einen Moment entschuldigen würdest ...«

»Aber sicher doch.« John warf einen Blick zur Weinflasche.

Seite an Seite gingen Eschenbach und Judith durch den Salon zum Ausgang. Er musterte sie von der Seite und versuchte Anne-Christine in ihrem Gesicht zu entdecken. Was Anne-Christine wohl in Billadier gesehen hatte? Sie folgten der Treppe hinunter aufs Vorderdeck und traten ins Freie.

Ein heftiger Wind heulte ihnen entgegen. Einen Moment schien es, als verlöre Judith das Gleichgewicht.

Der Kommissar fasste sie an der Schulter.

»Ich mag dieses Wetter. Es erinnert mich an meine Jugend in Irland.« Judith stemmte sich gegen die Böen. »Gegenwind macht einen aufrechten Gang. Das hat Ernest immer gesagt, wenn's mal ein bisschen schwieriger wurde.«

Auf halbem Weg zur Bugspitze blieben sie stehen. Eschenbachs Blick schweifte über die Reling. An den Ufern, in den Häfen von Beckenried, Gersau und Brunnen, blinkten die Sturmwarnlichter. Der See war dunkel geworden, beinahe schwarz, und die sich überschlagenden Wellen trugen helle Schaumkronen auf ihren Häuptern. In einiger Entfernung machte der Kommissar ein paar verwegene Segler aus, die mit ihren Booten über die Wellen flogen.

Judith sah auf die Uhr. »Noch eine halbe Stunde, dann sind wir dort.« Sie erhob ihre Stimme, um gegen den Lärm des Windes und der schlagenden Wellen anzukommen. »Ich wollte die Zeit nutzen, um Schulden zu begleichen ...« Sie überreichte Eschenbach das kleine Kuvert.

»Sie schulden mir gar nichts.«

»Ich spreche von der Banque Duprey«, sagte sie und hielt sich an ihm fest. »Sie haben einen Vertrag mit der Bank. Ich hoffe, Sie erinnern sich.«

»Ja, schon.« Der Kommissar drehte den Umschlag und betrachtete ihn.

»Wollen Sie ihn nicht öffnen?«

»Nicht hier draußen«, sagte er. »Zudem habe ich meine Brille nicht dabei ... sagen Sie mir, was drinsteht.«

»Ihr Honorar, Eschenbach. Ein Scheck über eine Million Schweizer Franken.«

Der Kommissar zögerte.

»Tun Sie nicht so, als könnten Sie's nicht brauchen. Und lügen Sie mich nicht an ... Sie besitzen überhaupt keine Brille.«

Was gab es da zu sagen? Eschenbach steckte das Kuvert in seine Jackentasche. Schwankend überquerten sie das Deck, zwischen den roten Sitzbänken hindurch bis ganz nach vorne. »Die Bank gehört jetzt Ihnen, nicht wahr?«

»Ich hab das nicht gewusst, ehrlich.« Judith verzog den Mund. »Ernests Anwälte haben's mir gesagt, gestern.«

Eschenbach sah Judith an. Ihre pechschwarzen Haare waren zerzaust, ihr Blick hielt dem seinen stand. Der Kommissar erinnerte sich an ihre erste, flüchtige Begegnung bei Duprey und an den Moment im Kloster, als sie sich über ihn gebeugt und er das schimmernde Grün ihrer Augen bemerkt hatte.

»Ich habe die Augen meiner Mutter«, sagte sie. »Man sieht es deutlich auf alten Fotos. Ende der siebziger Jahre, als die Bilder farbig wurden.«

»Ich habe Anne-Christine gekannt«, bemerkte Eschenbach, »vor über dreißig Jahren. Das ist lange her. Ich wundere mich, warum es mir nicht gleich aufgefallen ist.«

»Sie wissen es also.«

»Ja, und Sie anscheinend auch.«

Judith nickte.

Schweigend sahen sie zu, wie die mächtige Bugspitze durch die Wellen pflügte. Einmal hob sich die Gischt in einer Fontäne bis zu ihnen hoch. Judith streckte ihre Hände aus. Als das Wasser sie im Gesicht traf, lachte sie.

Nach der Seebiegung bei Brunnen riss ein Stück Wolkendecke auf, und wie ein zu spät gekommener Gast, der ein Geschenk brachte, schien plötzlich die Sonne.

Eschenbach blinzelte. Er spürte Judiths Körper an seiner Seite und wie sie ihren Arm um seine Taille legte.

»Haben Sie so etwas Schönes schon einmal gesehen?«

In der Ferne konnte Eschenbach den Schiffssteg ausmachen. Und oben am Hang, als hätte man eine kleine Lichtung in den finstern Wald gehauen, schimmerte im einfallenden Licht jadegrün die Rütliwiese.

Eine Weile sagte keiner der beiden ein Wort. Erst als Judith von seiner Seite wich, räusperte sich der Kommissar und knüpfte an ihr Gespräch an.

»Werden Sie die Pläne von Ernest weiterverfolgen?« Er sah etwas besorgt zu, wie Judith sich auf die Reling stemmte und dort Platz nahm. »In der Form eines Hawala-Systems, meine ich?«

Sie zuckte mit den Schultern. »Hawala ist nur ein Zahlungssystem. Damit daraus ein Bankensystem wird, braucht es mehr. Die Leute wollen ihr Geld in einem sicheren Hafen wissen. Das waren früher einmal der Dollar, der Euro … Aber die Welt hat sich verändert. Die Staaten gehen pleite.«

»Gold vielleicht?« Eschenbach hob die Augenbrauen. »Ich habe einmal gelesen, dass sämtliche Goldvorräte auf der Welt unter dem Arc de Triomphe Platz hätten.«

»Arc de Triomphe würde Ernest passen«, Judith lachte. »Er hat einige der alten Militärfestungen in den Alpen aufgekauft. Das hat er mir einmal erzählt. Auch so eine Idee von ihm. Aber wenn ich mir das jetzt überlege, zusammen mit dem Gold … Warum nicht? Mir gefällt der Gedanke, dass eine globale Bank einzig und allein auf Vertrauen basiert. Nur das Wort der Teilhaber zählt.«

»Wie der Rütlischwur.«

»Genau.« Judith streckte beide Hände in die Luft: »Ich schwöre.«

Als Eschenbach sah, wie Judith auf dem Geländer saß und, ohne sich festzuhalten, hin und her wippte, machte er einen Satz nach vorn.

»Halt mich fest!«, rief sie.

Der Kommissar legte beide Hände um ihre Taille. »Hör auf damit, bitte!«

Judith beugte sich vor und schlang ihre Arme um seinen Nacken. Ihr großes Medaillon, das sie an einem schwarzen Gummiband um den Hals trug, baumelte in der Luft, direkt vor Eschenbachs Gesicht.

»Was ist das eigentlich«, fragte er. »Es ist mir schon ein paarmal aufgefallen.«

»Ein Keltenkreuz … Es bringt mir Glück.«

»Ziemlich groß für einen Glücksbringer, finde ich.«

»Hmm.«

Der Kommissar spürte Judiths Mund auf seiner Stirn, und er

nahm wahr, wie ihre weichen Lippen langsam über seinen Nasenrücken nach unten glitten. Mit einer sanften Bewegung löste er sich aus ihrer Umarmung. Gerade so weit, dass er ihr in die Augen blicken konnte.

»Was ist damals passiert, in der Nacht, bevor ich den Unfall hatte?«

»Hab ich dir eigentlich einmal erzählt, dass ich Poker spiele?« Sie zog ein 52er Kartenset aus ihrer Hosentasche. »Ich war sogar einmal recht gut ... Hab eine Menge Geld damit verdient.«

»Um das geht es doch jetzt nicht.«

»Doch! Es geht immer um Karten. Sie werden gemischt – jeder bekommt seine Hand. Und damit muss er leben. Machen wir ein kleines Spiel!«

»Nein.«

»Wie viel Farben gibt es?«

»Vier«, sagte Eschenbach etwas mürrisch.

»Richtig. Pik, Kreuz, Herz und Karo. Es sind die vier Jahreszeiten. Jede dauert dreizehn Wochen. Das entspricht genau der Anzahl Karten einer Farbe. Und jetzt frage ich dich, wie viel Karten mit Bildern gibt es?«

Eschenbach zuckte die Schultern. »Bube, Dame, König – das alles mal vier macht zwölf.«

Judith lachte. »Siehst du? Zwölf Monate hat das Jahr. Und wie viele Karten machen ein Spiel?«

»Zweiundfünfzig.«

»Das sind die Wochen!« Judith begann eine Karte nach der andern in den Wind zu werfen. »Und wenn man den Wert aller Karten zusammenzählt, dann kommt man auf 364. Abgesehen von einer kleinen Rundungsdifferenz, sind es die Tage eines Jahres.«

»Bei mir gibt's auch eine Rundungsdifferenz«, sagte Eschenbach. »Ich habe gestern die Protokolle gelesen, die Antworten, die du bei den Vernehmungen gegeben hast ... Da ist mir plötzlich ein Licht aufgegangen. John hat recht gehabt: Du kannst nicht lügen.«

»Ach, wirklich?«

»Soll ich die Sätze wiederholen? Sätze wie: Ich kann dazu nichts sagen. Oder: Es wird sich alles aufklären.«

»Na klar, das habe ich alles gesagt.«

»Du hast nie behauptet, dass du Jakob nicht getötet hast.«

»Das will überhaupt nichts heißen.«

»Nun frage ich dich aber: Hast du ihn getötet?«

Judith schwieg.

»Hast du dich deshalb so lange geweigert, bei Duprey einzusteigen, weil du gedacht hast, dass Banz dein Vater ist?«

»Falsch!« Judith nahm ihre Hände von Eschenbachs Schultern und ergriff mit der Rechten ihr Medaillon. »Ich habe mich ihm nicht entzogen, es ist umgekehrt ... Jakob hat sich geweigert, mein Vater zu sein. So ist es gewesen.«

Eschenbach zögerte. »Aber das stimmt nicht«, sagte er. Und zum ersten Mal entdeckte er ein nervöses Flackern in ihren Augen. »Steig bitte von diesem Geländer.«

»Du bist ja nicht dabei gewesen, als er über mich gelacht hat. Ein Hurenkind sei ich, hat er gesagt. Das Produkt zweier Alkoholiker ... Kranke, die in einer Klinik versucht hätten, ihr Elend aus der Welt zu vögeln.«

»Komm da runter«, rief Eschenbach energisch. Er dachte daran, was ihm Chester erzählt hatte. Wie sich Ernest und Anne-Christine damals in einer Klink kennengelernt hatten. Wie der Zufall (oder war es doch die Liebe?) zwei Menschen auf ihren Weg zurückgebracht hatte. Judith war ein Teil dieses Weges gewesen.

»Dein Vater war ein wunderbarer Mensch, glaub mir.« Weil er befürchtete, sie könnte die Kontrolle verlieren, versuchte er Judith von der Reling zurück auf das Deck zu ziehen.

Sie stieß ihn zurück.

»Jakob war ein Schwein. Das weißt du genauso gut wie ich.

Er hat Waffen an Kinder verkauft ... Aber sogar das hätte ich ihm verziehen. Wenn er mich wenigstens nicht verleugnet hätte.«

»Jakob war nicht dein Vater!« Der Satz war ihm herausgerutscht. Eschenbach merkte es, als es schon zu spät war. Er biss sich kurz auf die Lippen. Aber weshalb sollte er es ihr verheimlichen? Es war höchste Zeit, Judith endlich reinen Wein einzuschenken. Was zum Teufel hatte man damit bezweckt? »Du bist die Tochter von Ernest«, sagte der Kommissar bestimmt. »Ich kann dir das alles erklären.«

Judith sah ihn ungläubig an. »Ist das wahr?«

Eschenbach nickte.

Judith schien zu überlegen. »Wenn es so ist, warum hat mir Ernest nichts gesagt?«

»Es ist aber so.«

»Dann schwör es!«, sagte Judith. »Schwör mir, dass du die Wahrheit sagst.«

Eschenbach hob die Hand.

»Also gut«, murmelte sie. Abermals schien sie nachzudenken. »Ich will dir glauben ... aber nur, wenn du mir auch glaubst.«

»Was soll ich dir glauben?«

Judiths Augen starrten den Kommissar an. »Ich wollte Banz nicht umbringen.« Sie schluckte. »Es war Notwehr ... Er hat sich auf mich gestürzt. Dann ist es einfach passiert. Ich habe mich gewehrt, mit dem hier ...« Sie umfasste ihr Amulett. »Und dann war er plötzlich tot.«

Herrgott, Judith: Es war ein Genickschuss – dachte Eschenbach.

Schweigend sahen sie sich an.

»Komm von dieser Reling runter«, sagte der Kommissar. Er streckte die Arme aus.

»Fass mich nicht an«, zischte sie. »Ich kann dir nicht trauen, wenn du mir nicht glaubst. Du glaubst mir doch, oder?«

»Ich versuche es.«

»Schwör's!«

Eschenbach zögerte.

»Ich will nicht ins Gefängnis«, murmelte sie. »Ich will dort nicht mehr hin, verstehst du?« Judith hielt einen Moment inne, bevor sie weitersprach. »Ich habe immer gedacht, es ist nicht so schlimm ... Man hat ein Zimmer, zu essen und zu trinken. Das Wichtigste wird einem gegeben – die Aufseher sind sogar freundlich, wenn man sich an die Regeln hält. Aber so ist es nicht. Das Wichtigste wird einem genommen: die Freiheit! Nur ein Wort für den, der sie hat. Wenn sie einem weggenommen wird, ist es die Hölle. Ich kann das nicht. Ich will frei sein ... frei, wie die Väter waren, und eher den Tod als in der Knechtschaft leben.«

Die letzten Worte waren aus Friedrich Schillers *Wilhelm Tell*: der Rütlischwur.

»Okay«, sagte Eschenbach ruhig. Er hatte die Veränderung in Judiths Gesichtsausdruck bemerkt und wusste um den Ernst der Lage. Aber wie konnte er ihr glauben?

Von den vielen Verhören, die der Kommissar in seiner Laufbahn geführt hatte, wusste er, dass die Wahrheit oft bis zum Schluss verborgen blieb und erst herausbrach, wenn die Person, die er befragte, eingekesselt war, in einer Ecke, aus der keine Lüge mehr herausführte. Wenn er Judith ihre Geschichte nun abkaufte, würde er den Druck aufheben. Dann gäbe es wieder Fluchtwege, und er würde die Wahrheit vielleicht nie erfahren.

»Du glaubst mir nicht.« Judith sah ihn enttäuscht an.

Eschenbach hob die Schultern. »Jakob Banz wurde erschossen, Judith. Von hinten, ein präziser Schuss ins Genick. Wie sollte ein zittriger alter Mann diese Tat durchführen? Und wie solltest du es, wie du sagst, aus Notwehr getan haben, mit einem Amulett? Eine zierliche kleine Frau gegen einen Goliath wie Banz?«

Judith senkte ihren Blick. »Ich sehe dein Problem«, murmelte sie. »Du bist wenigstens ehrlich.«

Einen Moment sagte keiner der beiden etwas. Dann glitt Judith von der Reling hinunter und kam auf Eschenbach zu. Sie umarmte ihn – und dann, unvermittelt, kurz und heftig, küsste sie den Kommissar auf den Mund.

»Ich hab dir erzählt, wie's wirklich war«, murmelte sie. »Weil du's wissen wolltest. Du hast mich danach gefragt. Ich hätte auch schweigen können.« Sie löste sich von ihm. »Ernest hat mich ja entlastet … glaubhaft entlastet. Kein Hahn kräht mehr danach.« Judith strich ihr feuchtes Haar aus der Stirn. »Aber weil du mir das mit Ernest erzählt hast, dass er mein Vater ist … Ich wollte, dass auch du die Wahrheit kennst.«

Noch immer etwas benommen von Judiths Kuss, stand Eschenbach da und nickte. Der Dampfer hatte sich der Anlegestelle auf ein paar hundert Meter genähert. In Kürze würden sie anlegen.

»Gehen wir zurück«, sagte er.

Sie hatten das Deck in Richtung Mittelschiff beinahe überquert, als Judith noch einmal stehen blieb. »Wenn ich einen Menschen sehe, dann schlägt sich seine Aura in einer Karte nieder … Keine Ahnung, warum das so ist.«

Etwas verwundert hob Eschenbach das Kinn.

»Ich seh's einfach.«

»Bei mir auch?«

Judith nickte. »Rate mal.«

Eschenbach dachte über diese seltsame Sache nach. Dabei realisierte er viel zu spät, was passiert war. Judith hatte ihm einen Schubs gegeben, und jetzt, nachdem er sein Gleichgewicht wiedergefunden hatte, war sie bereits zu weit entfernt. Sekunden später, auf der Reling stehend, blickte Judith zurück. Sah ihn noch einmal an: Dann sprang sie.

Kapitel 34

Weil er eine Memme ist

Kein Schrei war zu hören.

Als Judiths gestreckter Körper drei Meter weiter unten kopfüber in die Wellen eintauchte, erklang kaum ein Geräusch. Der Kommissar war zur Reling gerannt und blickte angestrengt aufs Wasser. Judiths Kopf kam wieder zum Vorschein. Sie sah zu ihm hoch. Die schwarzen Haarsträhnen klebten auf ihrem Gesicht.

Das Schiff hatte etwas an Fahrt verloren, lag nun etwa zweihundert Meter vom Steg entfernt.

»Mach keinen Unsinn«, schrie er.

Einen Moment sah es so aus, als winke sie ihm, bevor sie mit kräftigen Zügen direkt auf das Schaufelrad des Dampfers zuschwamm.

Eschenbach schrie wieder und wieder in Richtung des schwimmenden Körpers.

Aber Judith beachtete ihn nicht.

Angestrengt und entsetzt von der Vorstellung, wie die mächtigen Stahlpranken Judith erfassen und in die schäumende Gischt drücken würden, stand Eschenbach an der Reling. Gebannt starrte er auf die Stelle, wo das schwere Metall durchs Wasser pflügte und die Wellen mit Getöse auseinanderriss. Warum tat Judith das?

Eschenbach verlor den schwimmenden Körper aus den Augen. Er begann sich auf das zu konzentrieren, was er hörte. Rauschen! Die Gischt und der Wind. Oder war es doch ein Schrei gewesen, der im Getöse des aufgewühlten Wassers untergegangen war?

Der Kommissar rief um Hilfe.

Wie es schien, hatte nun auch der Kapitän den Vorfall bemerkt. Ein dröhnendes Hornsignal ließ Eschenbach zusammenfahren.

Weil das Schiff noch immer in Fahrt war, entfernte sich die Stelle, die Eschenbach mit den Augen fixiert hatte. Der Kommissar rannte aufs Hinterdeck. Doch auch im bewegten Kielwasser kam Judiths zierlicher Körper nicht mehr zum Vorschein.

John kam herbeigerannt und rief: »Was um Himmels willen ist passiert?«

In kurzen Sätzen schilderte Eschenbach den Vorfall. Er blickte dabei immer wieder auf den See, in der Hoffnung, er könne Judith doch noch entdecken. Aber alles bewegte sich: die *Schiller* und der See. Wie in einem Kaleidoskop änderten sich die Bilder auf dem Wasser. Wellen überschlugen sich, verschwanden, tauchten wieder auf, sammelten sich zu neuen Formationen, um abermals zu brechen.

»Wir müssen sie finden!« John begann am ganzen Leib zu zittern, rannte von der Steuer- zur Backbordseite und brach schließlich zusammen, nachdem er das Heck erreicht und mindestens ein Dutzend Mal »Judith« gerufen hatte.

Die Schaufelräder drehten sich nicht mehr.

Vielleicht hätte man bei ruhigem Wetter, wenn der Wasserspiegel glatt war, etwas erkennen können, dachte der Kommissar. Aber so war es unmöglich. Zusammen mit dem Matrosen brachte Eschenbach den Mönch zu einer der roten Bänke. Da hockte John nun, atmete schwer und vergrub sein Gesicht in den Händen.

»Aber es muss doch einen Grund geben«, flüsterte der Mönch nach einer Weile. »Sie müsste doch erleichtert gewesen sein, nachdem Sie das mit Banz erzählt haben ... und dass der Ernest ihr Vater war. Es ist doch alles viel besser so. Warum hat sie das getan?«

»Wir waren schon auf dem Rückweg ins Schiff«, sagte Eschenbach. »Sie hat mich abgelenkt ... ist einfach losgerannt. Ich konnte sie nicht mehr aufhalten.«

John schüttelte den Kopf. »Aber warum?«

Der Kommissar schwieg einen Moment. Er wollte John nicht sagen, was Judith ihm anvertraut hatte. Dass sie vorgab, Banz getötet zu haben ... in Notwehr, wie auch immer. Er wollte zuwarten. Johns Verfassung schien alles andere als stabil.

Das Polizeischiff kam, mit vier Mann Besatzung.

Eschenbach schilderte den Vorfall noch einmal. In der Version, die er auch John erzählt hatte. Ein Protokoll wurde gemacht und weitere Hilfe angefordert.

John bat Eschenbach, den Kapitän zu fragen, ob man denn überhaupt etwas bemerke, wenn ein menschlicher Körper in die Schaufelräder käme. »Einen Ruck ... oder Getriebeschaden.«

Der Kapitän wusste es nicht. In den zwanzig Jahren, in denen er in der Dampfschifffahrt tätig war, zwölf davon als Kapitän der *Schiller*, wäre so etwas noch nie vorgekommen. Einmal, vermutlich durch einen Baumstamm, sei ein Schaden am Radkasten entstanden. Aber gehört habe man nichts. Auch einen Ruck oder so habe es nicht gegeben.

Zwei Stunden später kam der Suchtrupp. Acht Taucher, verteilt auf zwei Schiffen. Man hatte die Männer aus den Polizeicorps der Kantone Uri, Schwyz und Unterwalden zusammengestellt. Sie hatten die Suche kaum aufgenommen, als sie ihren Auftrag wieder abbrechen mussten. Das Gewitter, das sich die ganze Zeit über angekündigt hatte, war nun gekommen. Wasserfluten strömten aus der Düsternis eines rabenschwarzen Firmaments. Als der erste Blitz zuckte, wurde es für den Bruchteil einer Sekunde taghell, und die aufgedunsenen Wolken erschienen Eschenbach wie ein böses Himmelsgeschwür.

»Wir müssen abwarten«, meinte der Kommandant. »Hier oben auf dem Urner See ist es einfach zu gefährlich.«

Eschenbach merkte erst nach einer Weile, dass John neben ihm weinte. Der Kommissar legte seinen Arm auf die Schulter des Bruders. »Kopf hoch«, sagte er. »Die Suche wird aufgenommen, sobald das Wetter besser ist.«

Aber John ließ sich nicht trösten.

»Das bringt doch nichts«, sagte er leise. »Jetzt ist alles umsonst gewesen.«

Das Gewitter war nach einer Stunde wieder vorbei. Zum Glück. Denn Eschenbach war kurz davor gewesen, sich übergeben zu müssen. Der Kommissar konnte sich nicht erinnern, den Naturgewalten je einmal so in die Quere gekommen zu sein.

Zusammen mit dem Matrosen, dem Kellner und John hatte er im Innern des Dampfers gewartet. Anfangs hatte er noch versucht, John zu trösten, ihm Hoffnung zu machen. Aber schon nach kurzer Zeit war auch er, Eschenbach, immer wortkarger geworden.

Nachdem das Schlimmste vorbei war, nahmen die Tauchtrupps ihre Suche wieder auf. Die Polizeischiffe fuhren entlang der Route, die die *Schiller* zuletzt gefahren war, hin und her. Man sah durch Ferngläser, und auch am Ufer hatten sich nun Polizeieinheiten eingefunden. Auch Spürhunde waren dabei.

Aber Judith fand man nicht.

Nach über vier Stunden wurde die Suche wegen der nahenden Dunkelheit abgebrochen.

»Wir setzen jetzt Bojen und werden morgen früh nochmals tauchen, wenn der See ruhig ist«, sagte der Kommandant.

John und Eschenbach stiegen auf eines der Polizeiboote um und wurden nach Brunnen gebracht. Dort warteten zwei Zivilfahrzeuge der Schwyzer Kapo.

Armin Indergand, Chef der Abteilung Sicherheit bei der Schwyzer Behörde, begrüßte Eschenbach beim Schiffssteg: »Sieht schlecht aus, habe ich gehört.«

Der Kommissar nickte.

»Wir bringen euch zurück«, sagte Indergand.

»Ich werde zusammen mit Bruder John zurück ins Kloster fahren«, meinte Eschenbach und hielt seinen Arm um Johns Schultern.

»Es geht schon«, sagte der Bruder.

Als die Suche wegen des Unwetters hatte abgebrochen werden müssen, war John mit dem Steward nochmals zurück in den Salon gegangen, um die Urne mit Ernests Asche zu holen. Seither trug er sie bei sich wie ein kostbares Geschenk. »Ich möchte jetzt gerne eine Weile allein sein.«

Etwas mutlos und ohne viele Worte verabschiedeten sich Eschenbach und John. Sie wurden von je zwei Polizeibeamten in getrennten Wagen nach Hause gefahren.

Am nächsten Morgen stand Eschenbach früh auf. Mit dem ersten Gedanken war das Unglück vom Vortag wieder da. Es war kurz vor sieben Uhr. Er würde noch mindestens vier Stunden warten müssen, bis es Sinn machte, wegen Judith bei den Innerschweizer Kollegen anzurufen. Dann erinnerte sich der Kommissar, dass Indergand ihn anrufen wollte, im Fall, dass sich etwas Neues ergeben hätte. Oder auch sonst, hatte er gesagt.

Es war nicht zum Aushalten. Der Kommissar machte sich ein kleines Frühstück. Der Tisch auf der Terrasse war feucht. Offenbar hatte es auch hier geregnet. Trotzdem wollte er draußen sein, tief durchatmen und hoffen. Denn wenn Judith tot war, würde vermutlich auch die Wahrheit zum Fall Banz nie wirklich ans Licht kommen.

Kein gutes Gefühl war es, das den Kommissar an diesem Tag begleitete. Und es wurde nicht besser, als er um halb eins Indergand erreichte.

»Ein Amulett haben wir gefunden«, berichtete der Polizeibeamte. »An einem schwarzen Gummiband. Es hatte sich an einem der Felsabstürze verfangen, in ungefähr fünfunddreißig

Metern Tiefe. Ihre Kollegen in Zürich meinen, es gehöre der Vermissten.«

»Ja«, sagte Eschenbach.

»Gibt es Familienangehörige, denen wir es zuschicken könnten?«

»Nein.« Eschenbach überlegte. Er dachte an John und daran, dass es wohl besser war, wenn er gleich ins Kloster führe, um dem Bruder die Nachricht persönlich zu überbringen.

»Schicken Sie das Amulett an Bruder John, ins Kloster Einsiedeln.«

»Nachname und Adresse?«

»So wie ich es gesagt habe, das reicht. Und mit der Postleitzahl ... aber die weiß ich nicht auswendig.«

»Die haben wir.«

Wenigstens das, dachte der Kommissar und beendete das Gespräch. Danach machte er sich auf den Weg. Auch wenn es keine schöne Aufgabe war, Eschenbach war froh um diesen Botengang ins Kloster. Was hätte er sonst tun sollen mit der Ewigkeit, die vor ihm lag. Bis abends Kathrin und Corina auf dem Flughafen in Zürich-Kloten landen würden.

Am nächsten Tag schliefen seine zwei Frauen bis in den späten Vormittag hinein. Eschenbach war froh, seine kleine Familie wieder beisammenzuhaben. Bis tief in die Nacht hatten sie auf dem Balkon gesessen, in Corinas Wohnung im Seefeld. Und am Morgen, auf seinem Morgenspaziergang zu Sprüngli, um fürs Frühstück einzukaufen, dachte der Kommissar über seine letzte Begegnung mit John nach.

Wie hatte der Bruder auf die Nachricht reagiert, dass man außer dem Amulett nichts gefunden hatte? Es war der springende Punkt gewesen, auf den sich der Kommissar bei seinem Besuch im Kloster konzentriert hatte. Er hätte es bestimmt gemerkt, wenn John ein Lebenszeichen von Judith erhalten hätte. Insgeheim hatte der Kommissar sogar auf ein solches Zeichen gehofft. Der Mönch war in Eschenbachs Augen kein guter Schauspieler.

Aber so wie es schien, war der letzte Funken Hoffnung erloschen. Apathisch hatte John ihm gegenübergesessen. Und als sie noch einen kurzen Spaziergang hinauf auf den Hügel hinter dem Kloster gemacht hatten, war John schweigsam gewesen.

Am Abend ging Eschenbach mit Corina und Kathrin zu Gabriel in den Schafskopf. Als sie ins Lokal kamen und wie gewohnt auf den hintersten Tisch zusteuerten, staunte der Kommissar nicht schlecht: Romeo und Julia saßen da und tuschelten.

Oder küssten sie sich gar?

Weil Corina laut »Hallo, Rosa und Ewald« rief, konnte sich Eschenbach nicht ganz sicher sein. Denn die beiden schossen von ihren Stühlen auf und winkten verlegen.

»Ich dachte, du hast eine Freude, wenn ich sie einlade«, sagte Gabriel.

Sie setzten sich.

Gabriel brachte Wein und Gläser. Nachdem sie sich alle zugeprostet hatten, zupfte Lenz an seinem Schnurrbart und sah neugierig zu Eschenbach: »Wie hat es dir eigentlich gefallen, so als Banker, meine ich?«

»Pah!«, machte der Kommissar und trank einen weiteren, kräftigen Schluck. »Rückblickend muss ich sagen: Es hat sich dort keine Sau für meine Arbeit interessiert. Nicht einmal Banz, wenn ich's genau nehme.«

»Für den warst du auch nur ein Feigenblatt«, sagte Corina.

»Ein Ersatzfeigenblatt«, korrigierte Kathrin nun ihre Mutter. »Für den armen Dubach, der zu diesem Zeitpunkt im Keller hauste.«

»Im Tresor«, gab Corina zurück. »Banken haben keine Keller.«

Eschenbach, der sah, dass sich ein kleiner Disput zwischen seinen beiden Frauen anbahnte, rief den Kellner herbei. »Es soll nun jeder sein Essen bestellen.«

Während sie warteten, ließ Ewald Lenz, um die etwas angekratzte Stimmung zwischen Mutter und Tochter zu lockern, eine seiner Ausführungen vom Stapel, die das besondere Verhältnis zwischen Arbeitgeber und Arbeitnehmer auslotete.

»Der interessanteste Punkt in allen Mitarbeiterumfragen, die ich gelesen habe, ist der: Die Angestellten haben das Gefühl, dass man sie nicht ernst nimmt ... dass man sie spüren lässt, wie ersetzbar sie in Wirklichkeit sind.«

»Blödsinn«, sagte Eschenbach. »Mir ist es egal, ob sich jemand für mich interessiert.«

»Ist es dir nicht!«, sagte Corina streng. »Sonst hättest du das vorhin erst gar nicht erwähnt.«

Eschenbach zuckte etwas hilflos mit den Schultern und sah zu Lenz, der den Ball wieder aufnahm:

»Den modernen Angestellten muss man verhätscheln!«

Nun meldete sich Kathrin wieder: »Er will geliebt werden. Das meint übrigens auch der Abt vom Kloster Einsiedeln. Ich hab das im *TagiMagi* gelesen.«

»Weil er eine Memme ist!«, brummte Eschenbach. Er war froh um die etwas schräge Diskussion, die der Alte angezettelt hatte. Sie bot Ablenkung von den Gedanken, die sich in seinem Kopf eingenistet hatten. Wie stand es um die Wahrheit? Was war wirklich geschehen, in der Nacht, als Jakob Banz getötet wurde?

»Nein!« Lenz setzte sich nun kerzengerade auf. Mit durchgestrecktem Rücken und steifem Hals, als säße er auf einem Pferd, verkündete er: »Es ist viel schlimmer: Er wird zu einer Memme erzogen. Ist euch schon einmal aufgefallen, dass die heutigen Kinder überhaupt keinen Schulweg mehr haben? Die Mütter bringen sie direkt ins Klassenzimmer!«

An dieser Stelle gab es einen lauten Seufzer von Corina, von dem sich Lenz allerdings nicht beeindrucken ließ.

»Und wenn die Mütter arbeiten, dann bringen die Großmütter die Kinder zur Schule ... oder, was noch schlimmer ist: die

Nanny!« Beim Wort Nanny (das er mit a und nicht wie im Englischen mit ä aussprach) schlug sich der Alte einmal kräftig mit beiden Händen auf die Schenkel.

Rosa, die bisher still zwischen Eschenbach und Lenz gesessen hatte, lachte.

»Das alles ginge ja noch«, fuhr Lenz mit Schwung fort. »Wenn die wenigstens zu Fuß kämen. Aber die fahren vor … mit Karren, die früher als Dreizimmerwohnungen durchgegangen wären. Hier unten ist so eine Straße … Da kommst du kurz vor acht nicht mehr durch, weil's aussieht wie auf dem Nordring.«

»Die Eltern haben Angst!«, warf Corina ein, und Rosa sagte: »Es passiert ja auch so viel Schreckliches auf dem Weg zur Schule.«

Eschenbach grinste in sich hinein.

Lenz war nun richtig in Fahrt gekommen.

»Allerdings, Angst! Und dazu kommt noch schlechtes Gewissen. Das sind heutzutage die Erziehungsgrundlagen … Und mit dem Schulweg, den es nicht mehr gibt, hat man das letzte Abenteuer aus dem Kinderalltag entfernt. Ich bin regelmäßig verprügelt worden auf meinem Schulweg und hab andern die Zähne ausgeschlagen …«

Kathrin nahm ihren iPod hervor und steckte sich die Stöpsel in die Ohren.

»Da hast du's«, sagte Corina vorwurfsvoll zu Eschenbach, so als hätte er Kathrin daran hindern müssen, sich in ihre ganz eigene Welt davonzuschleichen. »Sie hat in Vancouver Freunde gefunden, die sind alle auf Facebook.«

»Das *Time Magazine* hat Mark Zuckerberg zum Mann des Jahres gewählt«, sagte Rosa. »Richard Stengel, der Verleger des Magazins, begründete die Wahl mit den Worten: ›Facebook erreicht 500 Millionen Menschen und hat sie miteinander verknüpft.‹«

Lenz rümpfte die Nase: »Das ist doch genau so ein Réduit,

wie wir es hatten. Und dort hocken die jetzt und verbrauchen Milliarden von Gigawatt Strom! Hüten die einander die Kinder? Oder gehen sie zusammen noch etwas trinken?«

»Schlafen sie miteinander?«, warf Eschenbach ein.

Lenz nickte zustimmend, und Gabriel, der zusammen mit zwei seiner Kellner das Essen brachte und die letzten Sätze mitbekommen hatte, meinte: »Ich kenne hier im Quartier einen, der hat 180 Facebook-Freunde. Wenn der in die Beiz kommt, schauen alle weg, zahlen und gehen eine Adresse weiter. Sind denn dort bei Facebook alle so, ich meine so wie der?«

Weil es in der hinteren Ecke des Restaurants Schafskopf nun roch wie im siebten Himmel, hatte niemand Sinn für eine Antwort. Jeder sah auf seinen Teller.

Corina lächelte ihren Seebarsch an, Rosa den Teller mit Fegato con cipolle. Eschenbach und Lenz bekamen je eine große Portion Osso Buco à la Milanese, und Kathrin saß – noch immer die Kopfhörer in den Ohren – vor einer Portion Pommes und einem Cordon bleu, so groß wie ein Turnschuh.

Und auf einmal war es ungewöhnlich still am Tisch.

Kapitel 35

Großes Kino in Bern

Zwei Tage später, am Montag kurz nach zwölf, in einem kleinen Sitzungszimmer im Bundeshaus Nord in Bern.

Adrian Horlacher, Mitarbeiter des Technischen Stabs beim Strategischen Nachrichtendienst (SND), saß Max Hösli gegenüber an einem ovalen Birkenholztisch. Weil Paul Zimmer noch nicht erschienen war, orientierte Horlacher den Zürcher Polizeikommandanten über die bevorstehende Reorganisation der Schweizer Geheimdienste. Als er damit fertig war, blickte er von seinem Laptop auf die Leinwand und wieder zurück: Das Bild war hier wie dort dasselbe, ein schmaler Streifen in milchigem Blau, auf dem die Umrisse der Kuppel des Bundeshauses zu erkennen waren. Weil die Farben dezent gewählt waren, stach der Schweizer Wappenschild am linken oberen Bildrand hervor wie eine rotweiße Sirene.

»Warum ist das Ding eigentlich nicht viereckig?«, schnauzte Hösli. Es war dem Polizisten anzusehen, dass er nur widerwillig in die Bundeshauptstadt gefahren war. Zimmer hatte ihn gebeten, sofort zu kommen. Ein Mittagessen mit einem Parteikollegen hatte er dafür sausenlassen. Jetzt wartete er zusammen mit Horlacher, einem Subalternoffizier, schon über eine halbe Stunde auf den Nachrichtenchef. Das war deutlich unter seiner Würde.

»Es ist das offizielle Wappen der Schweizerischen Eidgenossenschaft«, sagte Horlacher mit einer hohen, leicht krächzenden Stimme.

»Was es ist, weiß ich«, erwiderte Hösli. »Es steht ja daneben ... in allen vier Landessprachen. Ich wollte wissen, warum das so ein dämlicher roter Schild und kein Quadrat ist.«

»Das freistehende weiße Kreuz auf rotem Grund hat dieselben Proportionen wie die Flagge«, sagte Horlacher und rückte seine Brille zurecht. »Im Gegensatz zur quadratischen Form der Flagge ist die äußere Form des Wappenschildes mathematisch nicht genau definiert. Gesetzlich geregelt wurde das Wappen mit dem Bundesbeschluss vom 12. Dezember 1889. Es findet sich ja auch auf den Schweizer Münzen und auf den Kontrollschildern von Autos ...«

»Und auf dem Schweizer Sackmesser«, stöhnte Hösli. »Aber warum, Horlacher! Warum?« Hösli fuhr sich mit beiden Händen durchs kurzgeschorene Haar.

Der Assistent hinter dem Laptop zog die Schultern hoch und schwieg.

Und das war exakt der Grund, weshalb der Zürcher Polizeichef mit dem DAB, dem SND und neuerdings auch mit dem NDB am liebsten nichts – aber auch gar nichts – zu tun haben wollte. Denn in der Welt des Max Hösli war die Bundespolizei, egal, welchen Namen sie gerade trug (es wechselte alle paar Jahre), ein monströser Beamtenladen. Man kannte dort Weisungen und Protokolle. Sämtliche Regeln, Beschlüsse und Gesetzesbestimmungen waren auf Knopfdruck verfügbar, auch wenn sie – wie der Beschluss zum Wappen der Schweizer Eidgenossenschaft zeigte – aus dem vorletzten Jahrhundert stammten.

Warum?

Auf diese Frage gab es in Bern nur Schulterzucken.

»Ich habe die entscheidenden Filmsequenzen kopiert«, sagte Horlacher. »Wenn der Chef sie gesehen hat, wird er Ihnen sagen, wie wir mit der Festplatte verfahren werden. Etwas fürs Archiv ist es ja nicht gerade.« Wieder blickte der Assistent vom Laptop zur Leinwand, als wäre zu befürchten, dass durch die Bildübertragung via Beamer etwas von der Schönheit des Regierungsgebäudes verlorenginge.

Max Hösli kommentierte die Äußerung Horlachers nicht. Stattdessen trommelte er mit den Fingern weiter auf die Tischplatte, sah demonstrativ auf die Uhr und sagte:

»Warten wir auf den Heiligen Geist?«

»Auf Godot«, sagte Horlacher. »Ich finde das immer noch den besten Spruch, wenn's ums Warten geht.«

»Abgegriffen … hundertmal abgegriffen.« Hösli hörte mit dem Trommeln auf und rutschte tief in den Sitz hinein. »Ich wollte mal was Neues bringen …«

In diesem Moment flog im Hintergrund des Sitzungsraums die Tür auf. Paul Zimmer kam herein, ging mit schnellem Schritt auf Hösli zu und begrüßte den Polizisten per Handschlag.

»Hallo, Max, bleib sitzen.«

Hösli, der sich in den paar Sekunden nur halb erhoben hatte, sank wieder auf seinen Stuhl zurück.

»Sind wir so weit?« Zimmer blickte nun zu Horlacher. Als dieser nickte, setzte sich der SND-Chef neben Hösli an den Tisch.

»Los geht's!«

Horlacher ließ über ein Steuerungspanel die Jalousien herunter. »Die Kontraste im Office sind nicht allzu scharf«, murmelte er. »Kommt hinzu, dass die Überwachungskamera alles aus der Totale gefilmt hat. Zirka fünf Meter vom Target entfernt. Drum ist's besser, wenn's dunkel ist.«

»Von mir aus«, sagte Zimmer.

Der Film startete.

Das Bild zeigte einen massigen Mann in bequemer Leseposition hinter einem großen Schreibtisch.

»Das ist Jakob Banz«, erklärte Adrian Horlacher.

»Darauf wäre ich nie gekommen«, raunzte Hösli.

»Ich mein ja nur. Weil alles schwarzweiß ist und ohne Ton.«

Banz lehnt sich zurück, streckt die Beine und steckt sich die Zigarre, die er bisher in der Hand gehalten hatte, in den Mund. Er blättert in ein paar Unterlagen, legt sie beiseite und setzt sich

auf. Aus der Schreibtischschublade holt er einen Laptop hervor.
Er fährt den Computer hoch. Rauchwolken steigen auf. Seine
rechte Hand holt sich die Zigarre wieder ...

»Wie lange dauert's noch?«, wollte Zimmer wissen.
»Eins siebenundzwanzig«, sagte Horlacher. »Ich habe uns
einen Vorlauf von zwei Minuten gegönnt.«
»Spulen Sie vor«, sagte Zimmer.
Banz arbeitete und rauchte nun in achtfacher Geschwindig-
keit.
»Es ist alles digital«, murmelte Horlacher. Und als weder Hösli
noch Zimmer auf seine Bemerkung reagierten, meinte er weiter:
»Will heißen, dass wir direkt zur ersten Szene hüpfen könn-
ten. Wir müssen uns das nicht alles chronologisch ...«
»Herrgott, dann tun Sie's doch«, sagte Zimmer und blickte
dabei entnervt zur Decke.
Auf der Leinwand griff Banz zum Telefon und bewegte den
Mund.
»Wir haben uns überlegt, ob wir das Gespräch rekonstruie-
ren sollten. Wär kein Problem ... die Lippenbewegungen sind
deutlich zu erkennen. Es gibt Leute bei uns, die bringen das pro-
blemlos hin.« Hösli schaute erwartungsvoll in die Runde.
»Ist es denn wichtig?«, fragte Zimmer.
Hösli hob die Schultern. »Sehen Sie selbst.«
Auf der Leinwand betrat eine junge Frau das Büro von Banz.
»Judith Bill«, bemerkte Horlacher.

Jakob Banz nimmt die Füße vom Schreibtisch. Er legt die Unter-
lagen beiseite, steht auf und reicht der jungen Frau die Hand.
Von Judith sieht man nur den Rücken. Banz deutet mit der
Hand auf den Laptop. Die beiden sprechen miteinander. Judith
beginnt zu gestikulieren. Der Bankier lacht. Langsam geht er
um den Schreibtisch herum auf Judith zu. Er legt seinen rechten
Arm um ihre Schultern. Beide Personen blicken von der Kamera

weg in die entgegengesetzte Richtung. Ein seltsames Bild. Der Bankier, gut einen Kopf größer als Judith, wirkt neben der zierlichen Silhouette der Frau wie ein Koloss; die Umarmung wie eine väterliche Geste. Aber Judith versucht sich Banz zu entziehen. Sie drängt sich von ihm weg nach rechts, wobei der Bankier mit dem zweiten Arm nachgreift. Beide Gesichter sind nun im Profil zu erkennen.

An dieser Stelle fror das Bild ein, und Horlachers Stimme erklang aus dem Halbdunkel:

»Seine linke Hand liegt hier auf ihrer Brust ... Wir haben *blow-ups* gemacht von dieser Szene. Ich sag das nur, weil man's schlecht erkennen kann.«

Das Bild auf der Leinwand bewegte sich wieder.

Aus einer halben Umdrehung heraus verpasst Judith dem verdutzten Bankier eine Ohrfeige. Banz greift nach, kriegt sie aber nicht mehr richtig zu fassen. Als Judith zu einem weiteren Schlag ausholt, packt er ihren Unterarm. Sie probiert es mit der anderen Hand. Es gelingt ihr. Ein zweites Mal im Gesicht getroffen, beginnt Banz zurückzuschlagen. Links, rechts. Zwei kräftige Hiebe. Judith taumelt zwei Schritte zurück, fasst sich mit der Hand ins Gesicht.

»Ihre Augenbraue ist geplatzt, wie bei einem Boxer«, sagte Horlacher.

»Aus dieser Wunde stammen übrigens die Blutflecken, die wir später Banz nicht zuordnen konnten«, ergänzte Hösli.

Der Film lief weiter. Er zeigte einen lachenden Bankier, dessen Gesicht nun ganz der Kamera zugewandt war. Judith ging an ihm vorbei, da packte er sie erneut.

»Stopp«, sagte Horlacher. »Seine linke Hand ist nun an ihrem Hals ... die rechte zwischen ihren Schenkeln. Man sieht's wieder sehr schlecht.«

»Einfach durchlaufen lassen«, brummte Zimmer. »Sie können Ihre Kommentare später immer noch loswerden.«

Banz zieht die junge Frau zu sich, nimmt auf der Tischkante Platz. Gesicht und Körper sind nun teilweise durch Judith verdeckt.

»Hier küsst oder beißt er sie«, murmelte Horlacher, ohne den Film anzuhalten.

Ungefähr zehn Sekunden verharrt das ungleiche Paar in dieser Stellung. Dann plötzlich gleitet der massige Oberkörper des Bankiers hintenüber auf die Tischplatte. Doch Judith lässt nicht von ihm ab. Als wäre ihr Körper an jenem von Banz festgemacht, vollzieht sie dieselbe Bewegung und bleibt auf ihm liegen. Eine Weile vergeht. Hie und da bewegt sich ganz leicht ein Bein oder Arm.

»Und jetzt?«, erkundigt sich Zimmer.

»Der Film läuft noch, so wie Sie es angeordnet haben«, sagte Horlacher etwas verunsichert.

»Das geht jetzt ungefähr drei Minuten«, meldete sich Hösli.

»Drei fünfundzwanzig«, sagte Horlacher.

»Dann springen Sie nach vorne«, befahl Zimmer.

Fünf Sekunden später:

Langsam beginnt sich der zierliche Frauenkörper aus der Umarmung zu lösen. Etwas schwankend, mit dem Rücken zur Kamera tritt Judith zurück. Zwei Schritte. Sie wischt sich mit dem Handrücken den Mund ab. Dann bewegt sie ihren Kopf hin und her, massiert mit beiden Händen ihr Genick. Banz liegt wie ein niedergestreckter Bär auf der Tischplatte.

»Zu diesem Zeitpunkt ist der Mann vermutlich bereits tot«, bemerkte Hösli. »Denn auch bei starker Vergrößerung konnten wir nicht die geringste Bewegung seines Brustkorbs erkennen.«

»Und das Mädchen?«

»Sie telefoniert kurz mit ihrem Handy. Leider so, dass wir ihr Gesicht dabei nicht sehen können. Danach nimmt sie den Laptop und verlässt den Raum.«

»Weiß sie, dass es diese Kamera gibt?«

»Gute Frage, Paul.« Hösli seufzte. »Sie bewegt sich so, dass ihr Gesicht meist von der Kamera abgewandt ist. Allerdings ergibt sich das, weil der Bankier auf der anderen Seite steht.«

»Es gibt ein paar Einstellungen, in denen ihr Gesicht deutlich zu erkennen ist«, meldete sich Horlacher.

»Identifikation ist kein Problem ... eindeutig positiv.« Hösli nickte.

»Ja, ja ...« Zimmer schnaufte hörbar. »Das ist nicht das, was ich wissen will. Mich interessiert, ob sie von der Existenz dieser Aufnahme wusste.«

Die beiden anderen Männer schwiegen.

»Also gut. Wie ich sehe, sind die interessanten Fragen ungeklärt.«

»Nicht ganz«, warf Hösli ein. »Zugegeben ... es hat uns saumäßig viel Zeit gekostet, bis wir herausgefunden haben, was in diesen Minuten wirklich passiert ist.« Der Polizist blickte zu Horlacher. »Zeigen Sie doch bitte mal die Vergrößerungen, die wir angefertigt haben.«

Auf der Leinwand erschien ein Bild von Judith. Ein grobkörniges Porträt. Es zeigte die junge Frau seitlich, in leicht vornübergebeugter Haltung.

»Sehen Sie das Amulett?« Hösli blickte in Zimmers Richtung.

Der rote Punkt eines Laserpointers markierte die Stelle auf der Leinwand.

»Ein Keltenkreuz, so groß wie eine Untertasse. Ungefähr hundert Gramm schwer, eine Messing-Silber-Legierung. Wir haben den Anhänger untersucht, als sie bei uns in U-Haft war.«

»Und?«

»Wir denken, dass sie damit dem Bankier den Kehlkopf eingedrückt hat.«

»Eingedrückt ... den Kehlkopf.« Zimmer wiederholte die
Worte so langsam, dass weder Horlacher noch Hösli klar war,
ob sie als Frage oder lediglich als Bemerkung gemeint waren.

»Banz ist erstickt«, fuhr Hösli fort. »Es ist die einzige, einigermaßen plausible Erklärung, die wir haben. Aber ich denke, wir
sollten uns die finale Sequenz auf dem Video ansehen. Sie unter-
mauert meine Hypothese.«

Eine Pause entstand; jemand räusperte sich.

»Also gut«, sagte Zimmer. Dann erschien auf der Leinwand
die letzte Bildfolge:

*Die Bürotür öffnet sich langsam. Von links, mit leicht zögern-
den, kleinen Schritten, erscheint ein Mann in einer Mönchs-
kutte. Korpulent, von kurzem Körperwuchs. Er sieht sich im
Zimmer um. Für einen kurzen Moment ist sein Gesicht zu
erkennen. Er trägt eine kleine Brille mit kreisrunden Gläsern.
Vorsichtig nähert er sich Banz, dessen Oberkörper noch immer rücklinks auf der Tischplatte liegt. Stehend begutachtet
er den Bankier, bevor er ihm plötzlich mit der Handkante
gegen das eine Knie schlägt. Das massige Bein des Bankiers
bewegt sich kaum. Erstaunlich flink stemmt sich der Mönch
auf den Tisch. Er inspiziert Banz im Bereich Kopf und Hals.
Danach positioniert er sich hinter ihn und beginnt den massigen Körper mit beiden Händen hochzustemmen. Banz sitzt
nun mit vornübergebeugtem Kopf auf der Tischkante, der
Mönch kniet hinter ihm. Mit der einen Hand hält der Bruder
den Bankier, mit der andern zieht er etwas unter seiner Kutte
hervor.*

»Das ist übrigens die Walther PPK, die man später bei Kollege
Eschenbach gefunden hat«, meldete sich Hösli zu Wort.

Der Mönch verändert mehrmals die Position von Banz' Kopf, als müsste er ihn für ein Foto herrichten.

»Der Schuss, den wir hier natürlich nicht hören«, erklärte Hösli. »Er muss ihn so ausführen, dass die Kugel den Kehlkopf vollends zerstört. Dabei hat er ebenfalls das Problem, dass er die Halsarterie nicht verletzen darf. Sonst würde später die Forensische leicht darauf kommen, dass der Schuss erst post mortem ausgeführt wurde.«

Banz kippt vornüber, fällt von der Tischkante und kommt bäuchlings auf dem Teppich zu liegen; der Mönch steigt vom Tisch hinunter, sieht sich um und verlässt das Büro eiligen Schrittes.

»Es gibt ein paar Probleme«, sagte Hösli nach einem kurzen Moment des Schweigens. »Wir kennen die genaue Zeitdimension nicht. Die Überwachungskamera ist an einen Bewegungsmelder gekoppelt. Sie schaltet sich nach fünf Minuten von selbst aus. Und die integrierte Uhr, vermutlich durch einen früheren Stromausfall ... Also, die zeigt irgendeine Zeit im Jahr 2001.«

Zimmer seufzte hörbar.

»Was wir zusammenbringen, ist eine Schätzung«, fuhr Hösli fort und sah kurz zu Horlacher. »Demnach müsste John McLaughlin– so heißt der Mann übrigens – keine zwanzig Minuten nach Frau Bills Verschwinden aufgetaucht sein.«

»Und jetzt?«

»Jetzt geht's noch mal ungefähr zwei Stunden, bis Banz von einem Mann des Sicherheitsdienstes gefunden wird. Und eine halbe Stunde *en plus*, bis meine Leute da sind ...«

»Das meine ich nicht.«

»Sondern?« Hösli blinzelte, weil Horlacher inzwischen die Jalousien hochlaufen ließ.

»Dieser McLaughlin, die Festplatte ... Was machen wir?«

»Die Entscheidung liegt bei dir, Paul.«

Der stellvertretende Chef des SND stand auf. »Wie viele Leute haben diesen Film gesehen?«

»Wir beide«, sagte Hösli, dann blickte er zu Horlacher: »Und er.«

»Und deine Leute bei der Kripo, Spurensicherung?«, fragte Zimmer.

»Sie wissen, dass es diese Kamera gibt. Die haben den ganzen Kram ja entdeckt und zu uns ins TechLabor gebracht. Festplatte inklusive. Dort habe ich es mir angesehen.«

»Allein?«

»Bin ich denn ein Idiot?« Hösli stand verärgert auf. »Die Sachen waren bei uns versiegelt. Und der Typ, der es mir installiert hat … Also, den habe ich rausgeschickt. Danach wurde es als geheim klassifiziert, nochmals versiegelt und von euch Jungs abgeholt. Bei Duprey habt ihr das Sagen … hab's schon verstanden.«

Zimmer sah zu Adrian Horlacher.

»Bei uns sind es die Üblichen«, sagte der Assistent.

Paul Zimmer ging zum Fenster und schaute eine Weile ins wolkenlose Blau. »Ist dir eigentlich aufgefallen, dass wir einen wunderbaren Herbst haben? Milde Temperaturen … Das Marzili noch immer rammelvoll?«

»Was willst du damit sagen?«, fragte Hösli.

»Dass wir die Akte schließen.« Zimmer drehte sich um und sah den Polizeichef direkt an. »Ich werde dieses Jahr pensioniert, Max. Das wurde vorgestern entschieden, im Rahmen der Restrukturierung des Nachrichtendienstes.«

»Du bist immerhin schon sechzig.«

»Man schenkt mir die letzten Jahre.« Zimmer lachte. »Ohne Kürzung des Pensionsgehalts, wohlverstanden. Ich finde, wir sollten großzügig sein.«

»Keine Rehabilitierung von Ernest? Jetzt, wo wir doch ganz genau wissen, wie die Sache gelaufen ist?«

»Nur die katholische Kirche rehabilitiert ihre Toten. *Let sleeping dogs lie*, Max. Und stell den Eschenbach wieder ein. Es war eine Scheißidee, den da mit reinzuziehen.«

»Ich weiß, hab's ja schon gemacht.«

Kapitel 36

Alte Kollegen und ein seltsames Spiel

Am Montagmorgen um zehn nach neun wählte Eschenbach die direkte Nummer von Paul Zimmer. Die beiden Beamten führten ein längeres Telefongespräch. Am Ende bat ihn der Mann vom SND für eine kurze Unterredung nach Bern zu kommen.

»Am besten gleich heute Nachmittag.«

Es war der 5. Oktober, sein erster Arbeitstag als neuer alter Chef der Kripo. Seit über einer Woche waren Corina und Kathrin wieder zu Hause. Den frischerstandenen Pflanzen auf seiner Terrasse ging es blendend, sogar der lädierte Ahorn hatte zum Herbst ein paar neue Knospen hervorgebracht.

Eine halbe Stunde zuvor hatte Christian angerufen, ihm alles Gute für den Wiedereinstieg gewünscht; die Blumen auf dem Tisch, die ihm Rosa geschickt hatte, strahlten ihn an wie das blühende Leben.

Fünf Stunden später saß Eschenbach gegenüber dem Bundeshaus im Hotel Schweizerhof in der Lounge. Weil man auch dort nicht mehr rauchen durfte, kaute er Nüsse. Zuerst hatte der Kellner Salzmandeln gebracht. Als der Kommissar mit diesen fertig gewesen war, waren Schalen mit Pistazienkernen und Cashewnüssen an seinen Tisch gebracht worden. Dazu hatte er zwei Gläser gespritzten Weißwein getrunken.

Nun brannte sein Magen.

Paul Zimmer kam um halb drei.

»Und, wie ist es gelaufen?«, fragte der Kommissar gleich zu Beginn.

Die beiden Männer kannten sich seit über zwanzig Jahren. Mehr als ein Dutzend Mal hatten sie beruflich miteinander zu tun, weil es Fälle gab, die über die Zürcher Kantonsgrenzen hinausgingen und für die Sicherheit der Schweiz von Bedeutung waren. Wenn sie sich in Sitzungsräumen begegnet waren, hatten sie nie über Privates gesprochen. Nie über sich selbst. Immer war es die Sache gewesen, die im Vordergrund gestanden hatte. So auch heute, obwohl sie sich noch nie in einer Hotelhalle getroffen hatten. Und es war auch das erste Mal, dass ein Gespräch zwischen ihnen nicht in einem Protokoll festgehalten wurde.

»Es ist so, wie ich es dir angedeutet habe«, sagte Zimmer. »Ich hab den Film gesehen, gerade eben. Wir lassen die Sache, wie sie ist.«

Eschenbach nickte zufrieden.

Zimmer rief den Kellner herbei und bestellte einen Laphroaig. Danach fragte er:

»Wie bist du überhaupt darauf gekommen, dass es der Bruder gewesen ist? Du hast die Aufzeichnungen ja nicht gesehen.«

»Es war nur so eine Vermutung«, sagte Eschenbach. »John McLaughlin ist Arzt und ziemlich spät erst ins Klosterleben eingetreten. Wie man mir sagte, war er einiges über dreißig gewesen. Das ist ungewöhnlich. Ich habe mich gefragt, warum? Was bringt einen Mann wie McLaughlin nach Einsiedeln? John hat mir dazu nie eine befriedigende Antwort gegeben. Auch das fand ich seltsam. Darum habe ich letzte Woche den Abt getroffen. Wir haben uns lange über Bruder John unterhalten.«

»Arzt also?«

»Chirurg«, präzisierte Eschenbach. »Assistenzprofessor für Neurochirurgie am Royal College of Surgeons in Edinburgh. Ich hab mit denen telefoniert … Die konnten sich noch gut an den Fall erinnern.«

Der Kellner brachte den Laphroaig.

»Dem ist seine Tochter gestorben, Paul«, fuhr Eschenbach fort. »Auf dem Operationstisch. Mit vier Jahren, als sie wegen eines Hirntumors operiert wurde. John hatte die Operation nicht selbst vorgenommen ... Ist ja auch normal. Aber dann hat er sich deswegen Vorwürfe gemacht.«

»O Gott!«

»Das kannst du laut sagen. Denn nach diesem Unfall war nichts mehr so wie vorher. Er beginnt zu trinken, seine Frau trennt sich von ihm ... John verliert den Boden unter den Füßen.«

»Dann war Judith eine Art Tochterersatz für ihn«, bemerkte Zimmer.

»Ich denke schon.« Eschenbach fuhr sich übers Kinn. Er hatte vor zwei Tagen seinen Bart abrasiert. Nun fühlte es sich ganz ungewöhnlich an. »Seine Fürsorge Judith gegenüber ... Es war wie eine zweite Chance. Wiedergutmachung, etwas in der Art. Drum habe ich angenommen, dass er alles unternommen hat, um sie da rauszuboxen.«

»Rauszuschießen«, bemerkte Zimmer.

»Von mir aus.«

»Ohne Erfolg, letzten Endes.«

Eschenbach zuckte mit den Achseln. »Ich weiß nicht, Paul. Vielleicht macht es doch einen Unterschied, ob man es wenigstens probiert – oder einfach nur tatenlos danebensteht.«

»Möglich.«

Eschenbach erzählte von dem Gespräch, das er mit Salvisberg geführt hatte. »Es wollte mir einfach nicht mehr aus dem Kopf. Man muss schon ziemlich genau wissen, wie das geht. Einen Schuss durch den Hals, sodass vorne der Kehlkopf zerstört wird ... und das noch, ohne eine der Halsarterien zu verletzen. Ich meine, die beim Gerichtsmedizinischen sind ja auch keine Idioten. Das ist nicht so einfach.«

»Ich seh's«, sagte Zimmer. »Für einen Chirurgen ist das kein Problem.«

»Eben. Und dann habe ich mit der Spurensicherung gesprochen. Die haben mir gesagt, dass es da ein Überwachungssystem gegeben hat.«

Zimmer trank den letzten Schluck Whiskey. »Wir haben mit Peter Dubach einen unserer besten Leute verloren. Banz ist tot und jetzt auch noch der Ernest.« Der Mann vom SND stellte das leere Glas zurück auf den Tisch.

»Drei Tote«, bemerkte Eschenbach.

»Vier«, sagte Zimmer. »Ich glaube nicht, dass Judith Bill noch lebt.«

Unus, duo, tres, quattuor – Eschenbach fiel der Moment ein, als er im Kloster erwachte und Judith mit ihm auf Lateinisch gezählt hatte. Er sah Zimmer erwartungsvoll an:

»War es wirklich Notwehr? Du darfst mich jetzt nicht anlügen, Paul.«

»Ja, Notwehr.« Zimmers Blick war ernst. »Es ist die Wahrheit, auch wenn sie niemanden mehr interessiert. Ich habe angeordnet, dass man die Festplatte mit den Aufzeichnungen vernichtet.«

Bevor Eschenbach den Zug zurück nach Zürich nahm, ging er hinunter an die Aare. Der trockene Herbst hatte seine Spuren hinterlassen und den Pegelstand des Flusses auf eine historische Tiefmarke gedrückt. Eschenbach taten die Fische leid. Er dachte an die Lachse in Kanada, die zwischen Juni und August die Flüsse hinaufschwammen, zurück an ihre Geburtsstätte, um zu laichen und zu sterben.

Auch Billadier war zum Sterben zurückgekommen an den Ort seiner Bestimmung. Zurück in das Land, dessen Unabhängigkeit er einmal mit allen Mitteln verteidigen wollte. Der Kommissar entschied sich, noch einmal dorthin zu fahren, wo der Oberst seine letzten Stunden verbracht hatte.

Im Hauptbahnhof in Zürich war Hochbetrieb. Pendlerströme überfluteten die Bürgersteige. Die Leute hetzten dem Feierabend entgegen, trugen schwere Tragtaschen und Mappen. Manche telefonierten noch, während sie an Eschenbach vorbei zu den Zügen rannten. Eine Flut verschwitzter Hemden stellte sich dem Kommissar entgegen. Er hatte Mühe durchzukommen. Wenn man sich dranmachte, dachte er, war Zürich eine Stadt, in der man Geld verdienen konnte.

Eschenbach bestieg ein Taxi und fuhr nach Rüschlikon zur Klinik Rosen.

»Wir haben Frau Dubach von der Station D ins Gästehaus verlegt«, sagte die Dame beim Empfang. »Sie können sie dort besuchen.«

Eschenbach bekam einen Plan ausgehändigt.

»Der Weg ist rot eingezeichnet. Es ist nicht schwer zu finden.«

Das besagte Haus war eine alte, aufwendig renovierte Villa mit acht Einzelsuiten. Es lag ungefähr dreihundert Meter vom Hauptgebäude entfernt und war umgeben von einem herrlichen Garten mit alten Bäumen. Mitten auf dem Rasen stand eine große Skulptur. Sie erinnerte Eschenbach an den »Hammering Man« von Jonathan Borofsky, den er in Basel vor einem Gebäude der UBS schon gesehen hatte. Aber anders als dort schwang der Mann keinen Hammer: Er trug einen Koffer.

Die Zimmer der Dépendance trugen die Namen berühmter Berge: Dufourspitze, Dom, Allalinhorn ...

»Ich würde gerne zu Frau Dubach«, sagte der Kommissar zur Stationsschwester.

»Matterhorn.« Die Schwester begleitete ihn.

Gisela Dubach saß draußen auf der Veranda an einem kleinen Tisch. Sie trug einen dunkelroten Hosenanzug und um den Hals geschlungen, grüngrau gemustert, ein Hermès-Tuch. Als die Schwester ihren Namen rief, erhob sie sich sofort, und als sie Eschenbach erblickte, kam sie freudestrahlend auf ihn zu.

»Peter, mein Lieber ... Wie schön, dass du mich besuchen kommst.«

Der Kommissar war etwas unsicher. Er sah nach rechts zur

Schwester, die ihm zublinzelte. Dann zuckte er zweimal mit den Schultern – weiter kam er nicht: Frau Dubach hatte ihn bereits mit beiden Armen umschlossen. Mit dem Kopf an seiner Brust sagte sie:

»Ich muss dir unbedingt zeigen, was ich heute gelernt habe.« An der Hand führte sie ihn nach draußen.

»Ich geh dann mal«, rief es von drinnen.

Eschenbach nahm sich einen Stuhl. Er wollte sich gerade hinsetzen, als er auf dem Tisch die Karten sah. Wie versteinert blieb er stehen.

»Du kennst es … Kannst es auch spielen?« Gisela Dubach saß bereits. Nun griff sie zu einem kleinen silbernen Koffer neben den Spielkarten. Sie öffnete ihn. Ein paar Reihen farbiger Jetons kamen zum Vorschein, sorgsam eingereiht in das schwarze Futteral des Köfferchens.

»Woher haben Sie das?«, fragte der Kommissar.

Gisela Dubach ging nicht darauf ein. Stattdessen deutete sie auf die Skulptur im Garten. »Siehst du den Mann dort? Den haben sie letzte Woche gebracht. Er muss sehr schwer sein, denn sie haben ihn aus kleinen Teilen zusammengebaut. Mit einem Kran. Er hat auch so einen Koffer.«

»Und das hier?« Eschenbach deutete auf die Jetons.

»Das ist unser Geld, Peter …« Sie zog eine Handvoll Chips hervor, ließ sie klappernd auf den Tisch fallen und meinte: »Wir tun nur so, als ob es Geld ist. Du kannst nicht verlieren … Es ist lustig.«

Langsam setzte sich der Kommissar hin. Er sah auf Gisela Dubachs Hände, wie sie nervös mit den Plastikdingern herumspielten. »Das ist ein Pokerkasten«, sagte er. »Wer hat ihn dir geschenkt?«

»Pokerkasten«, rief Gisela Dubach laut und freudig. »Genau so heißt es! Jeder bekommt Kärtchen und Geld: Bube … Dame … Acht … Vier … Herz … Herz … Herz.« Sie verteilte Karten und Jetons nach Belieben. Und dann ging es los. Eschenbach gab, nahm und spielte nach den Regeln von Gisela Dubach, Regeln, von denen der Kommissar noch nie zuvor gehört oder gelesen hatte.

»Ich bin eine Herz-Königin«, sagte Gisela Dubach plötzlich. Sie hielt inne und sah den Kommissar an. »Hast du das gewusst?«

Der Kommissar schüttelte den Kopf.

»Das hat sie mir gesagt.«

»Wer?«

»Die Schwester. Habe ich dir noch nicht von ihr erzählt? Wir haben zusammen gespielt. Sie hat mich angesehen und dann die Augen geschlossen, weil, dann sieht man es besser … eine Herz-Königin. Ist das nicht schön?«

»Allerdings.«

Gisela Dubach nestelte weiter in den Karten und zog eine Karo-Acht.

Zwei Stunden vergingen. In einem teilweise grotesken Frage-Antwort-Durcheinander hatte der Kommissar herausgefunden, dass es in der Klinik eine neue Pflegerin gab, die – so behauptete Gisela Dubach – ihr diesen Pokerkasten geschenkt hatte.

»Und die heißt nicht zufällig Judith?«

»Ja, Judith!«

Weil der Kommissar nicht sicher war, ob sich Gisela Dubach wirklich an den Namen erinnerte oder ihn nur nachsprach, machte er etwas später den Gegentest:

»Sie heißt also Doris?«

»Genau, du sagst es – Doris! Kennst du sie?«

Es war zum Verzweifeln. Nur was die Haarfarbe anging, da schien Gisela Dubach standhaft zu sein.

»Blond also?«

»Ja, blond.«

»Nicht dunkel?«

»Nein.« Sie schüttelte den Kopf. »Du bist dunkel, Peter. Sie ist blond.«

»Doris?«

»Ja.«

»Oder doch Judith?«

»Beide.«

Am Ende des Spiels hatte Gisela Dubach alle Jetons und er alle Karten.

Es war bereits dunkel draußen. Eschenbach ging den Weg zurück zum Hauptgebäude. Mit Zeigefinger und Daumen drehte er einen Hunderter-Jeton in der Hand. Gisela hatte ihm den Plastikchip geschenkt, nachdem er ihr versprochen hatte wiederzukommen.

Beim Eingang fand er die Frau, die ihn zum Matterhorn begleitet hatte. Dem Kommissar fielen ihre langen dunkelblonden Haare auf.

»Haben Sie Frau Dubach den Pokerkasten geschenkt?«

Die Schwester schüttelte den Kopf und lachte. »Frau Dubach hatte heute Morgen Besuch ... eine junge Dame. Ich habe sie noch nie hier gesehen. Sie hat ihn mitgebracht.«

»Also doch«, murmelte der Kommissar. »Und wissen Sie noch, wie die ausgesehen hat?«

»Blond«, kam es prompt zurück. »Aber heller als ich. Und kurz ... ein Pagenschnitt, wie Anna Wintour in *Der Teufel trägt Prada.*«

»Und ihre Augen?«, hakte Eschenbach nach.

»Sie trug eine Sonnenbrille.«

Als Eschenbach in Corinas Wohnung im Seefeld ankam, war seine Laune überschwänglich. Er war so gut gelaunt, dass es sogar seiner Frau auffiel.

»Was ist denn mit dir los?«

»Ich war heute in Zermatt.«

»Und ich dachte Bern.«

»Das ist fast dasselbe«, sagte Eschenbach. Und dann erklärte er Corina die alte Geschichte, was es mit dem Matterhorn auf sich hat. »Ich meine, jeder weiß ja, wie dieser Berg aussieht … dieser tolle Postkartengipfel.« Weil er nicht sicher war, ob er es Corina schon einmal erzählt hatte, begann der Kommissar zögerlich. Erst als seine Frau keine Anstalten machte, ihn zu unterbrechen, legte er wirklich los.

»Und dann bist du auf der italienischen Seite. Jemand neben dir zeigt auf einen absolut bedeutungslosen Zacken unter dem Himmel und behauptet: Das ist das Matterhorn. Glaubst du ihm?«

»Nie und nimmer!«, rief Corina, die zum Kühlschrank gegangen war. »Ich sage Blödsinn! Das ist unmöglich, ich kenn doch das Matterhorn. Das sieht ganz anders aus.«

»Eben.« Eschenbach folgte Corina in die Küche. »Und keiner glaubt dem andern. Bis ein Bergführer kommt und die beiden um den Berg herumführt, bis nach Zermatt …«

Corina drehte sich um, legte ihre Hand auf Eschenbachs Mund und vollendete den Satz: »Und siehe da«, sagte sie. »Der kleine italienische Zinken ist plötzlich doch der Berg, für den du ihn niemals gehalten hättest.«

Der Kommissar nickte. »Kennst die Geschichte also doch?«

»Die Wahrheit hat viele Seiten …«, meinte seine Frau. »Das hast du mir schon hundertmal erzählt.«

»Aber diesmal hab ich's nicht gesehen, Corina. Ehrlich. Diesmal nicht. Ich hätte ihr glauben sollen, als wir aufs Rütli gefahren sind. Es war tatsächlich Notwehr gewesen. Jetzt weiß ich es.«

»Du sprichst von dieser Judith, oder?«

»Ja.«

Corina zog eine Packung Käse aus dem Gefrierfach. »Ich mach uns jetzt ein Fondue, und du erzählst mir die ganze Geschichte von Anfang an.«

»Ein Fondue im Oktober?«

»Tu nicht so«, sagte seine Frau. »Jetzt, wo wir sozusagen

schon in Zermatt sind.« Corina hatte das Caquelon bereits auf den Herd gestellt. Nun durchstöberte sie ein Kästchen nach dem andern auf der Suche nach Brennsprit. »Man sollte tun, wozu man Lust hat. Sagst du doch auch immer ... Zudem ist es das Einzige, was mir in Kanada wirklich gefehlt hat: geschmolzener Käse ... und du natürlich.«

Als es draußen auf der Terrasse kühl wurde, holten sie Decken und mummelten sich ein. Eschenbach war mit der Geschichte noch nicht ganz fertig, als Corina ihn unterbrach. Es war an der Stelle, als Judith ihm auf der *Schiller* den Scheck überreicht hatte.

»Eine Million«, wiederholte Corina. »Den hast du hoffentlich noch?«

Der Kommissar hielt einen Moment inne. Er genoss den Augenblick, zögerte ihn noch etwas hinaus. Wann hatte seine Frau ihn das letzte Mal so angesehen: mit halbgeöffnetem Mund und weit aufgerissenen Augen?

»Ich hab den Scheck verloren«, sagte er.

»Du hast was?«

Corina war nun geradezu hinreißend hübsch, fand der Kommissar. Ihre dunklen Augen funkelten im Kerzenlicht. Noch während sie aufstand, riss sie sich die rote Decke von den Schultern und warf sie in hohem Bogen über die Balkonbrüstung. Wie eine Flamencotänzerin in Ekstase richtete sie sich vor ihm auf.

»Okay, okay ...«, begann er. Gerade noch rechtzeitig, bevor aus der Tänzerin eine Furie wurde. »Ich erzähl dir, was ich wirklich damit gemacht habe.«

Er brauchte viele Worte, eine Menge Weißwein und Kirsch, bis sich Corina einigermaßen beruhigt hatte. Und selbst dann, als beide schon einiges intus hatten, als Eschenbach Corinas Decke von der Straße wieder hinauf in die Wohnung geholt und ihr die zärtlichsten Dinge zugeflüstert hatte: So ganz hundertprozentig wollte sie sich mit seiner Entscheidung nicht abfinden. Es kamen Sätze wie: »Du hättest mich wenigstens fragen können.«

Oder: »Die Hälfte hätte auch gereicht.« Und dass es nie schlecht sei, etwas auf der hohen Kante zu haben.

Seine Frau hatte recht, dachte der Kommissar. Wer wusste schon, welchen Zeiten sie entgegenschlitterten. Schon jetzt bezahlten die Banken keine Zinsen mehr, und wer Aktien kaufte, konnte zusehen, wie die Papiere innerhalb der Wochenfrist nur noch die Hälfte wert waren.

Aber diese Probleme hatte er nun gelöst. Denn es gab auch in diesen Tagen Menschen, die mit Geld wirklich etwas anzufangen wussten.

»Wir werden schon nicht verarmen«, knurrte er.

Aber konnte er sich dessen sicher sein? Angenommen, jeder täte nur Gutes, würde seinen Nachbarn helfen und benähme sich wie ein anständiger Mensch. Keine Diebstähle würden mehr gemeldet werden, keine Vergehen an Leib und Leben. Auf den Straßen führe jeder mit dreißig, fünfzig, sechzig, achtzig, hundert und hundertzwanzig – exakt so, wie es vorgeschrieben war.

Brauchte es dann noch einen Polizisten wie ihn?

Bei diesen Gedanken durchfuhr Eschenbach ein leichter Schauer. Er zog seine Decke bis unters Kinn. Mit dem Kopf in den Nacken gelegt, saß er da und blickte in den Himmel von Zürich.

Epilog

Oder die Sache mit dem Geld

Kann eine Geschichte einfach enden, ohne dass wir wissen, was mit dem Geld geschah? Mit der Million von Eschenbach – oder, was uns noch viel mehr interessieren müsste: mit den Milliarden der Banque Duprey?

Es gibt bestimmt ein Land, in dem so etwas möglich wäre. Vielleicht sogar erwünscht. In einem dieser Weit-weg-Staaten, in denen ungeliebte Diktatoren Unsummen ergaunerter Gelder verstecken. Oder in einem der ominösen Steuerflucht- und Schlupforte, die von internationalen Verbrecherorganisationen so gerne aufgesucht werden. Dort könnte man jetzt aufhören, und es gäbe nicht das geringste Problem.

Aber wir sind in der Schweiz.

Mag sein, dass die Leute dort etwas verschwiegener sind. Dass sie einem nicht sofort sagen werden, wer oder was sie sind. Vielleicht liegt es daran, dass ihre Geschichte nicht so glamourös und eindrucksvoll ist wie jene der Habsburger, Römer oder Griechen. Vermutlich ist das der Grund, weshalb sie sich zurückhalten. Auch wird dort kaum je einer von sich aus erzählen, wie viel er verdient. Auch dann, wenn es sehr viel ist und er jemanden damit beeindrucken könnte. Er wird sich scheuen.

Die Schweiz ist nicht Amerika.

Das kleine Land ist entstanden, als sich ein paar Aufmüpfige rund um den Vierwaldstätter See gegen die mächtigen Habsburger Vögte auflehnten und mit Eid einen Bund schlossen. Weil sie frei sein wollten – und sich nicht fürchtden vor der Macht der Menschen.

Wen wundert es?

Werfen wir einen Blick auf die heutige Welt: Es scheint, dass dieses Bedürfnis nach Freiheit und Selbstbestimmung geradezu in Mode gekommen ist. Von den ehemaligen Staaten des Ostblocks bis in die arabische Welt.

So gesehen, war das kleine Alpenvolk recht früh dran in der Geschichte. Damals, im Jahr 1291. (Vielleicht war es auch etwas früher oder später. Die Historiker finden immer einen Grund, sich zu streiten.)

Auf jeden Fall ist es schon eine Weile her. Zu den drei Gründerkantonen der Eidgenossenschaft kamen im Laufe der Jahrhunderte dreiundzwanzig weitere Kantone hinzu. Aber richtig groß ist das Land am Fuße des Gotthards nie geworden. Dieses kleine Stück Erde im Herzen Europas, fruchtbar und von Gebirgen geschützt – gleichzeitig Bindeglied zwischen Mitteleuropa und Italien: Es blieb bis heute ein Zwerg, umgeben von Mächtigen.

Gut möglich, dass die Idee, sich anderen anzuschließen (oder selbst Feldzüge zu veranstalten), deshalb stets im Keim erstickte, weil man wusste, dass sich der Wunsch nach Hegemonie nur schwer mit dem Freiheitsgedanken vereinen lässt.

Wer andere zu Knechten macht, kann leicht selbst einer werden.

Weil man den Staaten von jeher misstraute, stand man auch jenem, den man selbst geschaffen hatte, äußerst kritisch gegenüber. Aus diesem Grund wählte man eine Demokratie, die diesem Ansinnen bis zum heutigen Tag Rechnung trägt.

Die Verfassung, die man schuf, sollte dem Schutz der Privatsphäre seiner Bürger dienen. So entstand ein Berufsgeheimnis für Ärzte und Anwälte. Und weil die Leute nicht wollten, dass Dritte (und dazu gehört auch der Staat) ohne ihr Wissen Kenntnis über ihre finanziellen Verhältnisse hatte, wurde auch das

Bankkundengeheimnis im Gesetz verankert. Jeder würde seine Einkünfte und sein Vermögen selbst deklarieren. In Freiheit und Eigenverantwortung.

Die Obrigkeit musste ihnen vertrauen. Demokratie ist die Herrschaft des Volkes über den Staat – nicht umgekehrt.

Und für den Fall, dass die Regierung die Steuergelder verschwenden würde, wählte man Volksvertreter ins Parlament, auf dass sie den neuen Vögten einen Riegel vorschob, wann immer es ihnen angebracht schien – sodass man sich nicht fürchten muss vor der Macht der Menschen.

Für Kommissar Eschenbach gab es keinen Grund, sich zu fürchten.

Wie die meisten Schweizer füllte er seine Steuererklärung mit bestem Wissen und Gewissen aus. Darin gab er auch die Million Schweizer Franken an, die er von der Banque Duprey erhalten hatte. Dass er später darauf nicht einen Centime Steuern bezahlen würde, lag daran, dass er denselben Betrag in der Rubrik »Zuwendungen« noch einmal angab.

Der Saldo war also null.

Den Empfänger schrieb Eschenbach ebenfalls dazu. Name, Adresse inklusive Postscheckkonto. Der Kommissar war ein ordentlicher Mensch. Er rechnete auch nicht damit, dass es in dieser Sache vom Finanzdepartement des Kantons Zürich eine Rückfrage geben würde. Denn die Person, der er das Geld zukommen ließ, war bekannt. Es gab keinen Grund, an ihrer Integrität zu zweifeln. Ganz im Gegenteil.

Außer mit seiner Frau hatte der Kommissar mit niemandem darüber gesprochen. Warum auch? Es gibt Menschen in der Schweiz, die hätten nicht einmal das getan.

Mitte November, nachdem die alten Büros an der Kasernenstrasse fertigsaniert waren, zog der Kommissar mit seinen Leuten vom Werdgebäude wieder zurück in seine gewohnte Umgebung. Und mit dem ersten Advent kam auch Rosa zurück. Alles war wieder wie früher. Immer häufiger vergaß Eschenbach, dass er einmal woanders gewesen war. In einem System, von dem es hieß, dass es die Welt zum Rotieren brachte.

Money makes the world go round.

Es drehte sich weiter, auch ohne den Kommissar.

Was in seiner Erinnerung hingegen blieb, war Judith. Die Gedanken an sie und die Frage, wie es ihr ging. Vielleicht besuchte er deshalb hie und da Gisela Dubach in der Klinik Rosen. Weil er glaubte, dass er Judith dort einmal antreffen würde. Bei einem Pokerspiel – oder vielmehr bei einer dieser phantasievollen Varianten, die Gisela mit ihrem Koffer stets aufs neue erfand.

Aber so, wie es schien, war Judith nicht mehr gekommen. Gisela erinnerte sich nicht mehr an die blonde Schwester, die ihr den Koffer mit den Chips und den Karten gebracht hatte. Im Gegenteil: »Ich habe den Koffer von diesem Mann dort«, behauptete sie und zeigte auf die Skulptur im Garten. »Er hat das Geld, das wir nicht sehen dürfen. Es ist Gold.«

Der Gedanke war frappierend. So frappierend, dass sich der Kommissar die Statue vornahm, als er nach einem Besuch bei Gisela durch den Garten zurück zu seinem Wagen ging. Er suchte den Namen des Künstlers, fand ihn aber nicht. Einzig ein Schild war im Sockel eingelassen: *Eigentum des A. Landmark Trust.*

Das A. stand für Annie, das war Eschenbach klar. Jene Anne-Christine, mit der er vor über dreißig Jahren im Belvoirpark ein Herz in die Rinde eines Baums geritzt hatte. Ihr Herz und ihre Initialen.

Eschenbach zog seinen Autoschlüssel aus der Hosentasche und schaute sich um. Als er glaubte, dass ihn niemand beobachtete, kratzte er mit dem Schlüssel über die dunkle Oberfläche. Es kam nichts zum Vorschein, nicht die geringste Spur von Gold. Und trotzdem stutzte der Kommissar. Denn der über vier Meter große Mann mit dem Koffer war nicht aus Metall, wie er vermutet hatte. Er war aus Plastik. Jedenfalls fühlte sich das Material so an.

»Was tun Sie da?«, rief plötzlich eine Stimme.

Eschenbach fuhr herum. Auf einer der Veranden der Villa stand ein Pfleger in weißem Kittel. Er hatte die Hände in die Hüften gestemmt.

»Ich mache eine Kunstbetrachtung!«, rief Eschenbach zurück.

»Das ist eine Leihgabe, also bitte nichts anfassen!«

»Okay!«

Eschenbach steckte seinen Schlüssel zurück in die Hosentasche. Hatte Gisela ihm nicht erzählt, dass man die Skulptur in mehreren Teilen gebracht hatte? Mit einem Kran, weil sie so schwer gewesen waren? Aber Plastik wog nicht viel.

Mit diesen Gedanken im Kopf ging der Kommissar zurück zum Parkplatz.

Am nächsten Morgen saß Eschenbach schon früh an seinem Computer. Er googelte und rechnete. Der Espresso, den ihm Rosa schon vor einer Weile hingestellt hatte, war noch immer unangetastet.

»Was machen Sie eigentlich«, fragte seine Sekretärin etwas besorgt, als sie zum dritten Mal in sein Büro kam.

»Die Dichte eines Körpers ist das Verhältnis seiner Masse zu seinem Volumen. Haben Sie das gewusst, Frau Mazzoleni?«

Rosa lachte. »Testen Sie jetzt mein Schulwissen?«

»Nehmen wir Gold«, sagte der Kommissar. »Es hat eine Dichte von 19,3 Gramm pro Kubikzentimeter.« Eschenbach sah auf einen seiner Notizzettel: »Das bedeutet, dass eine Milchtüte von einem Liter Inhalt, angenommen, sie wäre mit Gold gefüllt, 19,3 Kilogramm wiegt.«

»Wenn Sie's sagen.« Rosa sah auf die Tasse mit dem Espresso. »Trinken Sie ihn doch lieber mit Milch?«

»Mit Gold«, sagte Eschenbach und nahm einen Schluck. »Und jetzt raten Sie mal, wie viel diese Tüte dann kosten würde?«

»Mit oder ohne Verpackungsmaterial?«, fragte Rosa, um etwas Zeit zu gewinnen.

»Karton oder Plastik … das können wir vernachlässigen. Relativ gesehen, wiegt das kaum etwas.«

»Keine Ahnung.«

»Eine knappe Million.«

»Haben Sie die?«

Der Kommissar lachte. »Ist es nicht wunderbar, wie wenig Platz man braucht, um Gold zu lagern? Hier zum Beispiel …« Er fuhr mit seinem Drehstuhl etwas zurück. »Unter meinem Schreibtisch könnten wir Gold im Wert von rund einer Milliarde lagern. Sie wöge dann ungefähr zwanzig Tonnen.«

Rosa seufzte. »Auch Ihre Post ist heute schwer.« Sie legte den Stapel mit Briefen auf seinen Tisch. »Und darf ich Sie daran erinnern, dass wir heute Abend unser Weihnachtsessen haben? Es wäre schön, wenn Sie da ein paar nette Worte sagen würden.« Mit einem leichten Kopfschütteln und ohne weiteren Kommentar verließ sie das Büro.

Die Sache mit dem Gold faszinierte Eschenbach.

Es war noch keine hundert Jahre her, als das weltweite Währungssystem auf dem gelben Metall basierte. Man nannte es den Goldstandard. Das Papiergeld, das die Banken in Umlauf brachten, hatte seinen festen Gegenwert in Gold. Jeder Geldschein, egal, welcher Währung, war durch die real existierenden Vorräte des Metalls gedeckt. Zu einem fixen Wechselkurs.

War es möglich, dass Billadier mit seinem neugeschaffenen Bankensystem genau dies bezweckte, dass jede Transaktion durch Gold gedeckt war? Denn allein durch Vertrauen, so wie es im klassischen Hawala funktionierte, war in der westlichen Welt kein Staat zu machen. Das musste dem Obersten klargeworden sein.

Für das Geld ohne Schatten waren Goldreserven die perfekte Ergänzung. Man brauchte für das gelbe Metall keine Tresore. Es reichten Parkanlagen, in denen man tonnenschwere Plastiken hinstellen konnte, oder alte Militärbunker im Gotthard, wie sie Billadier mit seinen Genossen aufgekauft hatte. Für die Staatsanwälte und Steuerermittler hingegen, die Aufsichtsbehörden und Kontrollinstanzen – für sie wäre ein solches Institut kaum fassbar. Ein Nebelgeschwür, für das es nicht die geringste Handhabe gäbe. Und wie bei einem Gift, das man sowohl zum Heilen wie auch zum Töten verwenden konnte, kam es darauf an, in wessen Hände es gelangte.

In den nächsten zwei Stunden versuchte Eschenbach herauszufinden, wer nach dem Ableben von Billadier im A. Landmark Trust das Sagen hatte. Wirklich schlau wurde er nicht. Insgeheim hatte er gehofft, eine Spur von Judith zu finden. Aber es waren Anwälte, die dort im Aufsichtsgremium saßen. Dieselben Schweizer Anwälte, die schon Billadiers Geständnis den Polizeibehörden übergeben hatten. Und weil es in diesem Land nicht nur ein Berufsgeheimnis für Banken, sondern auch eines für Anwälte gab, fand der Kommissar nicht heraus, wer beim Trust im Hintergrund die Fäden zog.

Der Oberst hatte ganze Arbeit geleistet.

Erst als sich Eschenbach seiner Post zuwandte, kam etwas Licht ins Dunkel. Eine ganze Menge Weihnachtskarten waren es: *Joyeux Noël*, *Seasons Greetings* – vorgedruckte Sprüche, die meist ohne einen einzigen persönlichen Satz lieblos unterschrieben waren.

Ein Kuvert jedoch fiel aus der Reihe. Obwohl es nicht besonders dick war, wog es mindestens ein halbes Kilo. Der Kommissar öffnete den Umschlag. Ein großer goldener Stern kam zum Vorschein, eine Karte mit einer Fotografie lag ebenfalls bei. Das Bild zeigte den Kinderarzt und Musiker »Beatocello«, jenen Mann also, der als Dr. Beat Richner über die letzten zwanzig Jahre in Kambodscha sieben Spitäler aufgebaut und darin über eine Million schwerkranker Kinder hospitalisiert hatte.

Der behäbige Schweizer mit der Stirnglatze lächelte. Links und rechts von ihm standen zwei Frauen: eine ältere mit langem weißem Haar und eine jüngere mit einem blonden Pagenschnitt.

»Chester und Judith«, murmelte Eschenbach betroffen. Er hätte nie gedacht, dass er die beiden noch einmal sehen würde. Schon gar nicht in Zusammenhang mit einer Organisation, der jeder gute Schweizer sein Geld zukommen ließ (wenn er etwas davon übrighatte und großzügig war).

Auf der Karte stand in geschwungener Schrift: *Herzlichen Dank für Ihre Spende, Kommissar. Wir wünschen Ihnen von Herzen frohe Weihnachten!*

Eschenbach sah sich die Unterschriften an. Sogar der Fotograf hatte noch einen Gruß dazugeschrieben: *Felicem Diem Natalem – et Bonum Annum Novum!*

Frohe Weihnachten wünschte der Kommissar auch den Kolleginnen und Kollegen am Ende seiner kurzen Ansprache am Abend. Aus Kostengründen hatte man dieses Jahr auf ein üppiges Nachtessen in einem der Zunfthäuser verzichtet und war in ein Zelt beim Landesmuseum gegangen. Es gab Finger-Food und einen günstigen Rotwein. Corina fand es »speziell«, und Eschenbach konnte damit leben. Denn wenn die Banken in Zürich, weil sie Verluste machten, keine Steuern mehr bezahlten, ging dies auch an der Kantonspolizei nicht spurlos vorbei.

Kurz vor elf Uhr löste sich die Gesellschaft auf. Eschenbach und Corina gingen über den Bahnhofplatz und bestaunten die neue Weihnachtsbeleuchtung. Anstelle der kalten Neonröhren der letzten Jahre funkelten hoch über der Bahnhofstrasse Millionen von kleinen Lämpchen.

»Zürich ist wärmer geworden«, meinte der Kommissar etwas besäuselt. Und beim Anblick dieser Sternenpracht kam ihm das Lied von Paul Burkhard in den Sinn, das Zarli Carigiet als Clochard so wunderschön gesungen hatte:

Mis Dach isch dr Himmel vo Züri
und s' Bellevue mis Bett won i pfuus –
und z' Nacht isch d' Laterne
dr Mond mit de Sterne,
und Züri, ganz Züri, mis Huus.

Mit diesen Worten auf den Lippen, den Mantelkragen hochgeschlagen und mit Corina im Arm, machte sich der Kommissar
langsam auf den Heimweg.

Dank

Mein tiefempfundener Dank geht an:
– Katrin Fieber, meine langjährige Lektorin bei Ullstein. Sie ist mit mir durch alle Höhen und Tiefen dieses Romans gegangen, hat ihre große Erfahrung eingebracht und ist mir eine wertvolle Diskussionspartnerin gewesen. Mit viel Feingefühl verstand sie es, sich in die schweizerischen Gegebenheiten hineinzuversetzen und mir – falls es einmal nötig war – das letzte Wort nicht zu überlassen.

– Bruder Gerold, Ordensbruder der Klostergemeinschaft Einsiedeln. Er hat mich durch die ehrwürdigen Bauten am Fuße des Friherrenbergs geführt und mir viel über die Benediktinergemeinschaft dort erzählt. Es sei mir verziehen, wenn nur ein Bruchteil dessen im Roman auch wirklich zum Tragen kommt.

Und last but not least danke ich Annette Klein, meinen lieben Freunden Regine Weisbrod, Gabriel Herrera und Daniele Hendry sowie meiner wundervollen Frau Caroline. Sie haben mit viel Fachwissen, aufmunternder Hilfsbereitschaft und großen Entbehrungen wesentlich zum Gelingen dieses Buches beigetragen.

Michael Theurillat
Sechseläuten

Kriminalroman. www.list-taschenbuch.de
ISBN 978-3-548-60944-7

Mit dem Sechseläuten treibt man in Zürich den Winter
aus. Während der Feierlichkeiten bricht plötzlich eine
Frau zusammen und stirbt. Die Todesursache ist unklar.
Neben der Leiche steht zitternd ein kleiner Junge.
Kommissar Eschenbach, der zu den Ehrengästen gehört, spürt, dass der Junge etwas gesehen hat. Doch
er schweigt. Was als spontaner Einsatz beginnt, wird
für Eschenbach zu einer erschütternden Reise in die
Schweizer Vergangenheit.

»Intelligent und exakt beobachtend spiegelt Michael
Theurillat die Schweiz, Europa und die westliche Welt.«
WDR

List Taschenbuch

L-405